D0306835

Je sais où tu es

Claire Kendal

Je sais où tu es

ROMAN

Traduit de l'anglais
par Nathalie Cunnington

Albin Michel

COLLECTION « SPÉCIAL SUSPENSE »

Ce roman est une œuvre de fiction.
Toute ressemblance avec des personnes, des lieux
ou des événements ne pourrait être que fortuite.

Édition originale parue sous le titre :
THE BOOK OF YOU
chez Harper Collins Publishers, à Londres, en 2014

Pour mon père, qui m'a offert
mon premier livre de contes de fées.
Et pour ma mère, qui m'a appris à lire.

« Pour cette petite clef-ci, c'est la clef du cabinet au bout de la grande galerie de l'appartement bas. Ouvrez tout, allez partout, mais pour ce petit cabinet, je vous défends d'y entrer, et je vous le défends de telle sorte, que s'il vous arrive de l'ouvrir, il n'y a rien que vous ne deviez attendre de ma colère.

La Barbe Bleue, Charles Perrault

SEMAINE 1

La jeune fille à la quenouille

Lundi

Lundi 2 février, 7 h 45

C'est toi. Bien sûr. C'est toujours toi. Quelqu'un me rattrape et quand je me retourne, c'est toi que je vois. Je savais que ce serait toi, et pourtant je perds l'équilibre sur la neige gelée. Je me relève en titubant. Il y a des cercles humides sur mes collants au niveau des genoux. L'humidité transperce mes mitaines.

N'importe quelle personne sensée resterait chez elle par un froid aussi glacial, à supposer qu'elle ait le choix. Mais pas toi. Tu es sorti faire un petit tour. Tu tends le bras pour m'aider à retrouver mon équilibre, tu me demandes si ça va. Je m'écarte en me débrouillant pour rester stable.

Je sais que tu m'espionnes sans doute depuis que je suis sortie de chez moi. Je ne peux pas m'empêcher de te demander ce que tu fais ici, même si je sais que tu ne me donneras pas la vraie raison.

Tes paupières cillent, comme l'autre fois. Signe de nervosité chez toi. « Je me promenais, Clarissa, tout simplement. » Tu vis dans un village à huit kilomètres d'ici, mais peu importe. Tes lèvres blanchissent. Tu les mords, comme si tu devinais qu'elles ont perdu leur peu de couleur et que tu essayais de faire affluer le sang. « C'était bizarre, cette manière de te comporter vendredi au boulot, Clarissa. De quitter la salle de conférences subitement. On s'est tous dit la même chose. »

Cette façon que tu as de répéter mon prénom, ça me donne envie de crier. Le tien est devenu laid pour moi. J'essaie de l'empêcher d'entrer dans ma tête, comme si cela allait miraculeusement t'empêcher d'entrer dans ma vie. Mais il revient à pas de loup. Il s'impose. Exactement comme toi. À chaque fois.

Deuxième personne. Singulier. Présent. Voilà ce que tu es. Dans tous les sens possibles.

Mon silence ne te décourage pas. « Tu n'as pas décroché de tout le week-end. Tu n'as répondu qu'à un seul de mes textos, et encore, de façon guère aimable. Qu'est-ce que tu fais dehors par un froid pareil, Clarissa ? »

Je ne vois pas plus loin que l'instant présent. Je dois me débarrasser de toi. T'empêcher de me suivre jusqu'à la gare et de deviner où je vais. Si je t'ignore, ça ne me mènera à rien, là, maintenant ; dans la vraie vie, les conseils qu'ils donnent dans leurs brochures ne marchent pas. Je doute de trouver quoi que ce soit qui marche avec toi.

« Je suis malade. » Mensonge. « C'est pour ça que je suis partie vendredi. Il faut que je sois chez le médecin avant huit heures.

– Tu es la seule femme de ma connaissance à être jolie même malade. »

Je commence pour de vrai à me sentir mal. « J'ai de la fièvre. J'ai vomi toute la nuit. »

Tu approches la main de ma joue, comme pour vérifier ma température. J'ai un brusque mouvement de recul.

« Je t'accompagne. » Ta main est restée en l'air, rappel maladroit de ton geste déplacé. « Tu ne devrais pas rester seule. » Tu ponctues ta phrase en laissant retomber ta main lourdement.

« Je ne veux pas que tu attrapes ce que j'ai. » Malgré ce que je viens de dire, je crois avoir conservé un ton calme.

« Laisse-moi prendre soin de toi, Clarissa. Il gèle – tu ne devrais pas être dehors par ce froid avec tes cheveux mouillés – tu vas attraper mal. » Tu sors ton portable. « J'appelle un taxi. »

De nouveau tu m'as coincée. Avec la barrière métallique noire derrière moi, je ne peux pas reculer davantage. Je risquerais de glisser dessous – et la route est à un mètre en contrebas. Je fais un pas sur le côté, me repositionne, mais malgré cela, tu m'écrases. Tu as l'air tellement imposant dans cette doudoune grise.

L'ourlet de ton jean est trempé à force de traîner dans la neige – toi non plus tu ne prends pas soin de toi. Tes oreilles et ton nez sont rouge vif dans ce froid glacial. Les miens aussi, je suppose. Tes cheveux châtains sont ternes, alors que tu viens sans doute de les laver. Fermée, crispée, ta bouche ne se détend jamais.

Un sentiment de pitié m'envahit sournoisement, malgré mes efforts pour me protéger et garder mes distances. Toi aussi tu dois être en manque de sommeil. Parler avec méchanceté, même à toi, voilà qui va à l'encontre de la gentillesse que mes parents m'ont enseignée. Et puis de toute façon, si je me montre impolie, tu n'en disparaîtras pas pour autant. Je sais pertinemment que tu feras semblant de ne pas avoir entendu et que tu me suivras. Et ça, je ne le veux pour rien au monde.

Tu composes un numéro sur ton portable.

« Non. N'appelle pas. » Mon ton brusque t'arrête un instant. Je pousse mon avantage. « Le cabinet du médecin n'est pas loin. » Je me fais plus explicite. « Je refuse de monter dans un taxi avec toi. »

Tu appuies sur la touche « Raccrocher » et ranges ton téléphone dans ta poche. « Écris-moi ton numéro de fixe quelque part, Clarissa. Je crois que je l'ai perdu. »

Nous savons tous les deux que je ne t'ai jamais donné ce numéro. « J'ai fait débrancher la ligne. J'utilise uniquement mon portable maintenant. » Un mensonge de plus. Je remercie silencieusement le ciel que tu n'aies pas trouvé le numéro quand tu étais chez moi. Je m'étonne que tu n'aies pas profité de cette occasion unique. Tu dois t'en vouloir à mort maintenant. Mais tu étais trop occupé à ce moment-là.

Je tends la main vers la colline. « Je te suggère la corniche pour ta promenade. » Je joue sur ton désir de me plaire. Tactique peu élégante, mais je suis prête à tout. « C'est l'une de mes préférées, Rafe. » Je marque un temps d'arrêt trop long avant de réussir à prononcer ton nom, mais il finit par sortir, et c'est tout ce que tu remarques. Il ne te vient pas à l'esprit que je t'ai fait ce petit cadeau dans l'espoir que tu t'en ailles.

« Si elle a une signification particulière pour toi, Clarissa, alors je suis sûr qu'elle me plaira. Tout ce que je veux, c'est faire ton bonheur. Si tu le veux bien. » Tu esquisses un sourire.

« Au revoir, Rafe. » Je me force à utiliser à nouveau ton prénom, et en voyant ton sourire s'élargir et s'épanouir, je ressens une pointe de culpabilité à l'idée qu'une ruse aussi grossière puisse marcher.

Osant à peine croire que j'ai échappé à ton emprise, je descends prudemment la colline en vérifiant à intervalles réguliers que la distance qui nous sépare augmente. Chaque fois, tu me regardes et tu lèves la main, si bien que je dois me forcer à te saluer, bien malgré moi.

À partir de maintenant, le matin, je prendrai le taxi jusqu'à la gare et je vérifierai que tu ne me suis pas. La prochaine fois que je me retrouverai face à toi, je réfléchirai sur le long terme. J'obéirai aux brochures : je refuserai de parler. Ou bien je te demanderai pour la énième fois – en termes bien sentis – de me laisser tranquille. Même ma mère trouverait que les circonstances justifient les mauvaises manières. Non pas que j'envisage de parler de toi à mes parents. Ils s'inquiéteraient.

Je suis sur le quai. Je claque des dents et j'ai peur que tu ne te matérialises pendant que la voix dans le haut-parleur s'excuse pour les annulations et retards de trains causés par les intempéries.

Je m'appuie sur le mur et gribouille aussi vite que possible dans mon nouveau carnet. C'est ma première entrée. Le carnet est minuscule, pour que je puisse l'emporter avec moi tout le temps, ainsi qu'ils le conseillent dans leurs brochures. Il est à spirale, avec des lignes et une couverture noir mat. Les gens des services d'écoute téléphonique disent qu'il faut que je consigne tout par écrit. Ils disent que je ne dois rien omettre, que je dois immédiatement noter tout incident qui se produit, aussi négligeable soit-il. Mais aucun incident n'est jamais négligeable quand il s'agit de toi.

Je tremble tellement que je regrette de ne pas m'être séché les cheveux. Je suis sortie en coup de vent, pour ne pas être en retard après un réveil tardif causé par de mauvais rêves – des rêves de toi, comme toujours. En fait j'aurais eu le temps de les sécher, mais je ne pouvais pas le prévoir aussi précisément que je peux te prévoir toi. Mes cheveux sont comme une coque de glace par laquelle le froid pénètre ma peau et mes veines, une couronne maléfique qui transforme la chair en pierre.

Il existait forcément un monde dont il était absent. Ce monde, elle se dit qu'elle y avait peut-être enfin pénétré. Des portraits de juges aux visages sévères étaient accrochés au mur faisant face à l'escalier en marbre. Clarissa eut l'impression qu'ils la suivaient du regard pendant qu'elle gravissait les marches ; mais elle se refusa à abandonner l'espoir d'avoir trouvé un endroit où personne ne l'espionnait, un endroit où elle pouvait l'empêcher d'entrer.

Elle attendit que la greffière vérifie son passeport et sa convocation, puis s'assit sur l'un des fauteuils bleus capitonnés. Il régnait dans la pièce un calme merveilleux. Ses orteils dégelaient. Ses cheveux séchaient. Un endroit magique, loin de son regard à lui. Seuls les jurés étaient autorisés à entrer, et ils devaient même composer un code à la porte pour qu'on leur ouvre.

Le grésillement du micro la fit sursauter. « Merci aux personnes dont les noms suivent de venir attendre près du bureau, pour le procès de deux semaines qui va commencer dans la salle d'audience n° 6. »

Deux semaines dans le havre d'une salle d'audience. Deux semaines loin du travail ; deux semaines loin de lui. Son cœur s'accéléra, saisi par l'espoir d'entendre son nom. Puis elle s'écroula dans son fauteuil, déçue de n'avoir pas été appelée.

À l'heure du déjeuner, elle se força à quitter le sanctuaire du tribunal ; elle avait besoin de s'aérer. Elle hésita devant les portes à tambour, jeta un coup d'œil à droite et à gauche. Elle craignait qu'il ne soit caché entre les deux fourgons garés dans la rue. Retenant son souffle, elle s'élança. Non, il n'était pas accroupi près de l'un des pare-chocs, constata-t-elle avec un soupir de soulagement.

Elle se promena dans les allées du marché de plein air, observa les employés du coin qui achetaient des repas diététiques ou exotiques à manger sur le pouce, aperçut des avocats installés autour d'une grande table dans un restaurant italien cher.

Après avoir jeté un coup d'œil par-dessus son épaule, elle s'engouffra dans le cocon familier d'une mercerie. Comme toujours, elle fut attirée par les tissus pour enfants. Des sirènes flottaient, l'air absent, tandis que des petites filles envoûtées les poursuivaient à la nage. Elle imagina une robe pour fillette avec des volants prune et fuchsia.

Henry aurait détesté. Mièvre, aurait-il dit. Fleur bleue. Trop joli. Sans aucune originalité. Les couleurs sobres, c'est mieux, aurait-il décrété. Peut-être ne fallait-il pas regretter que leur incapacité à faire un bébé les ait séparés.

Elle se dirigea d'un pas décidé vers les bobines de fil, chercha dans son sac l'échantillon de coton vert mousse ponctué de fleurs cramoisies, et choisit la couleur la mieux assortie au fond. Puis elle se dirigea vers la caisse avec deux bobines.

« Vous allez faire quoi avec ? » demanda l'employée.

Clarissa vit des paupières ourlées de cils châtain clair qui cillaient, un regard auquel elle ne pouvait échapper, des lèvres laissant couler un filet de bave : visions de la nuit que Rafe avait passée chez elle, dans son lit.

Oui, elle allait l'exorciser. « Des draps », répondit-elle.

Le tissu serait doux sur sa peau. Elle se surprit à se demander avec une pointe de curiosité qui dormirait un jour avec elle sous ces minuscules fleurs cramoisies.

Lundi 2 février, 14 h 15

J'essaie de retrouver le fil de l'histoire. J'essaie de combler les blancs. De me souvenir de tout ce que tu as fait avant ce matin, avant le moment où j'ai commencé à garder trace de tout. Pas question de passer à côté du moindre élément à charge – je ne peux pas me le permettre. Mais ce retour dans le passé me force à le revivre. Il te fait revenir près de moi, là où précisément je ne veux pas que tu sois.

Lundi 10 novembre, 8 heures
(Il y a trois mois)

C'est la nuit où j'ai commis l'erreur monumentale de coucher avec toi. Je suis à la librairie. Elle est restée ouverte uniquement pour tes invités, afin de fêter la sortie de ton nouveau livre sur les contes de fées. Seuls deux ou trois de tes collègues du département d'anglais sont venus. Stimulés par ma présence, ils parlent d'Henry à voix basse et sur un ton venimeux. Prenant l'air de celle qui n'a rien remarqué, j'ouvre des livres et fais mine de les trouver fascinants, même si les mots sont flous et à peu près aussi compréhensibles pour moi que du chinois.

Je ne sais toujours pas trop pourquoi je suis venue, ni ce qui m'a pris de mélanger les vins blanc et rouge que tu m'as encouragée à boire. Sans doute la sclitude et l'abandon : Henry vient de quitter Bath pour prendre le poste de professeur à Cambridge pour lequel il a comploté toute sa vie. La compassion joue aussi un rôle dans l'histoire ; tu m'as envoyé trois invitations.

Je ne peux pas partir avant la fin de ta lecture. Assise au dernier rang, je t'écoute réciter un passage de ton chapitre intitulé « La mise à l'épreuve de la véritable fiancée ». Tu as fini. Quelques-uns de tes collègues te posent des questions polies. Je ne suis pas une universitaire ; je ne dis rien. Dès que meurent les rares applaudissements, je me faufile vers la porte pour m'échapper, mais tu me supplies de ne pas partir si tôt. Je monte discrètement dans la section art de la librairie et m'assois sur le tapis beige sale, une vieille édition de *Munch* sur les genoux. J'ouvre à la page du *Baiser* – la première version, celle où les amants sont nus.

Là, ton ombre tombe sur la page ; ta voix transperce le désert de silence du premier étage. Je sursaute sans pouvoir le cacher. « Si je ne t'avais pas trouvée, tu aurais pu rester enfermée ici toute la nuit. » Tu me domines, ton regard me scrutant depuis tout là-haut, et tu souris.

Je m'empresse de fermer le *Munch* et le pose à côté de moi. « Je ne suis pas sûre que dormir en compagnie de tous ces artistes soit aussi terrible que cela. » J'agite ton gros livre en minaudant comme une actrice de vaudeville. Le geste me fait mal au poignet. « Il est super. Merci beaucoup de m'en avoir donné un exemplaire. Et tu lis merveilleusement bien. J'ai adoré le passage que tu as choisi.

– Et moi, j'adore le tableau que tu as choisi, Clarissa. »

Tu poses la mallette bourrée à craquer que tu tiens dans une main. Et les deux verres de vin que tu tiens dans l'autre.

Je ris. « C'est un cadavre que tu trimballes là-dedans ? »

Tes yeux se posent brièvement sur la serrure de la mallette comme si tu voulais vérifier qu'elle est bien fermée, et l'idée m'effleure que tu as des secrets que tu ne veux pas révéler. Mais tu ris, toi aussi. « Juste des livres et des documents. » Tu tends le bras. « Sors de ta cachette. Je vais te raccompagner chez toi. Il fait trop nuit pour te laisser seule dehors. »

Je te donne la main, te laisse m'aider à me redresser. Tu ne me lâches pas. Alors doucement, je me libère. « Je vais me débrouiller. Vous n'êtes donc pas invité quelque part pour dîner, monsieur le Professeur ?

– Je ne suis pas professeur. » Ta paupière cille. Elle vibre plusieurs fois de suite, rapidement, comme si un minuscule insecte se cachait dessous. « C'est Henry qui a eu le poste, l'année où j'ai postulé. Je n'avais aucune chance contre un poète qui a gagné un prix. Et puis, le fait d'être directeur du département a plutôt joué en sa faveur. »

Ce poste de professeur, Henry l'a plus que mérité, mais bien entendu, ce n'est pas ce que je dis. Ce que je dis, c'est : « Je suis désolée. » Après quelques secondes d'un silence gêné, j'ajoute : « Il faut que je rentre. » Tu prends un air tellement effondré que j'ai envie de te consoler. « C'est vraiment un livre très intéressant, Rafe. » J'essaie d'adoucir ma sortie imminente. « De quoi être fier. »

Tu reprends les verres, m'en tends un. « Trinquons, Clarissa. Avant que tu partes.

– À ton superbe livre. »

Je trinque avec toi – vin blanc pour moi, vin rouge pour toi. Je bois une gorgée. Tu as l'air tellement heureux de cette petite faveur ; cela me touche et m'attriste. Cet instant, que pourtant j'aimerais oublier, je vais le rejouer dans mon esprit tant de fois au cours des mois qui vont suivre !

« Bois. » Tu vides ton verre, comme pour donner l'exemple.

Je t'imite, malgré ce goût de médicament sucré-salé. Je ne veux pas assombrir ta petite fête déjà bien terne.

« Je vais te raccompagner, Clarissa. Je préfère marcher avec toi plutôt que d'aller à un dîner guindé. »

Une minute plus tard, nous plongeons dans le froid de l'air automnal. J'ai beau être grisée par le vin, j'hésite avant de prendre la parole. « Ça t'arrive de penser à la première femme de Barbe-Bleue ? Elle n'est pas mentionnée expressément, mais elle doit faire partie des femmes mortes pendues dans le cabinet interdit. »

Tu as un sourire indulgent, le genre de sourire que tu adresses à tes étudiantes. Tu es habillé comme un professeur américain B.C.B.G – ce qui n'est pas ton style habituel. Un blazer en tweed, un pantalon en velours côtelé, une chemise avec des fines rayures blanches et bleues, un gilet sans manches bleu marine. « Explique-toi. » Tu lances les mots sur un ton péremptoire, comme je t'imagine bien le faire dans tes séminaires de littérature anglaise.

« Eh bien, à supposer qu'il y ait un cabinet secret au début de l'histoire et qu'il interdise à la toute première Mme Barbe-Bleue d'y entrer, il n'y aurait pas encore eu de femmes assassinées dedans. Il n'y aurait pas eu de coulée de sang dans laquelle elle aurait fait tomber la clef, pas de tache sur cette clef qui puisse la trahir. Alors quelle raison s'est-il donné la première fois qu'il a tué ? Ça, ça m'a toujours intriguée.

– Peut-être qu'il n'a inventé le cabinet qu'à partir de Mme Barbe-Bleue n° 2. Peut-être Mme Barbe-Bleue n° 1 a-t-elle commis une faute encore plus grave que celle d'entrer dans le cabinet. La pire forme de désobéissance : peut-être l'a-t-elle trompé, comme la première épouse dans *Les Mille et Une Nuits*, et que c'est pour ça qu'il l'a tuée. Ensuite, il a voulu mettre chacune de ses épouses à l'épreuve, pour voir si elle était fiable. Sauf qu'aucune ne l'était. » Tu dis tout cela sur un ton léger, en plaisantant.

J'aurais dû comprendre à ce moment-là que tu ne plaisantais pas. Tu n'es jamais léger. Si je n'avais pas accepté le troisième verre de vin, peut-être aurais-je vu cela, peut-être aurais-je évité la suite.

« Tu parles comme si tu pensais qu'elle le méritait.

– Bien sûr que non. » Tu réponds de façon trop hâtive, trop insistante – signe que tu mens. « Bien sûr que je ne le pense pas.

– Pourtant, tu as utilisé le terme désobéissance. »

Je commence à trembler. Ou est-ce seulement mon imagination ? « C'est un mot effrayant. En plus, ce n'était pas juste de lui faire promettre ça. On ne peut pas demander aux gens de ne pas entrer dans une pièce qui se trouve dans leur propre maison.

– Les hommes ont besoin d'un endroit secret, Clarissa.

– Vraiment ? » Nous sommes arrivés devant l'abbaye de Bath. La façade ouest de l'édifice est illuminée, mais bizarrement je n'arrive pas à distinguer mes anges déchus préférés, ceux qui sont sculptés la tête en bas sur l'*Échelle de Jacob*. Le vertige que j'éprouve doit ressembler au leur, face à un monde renversé.

Tu me prends le bras. « Clarissa ? » Tu agites la main devant mes yeux en souriant. « Ouh-ouh, réveille-toi ! »

Cela m'aide à me souvenir de ce que je voulais dire, même si je dois faire d'énormes efforts de concentration pour former mes phrases. « Il devait y avoir des secrets véritablement terribles dans ce cabinet. C'était le lieu de ses fantasmes, l'endroit où il les réalisait. »

Nous passons devant les bains romains. J'imagine les statues des empereurs, des gouverneurs et des chefs militaires qui me contemplent d'un air sévère du haut de leur terrasse et aimeraient me voir noyée dans l'immense pièce d'eau verte en contrebas. J'ai dans la bouche un goût de soufre semblable à celui de l'eau minérale des thermes.

« Tu es bien meilleure que les critiques de *Barbe-Bleue*, Clarissa. C'est toi qui devrais être le professeur. Dommage que tu n'aies pas fini ta thèse. »

Je fais non de la tête. Même après avoir arrêté de la bouger, le monde continue à osciller. Je ne parle pratiquement à personne de cette thèse abandonnée. Je me demande vaguement comment tu sais, mais la vue d'une bague dans une vitrine interrompt brutalement mes pensées. C'est une tresse de platine incrusté de diamants. Cette bague, je rêvais qu'Henry m'en fasse un jour la surprise, mais ça ne s'est jamais produit. Des points de lumière scintillent et clignotent à l'intérieur des pierres précieuses comme des éclats de soleil sur une mer bleue. Une guirlande électrique blanche et dorée borde la vitrine et m'éblouit.

Tu me décolles de la vitrine. Je cligne des yeux, comme si tu venais de me réveiller. Au moment où nous passons devant les boutiques fermées au rez-de-chaussée des bâtiments géorgiens en pierre blonde, je ne marche déjà plus droit. Tu as passé ton bras autour de ma taille et tu me diriges.

C'est à peine si je me souviens d'avoir pris le souterrain. Déjà, nous gravissons la colline escarpée. Je suis à bout de souffle. Tu me serres, tu me pousses, me tires, me portes presque. Je revois les éclairs des diamants et de la guirlande, minuscules points lumineux. Comment se fait-il que nous soyons déjà devant la vieille maison dont j'occupe le dernier étage ?

Je tangue légèrement, comme une poupée de chiffon. Le sang me monte à la tête. Tu m'aides à trouver mes clefs, à grimper l'escalier jusqu'au deuxième étage, à ouvrir les deux verrous de ma porte. Je reste plantée sur le seuil, bêtement, sans savoir quoi faire.

« Tu ne m'invites pas à prendre un café ? »

Ça marche à tous les coups, cette manière habile d'en appeler à mon sens de la politesse. Je pense à cette Blanche-Neige aux yeux innocents qui ouvre la porte à la méchante reine et lui arrache pratiquement la pomme empoisonnée des mains. Je pense à Jonathan Harker qui passe le seuil du château de Dracula de son plein gré, alors que rien ne l'y oblige. Je pense de nouveau à Barbe-Bleue et à son cabinet sanglant. A-t-il porté chacune de ses jeunes épouses pour lui faire passer le seuil et l'introduire dans son château après qu'elle s'est joyeusement jetée dans ses bras ? Avant qu'apparaisse la chambre de torture qu'elle était loin d'imaginer…

J'essaie de sourire mais mon visage ne semble pas bouger comme il le devrait. « Bien sûr. Bien sûr. Entre prendre un café et te réchauffer pendant que je t'appelle un taxi. C'était vraiment gentil de ta part de me raccompagner un soir comme celui-ci. » Je bafouille. Je sais que je bafouille.

Je reste devant l'évier pendant que l'eau coule dans la bouilloire. « Désolée. » Mes mots sont confus, comme si je parlais une langue que je connais à peine. « J'ai la tête qui tourne. »

Me lever représente un tel effort. J'ai l'impression d'être une toupie. Ou bien est-ce la pièce qui tourne sur elle-même ? Mon corps est comme liquéfié. Je m'affaisse. Mes jambes se replient avec une précision réconfortante, et je me retrouve assise sur les dalles de ma petite cuisine-couloir. Je tiens toujours la bouilloire, qui perd de l'eau par le bec. « J'ai très soif. » L'eau éclabousse ma robe, mais je ne vois vraiment pas comment faire pour qu'elle se retrouve dans ma bouche.

Tu trouves un verre, le remplis. Tu t'agenouilles près de moi, me fais boire comme une enfant buvant au gobelet. Ton index essuie une goutte sur mon menton et la porte à tes lèvres. Mes mains agrippent la théière.

Tu te redresses pour poser le verre et fermer le robinet. Tu te penches, me prends la théière des mains. « Ça me fait de la peine, de voir que tu ne me fais pas confiance. » Quand tu parles, je sens ton souffle sur mes cheveux.

Tu me remets sur mes pieds, supportes tout mon poids. Mes jambes bougent à peine quand tu m'entraînes vers la chambre. Tu m'assois au bord du lit, t'accroupis devant moi. Tu me soutiens pour que je ne m'écroule pas. Je n'arrive pas à redresser le dos. Je pleure.

« Ne pleure pas », chuchotes-tu en caressant mes cheveux, en murmurant qu'ils sont doux, en embrassant les larmes qui ruissellent sur mon visage. « Je vais te mettre au lit. Je sais exactement comment m'y prendre avec toi. »

– Henry… », dis-je.

J'ai l'impression d'avoir du mal à parler, comme si j'avais oublié comment on fait.

« Ne pense pas à lui. » Tu sembles mécontent. Tu plonges tes yeux dans les miens, si bien que je les ferme. « Ce tableau de Munch. Je sais que tu pensais à nous, que tu nous imaginais ensemble. Moi aussi. »

Je suis toute molle. J'ai l'impression d'être faite de vagues. Je glisse en arrière. Tout ce que je veux, c'est m'allonger. Il y a un bruit incessant dans ma tête, comme la mer. Il y a un bruit sourd dans mes oreilles, comme un roulement de tambour ; c'est mon propre cœur, qui bat de plus en plus fort.

Tes mains sont autour de ma taille, sur mon ventre, sur mes hanches, sur le creux de mon dos. Elles m'explorent pendant que tu défais ma robe portefeuille.

Cette robe, il n'y a qu'Henry qui était censé la toucher. Je l'avais faite pour notre dîner d'anniversaire d'il y a sept mois. Même si nous savions tous les deux que c'était pour ainsi dire terminé entre nous, il ne voulait pas célébrer ses trente-huit ans seul. Notre dernière nuit ensemble. Un dîner d'adieu, la dernière fois que nous avons fait l'amour. Cette robe ne t'était pas du tout destinée.

J'essaye de te repousser mais je suis telle une enfant. Tu ouvres complètement la robe, la fais glisser de mes épaules. Alors la pièce se renverse, et tout ce qui suit est indistinct. Images isolées d'un cauchemar dont je ne veux pas me souvenir.

Installée dans un coin tranquille, elle était tellement concentrée sur ce qu'elle écrivait que le crachotement du micro de la greffière lui fit lâcher son stylo, qui se retrouva projeté en l'air. « Merci aux personnes dont les noms suivent de bien vouloir attendre près du bureau, pour le procès qui va commencer dans la salle d'audience n° 12. » À l'annonce de son nom, le premier à être appelé, un choc électrique lui parcourut le corps. Elle fourra le carnet dans son sac comme s'il s'agissait d'une preuve embarrassante avec laquelle elle ne voulait pas être surprise.

Deux minutes plus tard, elle suivait l'huissier au petit trot en compagnie des autres. Une porte épaisse s'ouvrit d'un coup, et ils se retrouvèrent dans les profondeurs secrètes du bâtiment. Ils montèrent des escaliers en béton parcourus de courants d'air, traversèrent à pas feutrés une petite salle d'attente trop éclairée avec un sol en lino, puis passèrent en trébuchant une deuxième porte. Elle cligna des yeux, se rendit compte qu'ils se trouvaient dans la salle d'audience. On appela de nouveau son nom, et elle se glissa dans la dernière travée.

Henry aurait refusé la Bible mais Clarissa prit celle que lui tendait l'huissier sans hésiter. Elle prononça le serment avec la plus grande sincérité, malgré sa voix presque inaudible.

Assise à côté d'elle se trouvait une femme aux cheveux noirs et à l'embonpoint très seyant, qui portait un collier étalant son nom en lettres d'or blanc : *Annie*. Clarissa regarda vers la droite où, à quelques mètres d'elle, étaient installés cinq accusés encadrés par des policiers. Annie dévisageait les hommes avec un intérêt affiché, comme pour les défier de remarquer son regard.

Le juge s'adressa aux jurés. « Ce procès va durer sept semaines. »

Sept semaines. Jamais elle n'avait imaginé avoir autant de chance.

« Si un impératif vous empêche de servir dans ce jury, merci de le faire savoir par écrit à l'huissier avant de partir. Demain, la Couronne fera ses remarques préliminaires. »

Elle chercha son sac à tâtons, se leva en tirant sur sa jupe pour couvrir ses cuisses, et sortit d'un pas incertain à la suite des autres. En passant devant le banc des accusés, elle constata que si elle et le prévenu le plus proche tendaient chacun le bras, ils pourraient presque se toucher.

Elle retira ses mitaines en montant dans le train, puis s'installa à la dernière place assise et sortit son portable. Une vague de dégoût lui souleva le cœur. Quatre textos. Un de sa mère. Les autres de Rafe. En fait, trois, c'était plutôt peu pour lui.

Elle lut celui de sa mère – *un café, ça ne suffit pas comme petit déjeuner* – sans sourire comme elle l'aurait fait normalement. Ses textos à lui, elle n'arriverait jamais à les lire tranquillement, aussi inoffensifs puissent-ils paraître aux yeux des autres.

Espère que tu dors. Espère que tu rêves de moi.

Tombe systématiquement sur ton répondeur. Rappellerai plus tard.

Il te faut des jus de fruits, plein de vitamines. Je viens.

Elle avait besoin d'une amie vers qui se tourner, à qui montrer les textos ; d'une amie qui lui dirait quoi faire. Des amies, elle en avait autrefois, avant qu'Henry et les traitements contre l'infertilité n'envahissent son existence ; c'était avant qu'elle ne laisse un homme marié quitter sa femme pour elle ; avant que les autres femmes lui retirent leur confiance ; avant qu'elle ne supporte plus de lire sur leurs visages désapprobateurs la même perplexité que celle que lui avaient inspirée ses propres actes.

Même si Henry et ses amies ne voulaient pas se fréquenter, elle aurait dû trouver le moyen de se conformer à cette règle cardinale selon laquelle on ne doit jamais laisser une relation amoureuse vous séparer de vos amies. Maintenant, Henry était parti, et Clarissa éprouvait trop de gêne pour essayer de renouer avec elles. Elle n'était même pas sûre de mériter leur amitié, pas sûre qu'elles lui pardonneraient un jour.

Elle pensa à sa plus vieille copine, Rowena, qu'elle n'avait pas vue depuis deux ans. Leurs mères s'étaient rencontrées à la maternité, avaient ensemble, leur bébé dans les bras, contemplé la mer depuis les fenêtres du dernier étage de l'hôpital. Les filles avaient joué ensemble à l'âge où on porte des couches. Fréquenté les mêmes écoles. Mais comme ses autres amies, Rowena ne s'entendait pas avec Henry. Cela dit, elles étaient devenues tellement différentes ; peut-être Henry n'avait-il fait que précipiter une rupture qui aurait eu lieu de toute façon.

Elle essaya de ne plus s'apitoyer sur son sort. Elle devait absolument faire plus d'efforts pour nouer de nouvelles amitiés. Et si elle n'avait pas d'amies à qui demander conseil pour l'instant, elle pouvait au moins se référer aux services d'écoute téléphonique ; leurs brochures étaient arrivées dans sa boîte aux lettres samedi, un jour après qu'elle les avait appelés.

Elle lui envoya un texto. *Ne viens pas. Ne veux pas te voir. Suis très contagieuse.*

À peine eut-elle appuyé sur la touche « Envoyer » qu'elle se souvint du conseil répété sous diverses formulations dans toutes ces brochures. *Ne lui adressez pas la parole, dans la mesure du possible. N'engagez pas la conversation sous quelque forme que ce soit.* Elle savait que ses amies perdues auraient dit la même chose.

Elle regretta de lui avoir donné son numéro de portable – seul moyen de se débarrasser de lui le lendemain de la fête pour la sortie de son livre. Elle avait bruyamment vomi dans la salle de bains, avalé trois cachets de paracétamol devant lui pour soulager sa migraine, cru que ses tremblements lui auraient fait comprendre qu'elle allait tellement mal qu'il ferait mieux de partir. Il avait fallu qu'en dernier recours elle lui donne son numéro pour qu'il la laisse tranquille. Si seulement elle avait eu la présence d'esprit de lui en fourguer un faux. Mais elle était trop malade pour avoir les idées claires.

Elle composa le numéro de Gary. Un impératif, avait dit le juge. Il entendait quoi par là ? Une grossesse ?

Un bébé à allaiter ? Elle n'avait aucune obligation à laquelle il lui était impossible de se soustraire. Un chef de bureau qui ne serait que légèrement embêté par votre absence ne constituait pas un impératif.

Clarissa s'efforça de prendre une voix navrée et de donner l'impression qu'elle trouvait ça honteux. « Je croyais que ça ne serait que pour neuf jours. Deux semaines maximum. Comme ce qu'il y a d'écrit dans les documents qu'ils nous ont envoyés. Je ne sais pas pourquoi, mais on m'a sélectionnée pour un procès qui va durer sept semaines. Je suis vraiment désolée.

– On ne t'a donc pas laissé entendre que tu pouvais dire non ? Tu sais, tu es indispensable ici, à l'université. »

Elle ne put s'empêcher de rire. « Tu exagères. Ce n'est pas comme si j'étais médecin ou prof. D'ailleurs, même eux ne peuvent pas se défiler. Pas plus que les juges. La secrétaire du directeur de l'école doctorale n'occupe pas ce que j'appellerais un poste-clef, même si je suis touchée de voir que tu reconnais mon rôle essentiel.

– Tu n'as pas répondu à ma question. » Il arrivait – c'était rare – que Gary s'adresse à elle comme un patron à une employée. « Ils ne t'ont pas donné la possibilité de dire non ? »

Elle n'eut aucun remords à mentir. « Non », dit-elle. Elle arrivait chez elle. Le train entrait en gare de Bath. Elle eut la chair de poule – signe en général infaillible qu'elle était observée. Mais elle savait que Rafe n'était pas dans le wagon. Elle ne le vit pas non plus sur le quai. « Non, ils ne m'ont pas laissé de porte de sortie. »

Mardi

Les gaz d'échappement lui brûlaient les yeux. Elle était en train de marcher depuis la gare de Bristol Temple Meads jusqu'au tribunal, et les rues étaient tellement larges et semblables qu'elle se demanda si elle ne s'était pas perdue.

Elle essaya de se concentrer sur son itinéraire, sur les repères qu'elle connaissait à peine – ce mur violet à sa droite, elle était sûre de l'avoir vu la veille –, mais Rafe faisait tout passer au second plan, comme d'habitude.

Vendredi 30 janvier, 10 heures
(Il y a quatre jours)

C'est ma dernière journée au travail avant d'être juré ; la dernière journée où je dois t'éviter. Lundi, je disparaîtrai au tribunal et tu ne sauras pas où je suis.

Je place mes documents et mes rapports sur l'une des chaises en bois de l'immense salle de conférences et mon sac sur une autre. Je m'installe entre les deux, en espérant que ces petites murailles te dissuaderont de venir t'asseoir à côté de moi. Cette façon de signaler mon besoin d'espace marcherait avec n'importe qui. Pas avec toi. Bien sûr que non. Avec toi, rien ne marche.

Tu es là, au-dessus de moi, et tu dis « Bonjour, Clarissa » en posant mes documents par terre et en t'installant. Je suis prise d'une colère irrationnelle et injuste contre Gary, parce qu'il a absolument voulu que je le remplace à cette réunion. Tu es assis sur la chaise en bout de rang, ce qui complique une éventuelle fuite – j'ai été bête de ne pas prévoir ce coup-là.

Tu plonges tes yeux dans les miens. Tes paupières cillent. Il n'y a pas d'endroit où je puisse échapper à ton regard. J'ai envie de cacher mon visage dans mes mains, de me couvrir. Tes joues s'empourprent, puis blanchissent, puis s'empourprent à nouveau, comme un clignotant de voiture. Je déteste cette preuve de l'effet que j'ai sur ton corps.

Sans parler de l'effet que tu as sur le mien. Je commence à avoir très chaud. Ma poitrine me fait mal au point que j'ai peur de cesser de respirer. Je vais peut-être m'évanouir devant tout le monde, ou bien avoir la nausée. Une crise d'angoisse, certainement.

Le plafond est haut. Les tubes au néon sont constellés de cadavres de mouches desséchés. Bien que placé très loin au-dessus de ma tête, l'éclairage me brûle le crâne. Même en hiver, les mouches survivent dans la chaleur qui règne sous le toit du bâtiment. J'en entends une qui grésille en se calcinant, incapable d'échapper au piège dans lequel elle s'est retrouvée. J'ai peur qu'elle tombe sur moi. Mais plutôt une mouche que toi.

Tu me touches le bras. Je recule en essayant de dompter mon réflexe de dégoût. Tu murmures : « Tu sais que j'aime quand tu dégages ton cou, avec tes cheveux en arrière. Tu as un joli cou, Clarissa. C'est pour moi que tu t'es coiffée comme ça, n'est-ce pas ? Et la robe, c'est pour moi aussi. Tu sais que je t'aime en noir. »

Alors je ne peux tout simplement plus le supporter. Comme une cocotte sous pression dont le couvercle vient d'exploser, je me lève brusquement, abandonne mes documents, trébuche sur tes jambes. Tu en profites – forcément, comme toujours – pour poser les mains sur ma taille comme pour m'aider à retrouver mon équilibre. D'une tape sur tes doigts, je t'oblige à me lâcher, et peu m'importe si je choque le vice-président de l'université, qui interrompt ses remarques préliminaires tandis que les têtes se tournent pour suivre ma sortie précipitée. Cela me donne envie de pleurer, d'être prise pour celle qui n'arrive pas à maîtriser ses émotions, alors que c'est toi.

Je fuis le campus je ne sais trop comment et arrive en centre-ville. Je suis d'un pas chancelant mon trajet habituel jusqu'aux Assembly Rooms[1]. Par contre, je ne descends pas jusqu'au sous-sol mal éclairé où sont exposées des robes datant de plusieurs siècles, des robes tissées d'or et d'argent, des robes en brocart de soie chatoyant, des robes décorées de bijoux. Non, je traverse l'espace jusqu'au vestibule gris-vert encadré par des colonnes couleur miel, et m'arrête pile devant l'entrée du Great Octagon, la chapelle octogonale.

La salle est fermée. Une pancarte indique qu'une soirée privée va s'y dérouler aujourd'hui. Je me glisse néanmoins entre les deux battants de la porte comme si j'en avais le droit et les ferme derrière moi. À l'intérieur de ces huit murs de pierre règnent le silence et la paix ; une lumière douce tombe sur moi depuis les fenêtres. Je sors mon téléphone, inspire profondément et compose le numéro d'urgence.

« Police secours j'écoute. » L'opératrice parle d'une voix chantante et gaie, comme si elle travaillait pour un magasin de vêtements et que j'étais une acheteuse potentielle.

Je ne sais pas quoi dire. J'arrive à prononcer « Bonjour » malgré ma respiration haletante. Elle doit me prendre pour une malade.

« Quelle est la nature de votre urgence, s'il vous plaît ? »

Le regard bienveillant de la reine Charlotte se pose sur moi, comme pour m'encourager. « Au travail ce matin… Un collègue…

---

1. Des salons du XVIIIe siècle où se retrouvait la bonne société venue prendre les eaux à Bath (*Toutes les notes sont de la traductrice*).

– Il s'est passé quelque chose à votre travail ? »

J'essaie d'expliquer. *Il s'est assis à côté de moi au cours d'une réunion alors que je ne voulais pas de lui près de moi. Il m'a murmuré des paroles suggestives. Il a envahi mon espace personnel. Je me suis sentie menacée.*

« Je vois. Cet homme est-il avec vous en ce moment ? »

Le regard de la reine Charlotte me suit, inquiet, tandis que je décris des cercles dans la salle. « Non, mais il me suit tout le temps. Je n'arrive pas à m'en débarrasser.

– Vous a-t-il blessée physiquement ? »

Posant au milieu d'un impeccable paysage du dix-huitième siècle, la famille Drake a l'air trop épanouie dans son somptueux cadre doré avec ses enfants à l'éducation parfaite. « Non.

– Lui est-il arrivé d'abuser de vous physiquement ? »

Voilà un langage qui ne convient pas aux oreilles de l'adorable bébé Drake installé sur les genoux de sa mère. « Non, dis-je à nouveau après un long silence.

– Vous a-t-il déjà menacée directement ? »

Là encore, j'hésite. « Directement, non. Mais avec lui je me sens menacée.

– Êtes-vous en danger au moment où vous me parlez ? »

Je lève les yeux, regarde tout en haut, au-delà de l'élégante frise de vrilles qui s'entremêlent ; je me tords le cou. Le capitaine William Wade, qui pose dans son manteau rouge de maître de cérémonie, me lance un regard désapprobateur. « Non.

– Je sens que vous êtes bouleversée, et ça se comprend. Mais votre vie n'est pas en danger en ce moment. Ce numéro est destiné aux situations d'extrême urgence. »

La salle semble plus petite, comme si les murs à la sobriété raffinée se rapprochaient les uns des autres. « Je m'excuse. » Le plafond ne me paraît plus si haut à présent. Il n'y a plus assez d'oxygène dans cette pièce.

« Vous n'avez pas à vous excuser. Mais à mon avis, vous iriez mieux si vous vous calmiez. » Elle pense visiblement que je suis une hystérique.

Il y a quatre portes à double battant dans le Great Octagon. L'une d'elles s'ouvre brusquement. Un touriste d'une quarantaine d'années entre d'un pas maladroit, me voit, et s'empresse de reculer en fermant la porte derrière lui.

« Mais je suis calme. » Les mots sonnent comme un croassement aigu.

« Je sais bien que vous nous avez appelés sans mauvaise intention. » Manifestement, elle pense que je suis une imbécile qui lui fait perdre son temps inutilement.

Mon visage est rouge et brûlant. « Je ne savais pas vers qui me tourner. Je croyais que vous traitiez ce genre de situation.

– Vous êtes visiblement perturbée. Avez-vous pensé à consulter votre médecin traitant ? »

Elle pense que je suis folle, carrément.

Je presse ma tempe contre le montant en plâtre de l'une des cheminées. « Ce n'est pas mon médecin traitant qui va l'obliger à me laisser tranquille. »

Sa voix est douce, penaude même : « La police ne peut pas agir s'il n'y a pas preuve qu'un délit a été commis. D'après ce que vous me dites, il n'y a pas eu délit. Je ne suis pas en train de dire que je ne vous crois pas, mais vous n'avez aucune preuve. J'aimerais beaucoup vous aider, mais votre vie n'est pas menacée, si bien que je ne peux vous envoyer personne. »

George III a le regard qui part de côté. « Vous voulez dire qu'il faut qu'il me fasse mal pour que vous m'aidiez ?

– Je veux dire qu'à ce stade-là, nous ne pouvons rien faire. Il y a des organisations et des services d'écoute téléphonique spécialisés qui pourront vous conseiller sur la façon d'attester du harcèlement persistant dont vous êtes victime de la part d'un désaxé. Vous allez devoir agir pour récolter des preuves si vous voulez mettre un terme à ses agissements. Mettez-vous en contact avec eux. C'est la meilleure chose à faire pour l'instant. »

J'appuie sur la touche « Raccrocher » et reste assise quelques minutes au milieu du parquet éraflé. L'immense lustre en cristal est suspendu au-dessus de moi. J'ai peur qu'il ne me tombe sur la tête. Je me relève, les genoux raides et douloureux, et avant qu'on ne me découvre et qu'on ne me jette dehors, je sors en courant du Great Octagon après un dernier coup d'œil à la reine Charlotte.

Elle fut soulagée d'être tirée de ses pensées par la vue du tribunal. Elle y était parvenue, sans trop savoir comment, malgré le fait que des souvenirs déplaisants l'avaient perturbée au point qu'oubliant de tourner à gauche elle avait poursuivi son chemin pendant vingt minutes avant de se rendre compte qu'elle allait devoir revenir sur ses pas. C'était le deuxième jour, mais le juge pouvait très bien la renvoyer à cause de son retard. Elle manqua de nouveau de trébucher en entrant dans le box des jurés.

Un classeur était posé sur le bureau qu'elle partageait avec Annie. Ensemble, elles l'ouvrirent et lurent l'acte d'accusation. *Enlèvement. Détention illégale. Viol. Trafic de drogue.* Des mots qui frappaient. Des mots choquants, au point qu'elle se demanda ce qu'elle faisait là.

Âgé tout au plus de cinquante ans, l'avocat général, Mr Morden, avait sous les yeux les rides d'un homme jovial, mais ce fut avec le plus grand sérieux du monde qu'il se tourna vers les jurés. « Je vais vous raconter une histoire. Une histoire vraie. Une histoire qui n'est pas drôle. Celle de Carlotta Lockyer. Et ce qui lui est arrivé n'a rien d'un conte de fées. »

Quatre des cinq accusés regardaient sagement par terre, comme s'ils étaient trop polis pour prêter l'oreille à une conversation qui ne les concernait pas.

« Il y a un an et demi, le dernier samedi du mois de juillet, Samuel Doleman est parti en excursion avec quelques amis. »

La nuque raide, Doleman fixa de ses yeux gris un point devant lui, mais son visage pâlit. Ses cheveux roux étaient coupés si court que Clarissa distinguait la peau de son crâne. Cela lui donnait un air fragile. Ses taches de rousseur en accentuaient l'effet.

« Ils ont fait Londres-Bath en camionnette, avec Doleman au volant. Ils étaient en chasse. Leur proie ? Carlotta Lockyer. »

Clarissa se souvint alors vaguement de ce qu'elle faisait ce jour-là. Elle se demanda si elle était la seule dans ce cas parmi les personnes présentes, en dehors des accusés. Elle venait de faire sa quatrième tentative de fécondation in vitro. Le 28 juillet, date de son dernier test de grossesse – négatif. Elle revit le trajet en voiture tôt le samedi matin pour aller chercher au laboratoire les résultats de sa prise de sang. Peut-être Henry et elle avaient-ils suivi la camionnette sur l'autoroute en rentrant à Bath dans l'après-midi, elle pleurant toutes les larmes de son corps après le coup de fil de la clinique, lui gardant un silence pesant.

« En vous tournant vers les écrans, vous pourrez voir des images de télésurveillance des accusés devant la porte de l'appartement de Miss Lockyer. »

Clarissa essaya de se concentrer, de calmer les battements affolés de son cœur. Cet appartement, elle le reconnaissait. L'immeuble se trouvait à dix minutes à pied de chez elle. Si Rafe l'avait rattrapée quelques minutes plus tôt la veille, ils se seraient retrouvés pile devant.

Malgré les images saccadées et imprécises, elle vit les hommes arriver, tourner en rond, s'agiter, regarder à travers la vitre, taper du poing sur la porte, secouer la poignée.

Elle imagina Rafe agissant de la sorte avec sa porte à elle. Miss Norton ne manquerait pas d'intervenir si jamais il osait. Miss Norton était la petite vieille dame qui occupait l'appartement du rez-de-chaussée. Il n'y avait qu'elle et Clarissa dans la maison, le premier étage étant toujours vide ; le propriétaire, un riche Australien qui avait fait un placement, l'occupait rarement.

« De toute évidence, Miss Lockyer n'est pas chez elle. Hélas pour elle, Mr Doleman et ses amis ne sont pas du genre à laisser tomber. »

On pouvait en dire autant de Rafe. Elle but une gorgée de son café, qui avait un goût amer.

« Ils l'ont cherchée partout. Ils l'ont trouvée. L'ont suivie. Se sont jetés sur elle. L'ont entraînée dans un voyage terrifiant jusqu'à Londres, l'ont fait plonger dans les ténèbres de leur monde sadique. »

De nouveau, elle s'imagina en train de déposer plainte à la police contre lui. De nouveau, elle sut ce qui ne manquerait pas d'arriver : ils en viendraient à la conclusion qu'elle l'avait bien cherché.

Il dirait qu'elle aimait qu'on s'occupe d'elle. Il dirait qu'elle était venue à sa fête et avait voulu coucher avec lui. Il dirait qu'elle l'avait invité chez elle. Il y avait sans doute des images de télésurveillance les montrant tous les deux en train de remonter la colline, son bras à lui autour de sa taille à elle.

Elle repensa aux avertissements des brochures. *Si jamais on vous soupçonne de ne pas dire toute la vérité, votre crédibilité risque d'être mise en cause.* Pour ce qui était de la vérité, c'était sa parole à elle contre celle de Rafe.

Lui revint en mémoire un incident qu'en général elle préférait oublier. Quelque chose qui s'était produit un jour où elle rentrait de l'école avec Rowena. Elle avait quinze ans. Sur le front de mer, une fille bizarre lui avait donné un coup de poing dans le ventre, l'avait renversée après avoir arraché son sac et s'était enfuie. Elle avait eu l'impression que tout s'était passé en même temps. Elle était restée là, le souffle coupé, avec Rowena accroupie à côté d'elle qui la tenait dans les bras.

Ses parents l'emmenèrent au commissariat pour qu'elle raconte l'incident ; mais la policière, maussade, jugea visiblement qu'il s'agissait d'une dispute entre collégiennes ne méritant pas qu'elle y consacre du temps et demanda à plusieurs reprises ce que Clarissa avait fait pour provoquer cette réaction. Avait-elle crâné ? Étalé ses richesses devant une gamine qui avait moins de chance qu'elle ? Les deux filles s'étaient-elles disputées à cause d'un garçon ? Clarissa sortit du commissariat les joues rouge vif et le visage brûlant, avec le sentiment d'avoir quelque chose à se reprocher.

C'est tombé sur toi par hasard. C'était dans ces termes que Rowena avait parlé de l'incident plus tard, en lui tenant la main. Mais il devait bien y avoir quelque chose en elle pour attirer l'attention de cette fille. Et quelque chose en elle pour attirer celle de Rafe. Chez lui, absolument rien n'était laissé au hasard.

Ses yeux lui faisaient mal. Elle les ferma brièvement. Ses épaules se raidissaient. L'homme assis juste devant elle était vraiment trop grand – au moins un mètre quatre-vingts. Elle devait se tordre le cou pour apercevoir le visage de Mr Morden par-dessus ses cheveux coupés très court ; hier aussi il en avait été de même. Sept semaines à ce régime-là, et elle finirait chez le chiropracteur.

L'homme se leva et lui indiqua par un petit signe de tête qu'il la laissait passer devant lui. Elle remarqua sa façon de se tenir : bien planté sur ses jambes, les pieds écartés et parfaitement parallèles, le poids du corps sur les talons, les bras croisés. Jamais elle n'avait vu quelqu'un se tenir aussi droit tout en paraissant aussi détendu.

Dans le petit théâtre de la salle d'audience n° 12, la plus grande discrétion s'imposait, mais il lui parut important de s'accrocher à quelques principes de courtoisie dans un tel contexte. Elle passa devant lui avec un petit signe de tête et une esquisse de sourire, façon de faire écho aux bonnes manières qu'il avait affichées.

Mardi 3 février, 18 heures

Ça ne dure pas longtemps. Forcément. Il est déjà assez incroyable que ma pseudo-maladie m'ait fait gagner ne serait-ce qu'un jour sans être surveillée par toi. Ces dernières trente-quatre heures sont ma plus longue période loin de toi depuis plusieurs semaines.

Toi, tu dirais que c'est une lettre d'amour. Pour moi, c'est une lettre de haine. Quel que soit son nom, elle a été soigneusement posée sur l'étagère, dans une inoffensive enveloppe marron, par la très vigilante Miss Norton.

Aucun autre homme ne saura te faire ce que je te fais.

Aucun ne t'aimera comme moi.

Pour une fois, j'espère que tes prédictions se réaliseront.

Mercredi

Mercredi 4 février, 8 heures

Lorsque j'ouvre ma porte, tu es si près de moi que je respire l'odeur de ton shampoing et de ton savon. Tu sens le frais, le propre. Tu sens la pomme, la lavande et la bergamote – des odeurs que j'aimerais si elles n'étaient pas les tiennes.

« Tu vas mieux, Clarissa ? »

La bienveillance n'est pas quelque chose que tu comprends. Ce n'est pas quelque chose que tu mérites. Mais je vais me montrer bienveillante avec toi une dernière fois avant de refuser définitivement de te parler. Ce matin sera complètement différent de lundi.

Je te parle calmement, d'une voix polie. C'est loin d'être la première fois que je prononce ces mots. « Je ne veux pas que tu t'approches de moi. Je ne veux pas te voir. Je ne veux rien avoir à faire avec toi. Je ne veux aucun contact. Aucune lettre. Aucun cadeau. Aucun appel. Aucune visite. Ne reviens plus jamais chez moi. »

Mon discours est parfait. Exactement comme je l'ai répété. Je m'éloigne rapidement, sans te regarder. Pourtant, ton visage est suffisamment clair dans ma tête pour pouvoir en faire une description précise.

Tu mesures un mètre quatre-vingts. Tu es solidement charpenté. Avant, tu avais le ventre plat, mais ce n'est plus le cas. Sans doute bois-tu davantage. Tes hanches se sont élargies aussi, au cours du dernier mois. Ton nez est quelconque au milieu de ton visage rond et bouffi dont les traits ont perdu leur netteté.

Mais surtout, il y a ta pâleur. Ta pâleur d'esprit, d'âme, de corps. Ta peau est si pâle que tu rougis facilement, passant du blanc au vermillon en un éclair. Tes cheveux châtain clair sont raides et courts, et toujours aussi épais. Ils sont étrangement doux et soyeux pour un homme. Tes sourcils sont châtain clair. Tes yeux sont clairs, bleu délavé. Petits. Tes lèvres sont fines. Pâles elles aussi.

Tu touches mon bras. Je me libère, descends l'allée jusqu'au taxi qui attend.

« J'étais venu voir comment tu allais, dis-tu comme si je n'avais pas parlé. Ton téléphone ne marche toujours pas. Je m'inquiète quand je n'arrive pas à te joindre », ajoutes-tu.

Avec toi à côté de moi le chemin passant entre les rosiers de Miss Norton me paraît long, mais me voilà arrivée au taxi. Je suppose qu'en réalité ça ne m'a pas pris beaucoup de temps.

J'ouvre la portière arrière, monte, puis essaye de la fermer derrière moi, mais tu la retiens.

« Fais-moi de la place, Clarissa. Je t'accompagne. » Tu te penches en avant. Ta tête et ton torse sont à l'intérieur du taxi. Je sens ton dentifrice – une odeur de menthe prononcée.

Le sang-froid que j'ai pris soin de conserver se volatilise. « Cet homme n'est pas avec moi », dis-je au taxi, le même que celui qui est venu me prendre hier. « Je ne veux pas qu'il monte.

– Arrêtez de l'embêter. Dégagez ou j'appelle la police ! »

Ma mère m'a toujours dit depuis que je suis adulte que les chauffeurs de taxi considèrent que protéger leurs clients fait partie de leur travail ; ils savent que c'est la raison pour laquelle les femmes sont prêtes à payer un taxi. Ma mère a souvent raison, et je suis bien tombée avec ce chauffeur. Pour ma mère, les chauffeurs de taxi sont des héros qui vous sauvent, des hommes grands et costauds.

En l'occurrence c'est une femme, âgée d'une quarantaine d'années, petite, mais corpulente et coriace et intrépide. Elle a de beaux cheveux gris dressés sur le crâne qu'elle n'est certainement pas du genre à teindre. Elle porte un jean et un pull orange en laine pelucheuse. Elle ne manifeste rien de la chaleur et de la jovialité qui régnaient hier dans son taxi lors de notre bref trajet. Elle ouvre sa portière, histoire de te montrer qu'elle est prête à mettre ses menaces à exécution.

Tu retires ta tête et ton torse et restes à quelques centimètres de la portière que je claque en même temps qu'elle claque la sienne.

Tu donnes un coup de poing sur le toit. « Comment peux-tu me traiter comme ça, Clarissa ? »

La conductrice appuie sur le bouton pour baisser la vitre avant côté passager, t'adresse quelques menaces bien senties, et le taxi s'éloigne.

« Clarissa ? Clarissa ! Je ne mérite pas ça, Clarissa ! »

Je refuse toujours de te regarder. J'essaie désespérément de suivre à la lettre les conseils, de faire les choses comme il faut. Je vois du coin de l'œil que tu cours à côté du taxi jusqu'au bout de la rue en donnant de grands coups dans les arbres et les lampadaires près desquels tu passes. Je t'entends m'appeler. La chauffeuse marmonne tout bas que tu es vraiment un connard fini. Elle s'excuse pour sa grossièreté et je m'excuse des problèmes que je lui cause. Elle me dit et je lui dis qu'il n'est nul besoin de s'excuser. Mais je sais qu'elle le fait par politesse – je lui dois vraiment des excuses. Je la remercie de son aide.

Avant de sortir du taxi, je prends sa carte : elle peut me servir de témoin contre toi.

En dépit du film de sueur qui couvre mon dos et mon front malgré le froid matinal, cette journée a plutôt bien commencé pour ce qui est de te gérer.

Tandis que je traverse le hall de la gare, hébétée, mon nouveau téléphone bipe, ce qui veut dire que j'ai reçu un mail. Je regarde l'écran comme une petite fille se mettant au défi de se regarder dans un miroir en pleine obscurité tout en redoutant d'y voir apparaître le visage d'un monstre. À ma grande surprise, le mail a été envoyé, au bout d'une longue période de silence, par Rowena. Elle est à Bath ce soir et me demande de venir la retrouver dans un restaurant français où je ne suis jamais allée, mais dont Henry a dit un jour qu'il était épouvantable. Je réponds, *J'y serai*, et ajoute deux baisers. Puis j'éteins mon portable et monte dans le train de Bristol.

Le box des témoins avait été clairement placé de manière à ce que les occupants se retrouvent pile face au jury. Pourtant, la femme qui s'y tenait semblait très loin. Douze avocats en perruque et robe noire s'étaient installés dans une fosse devant les jurés. Clarissa devait diriger son regard au-dessus de leurs têtes pour bien voir le témoin.

La femme était d'une maigreur extrême, presque alarmante. Elle avait des pommettes hautes, un petit nez droit. Une bouche en cerise. Un menton fin. Des sourcils légèrement arqués. De minuscules oreilles ourlées – des oreilles de fée. Une petite queue-de-cheval blond cendré.

Mais en l'observant plus attentivement, Clarissa constata que sa beauté éthérée était abîmée. Sa peau était trop fine, trop transparente. La crispation de sa bouche et les rides autour de ses immenses yeux verts ne cadraient pas avec les vingt-sept, vingt-huit ans que Clarissa lui donnait. Quelque chose l'avait fait vieillir prématurément.

« Elle vous ressemble, murmura Annie. Il suffirait qu'elle se laisse pousser les cheveux et vous pourriez passer pour des jumelles. Sauf qu'elle, c'est la méchante. Elle est dure. »

Et doit avoir dix ans de moins que moi, songea Clarissa.

La femme but un peu de l'eau que l'huissier lui avait versée, et le remercia d'un vague signe de tête. La peau de son visage avait si peu de couleur qu'elle était à peine plus foncée que le tissu blanc du haut qu'elle portait. Le vêtement n'était pas assez chaud ; elle devait avoir la chair de poule. Ses mains tremblèrent en prenant la Bible. Elle prononça le serment d'une voix chevrotante.

Le juge prit la parole. « La présence de l'écran qui empêche les accusés de voir Miss Lockyer ne doit pas vous pousser à des conclusions hâtives. Nous avons fréquemment recours à ce genre de dispositif, tout simplement pour que les témoins se sentent plus à l'aise. Il ne faut rien y voir de plus. »

Clarissa fit un signe d'assentiment en direction de l'estrade où était installé le juge. Pourtant, elle n'était pas sûre de le croire.

« Ce témoin aura besoin d'une pause toutes les quarante-cinq minutes », indiqua le juge.

La femme lui adressa un signe de reconnaissance. Puis les choses commencèrent réellement. Et ce fut comme s'il n'y avait plus que Carlotta Lockyer dans la salle. Bien que Mr Morden parle lui aussi et pose des questions, il semblait avoir disparu, et tous les autres avec lui. Il ne restait que la voix de Miss Lockyer.

« J'ai commencé à dealer pour Isaac Sparkle l'été dernier, pour financer ma consommation. Au bout d'une semaine, j'avais tout fumé moi-même et je me suis retrouvée à sec. Je me suis dit que si j'ignorais le problème, si j'essayais d'éviter Sparkle, tout s'arrangerait.

« Le samedi 28 juillet, je rentrais chez moi. J'étais sortie pour faucher quelque chose dans un magasin, mais je revenais les mains vides. Il y avait une camionnette blanche garée dans la rue, à cheval sur le trottoir. Quand je suis arrivée à son niveau, j'ai vu l'un des hommes de main de Sparkle, Antony Tomlinson, ouvrir la portière avant et sortir. Sparkle est descendu par l'arrière avec l'un de ses dealers, Thomas Godfrey.

« Sparkle a dit : "Foutez-la dans la camionnette." Ils m'ont attrapée et fait monter de force.

« Il y avait Sally sur la banquette arrière. Une pute, qui se drogue elle aussi. La camionnette s'est arrêtée au bout de cinq minutes environ. Godfrey a dit à Sally : "Tire-toi." Il n'y avait pas de poignées aux portières à l'arrière, alors Sally a dû se glisser entre les deux sièges avant et passer par-dessus Tomlinson pour pouvoir sortir par l'avant. Je criais, je les suppliais de me laisser, mais ils sont repartis en direction de l'autoroute.

« Godfrey m'a dit de la fermer. Il m'a frappée au visage. Ensuite, il a sorti un briquet jetable vert. La flamme était au maximum. Il l'a approchée de ma boucle d'oreille droite. J'ai senti qu'elle devenait chaude, brûlante. Je pleurais. Je le suppliais d'arrêter.

« On s'est arrêtés en route pour prendre un autre type. En montant dans la camionnette, il a dit : "Vous l'avez. Cool." Le conducteur, Doleman, a dit : "Il faut que quelqu'un l'encule. Ça lui apprendra."

« Ils m'ont emmenée dans un appartement dans un quartier pauvre de Londres. Pas d'électricité. Un froid de canard. L'unique source de lumière était un lampadaire devant la fenêtre du salon. Le type qu'ils ont pris sur la route écoutait de la musique sur son portable. Ils ont commencé à hurler : "Fous-toi à poil et danse !" Je les ai suppliés de ne pas me forcer. Godfrey m'a donné un coup de poing dans le ventre. "Fais-le." J'ai pleuré, enfin pas vraiment parce que le coup de poing m'avait coupé le souffle.

« J'ai enlevé mes vêtements et j'ai dansé. Impossible de décrire l'humiliation que ça a été pour moi. Je me sentais comme une bête de cirque devant eux. "Moi, elle me fait aucun effet, a dit Godfrey.

– On va t'apprendre à obéir, comme mon père m'a appris", a dit Sparkle.

« Ils m'ont obligée à rester debout sur une jambe avec les bras écartés. J'étais encore nue. Ils criaient comme à un match de foot. Regardez ses nibards qui tremblent. Regardez sa chatte poilue. J'aurais voulu me couvrir, me replier sur moi-même, mais si je baissais les bras ou si je posais le pied, ils me frappaient avec un balai.

« J'avais vraiment besoin de mes vêtements. Pour qu'ils arrêtent de me regarder. Et aussi parce que j'avais jamais passé autant de temps sans héro ou crack, et quand on est en manque, on a encore plus froid.

« Ils ont dit que pour récupérer mes vêtements, je devais faire des pompes toute nue. Pour dix pompes, je récupérerais un vêtement, mais je n'aurais que dix secondes pour le mettre. Ils ont compté ensemble, en criant les chiffres. À chaque fois qu'ils arrivaient à dix, je devais faire encore plus de pompes. J'ai récupéré mon soutif, ma culotte, mon haut et mon jean mais je n'ai pas eu le temps de les mettre comme il faut.

« Tomlinson et Doleman sont partis en boîte. Les autres m'ont installée sur un fauteuil. Godfrey et le type qu'ils avaient pris en route se sont couchés sur le canapé, Sparkle a pris l'autre fauteuil. La porte était fermée à clef. J'osais pas bouger.

« Il était à peu près trois heures du matin quand Tomlinson et Doleman sont revenus. Tomlinson m'a attrapée sous les bras et Doleman a pris mes jambes et ils m'ont portée jusqu'à la chambre. Ils m'ont jetée sur le matelas et Tomlinson m'a plaquée au niveau du torse et des bras pendant que Doleman m'enlevait mon jean et ma culotte. Je répétais non, non. Je les suppliais d'arrêter. Mais ils ont continué. Ils m'ont violée.

« Doleman dans mon vagin, Tomlinson dans ma bouche. Ensuite ils ont échangé. Doleman a dit qu'il me lacérerait le visage au couteau si je le mordais ;

il m'a obligée à avaler quand il a éjaculé. Ils me plaquaient sur le matelas, m'empêchaient de bouger.

« Quand ils ont eu fini, j'ai dit que je devais aller à la salle de bains et Tomlinson a dit d'accord. Il avait éjaculé sur mon visage. Je me suis essuyée avec mon jean et mon tee-shirt – ils ne me l'avaient pas enlevé. Ça brûlait quand j'ai fait pipi. Il n'y avait pas d'eau chaude, pas de savon, pas de serviette. J'ai lavé mon vagin à l'eau froide et je l'ai essuyé avec mon jean.

« Quand je l'ai mise, ma culotte est devenue toute collante et humide. Il faisait trop noir pour voir, j'ai eu peur que ça soit du sang et que s'ils me forçaient de nouveau à me déshabiller et qu'ils voyaient ça, ils se foutraient de moi. Il y avait une petite armoire, alors j'ai caché ma culotte derrière. J'ai enfilé mon jean en espérant qu'il n'y aurait pas de sang qui se verrait. »

Miss Lockyer se couvrit le visage avec les mains. Ses épaules tremblaient. Pas un bruit ne sortit de sa gorge.

Le juge abrégea l'audience. « Faites sortir les accusés du box afin que ce témoin puisse quitter la salle », dit-il.

Le cœur de Clarissa battait à tout rompre, comme si elle venait d'assister à une scène de film d'horreur insoutenable. Son visage était rouge, certainement. Ses yeux s'étaient emplis de larmes, mais elle avait résisté à l'envie de les essuyer pour que personne ne les remarque.

Elle alla directement au vestiaire, se moucha, récupéra son manteau, descendit en courant l'escalier et, une fois les portes à tambour passées, se retrouva dehors, le visage offert au souffle de l'air glacial. Elle avait parcouru deux ou trois mètres lorsqu'une voiture sortit lentement du bâtiment du tribunal. Le véhicule s'arrêta quelques secondes pendant que le chauffeur attendait que la chaussée soit dégagée pour pouvoir s'engager dans la rue.

Quelque chose poussa Clarissa à regarder à l'intérieur. Affalée contre la vitre à l'arrière, Carlotta Lockyer pleurait. Elle croisa le regard de Clarissa, parut la reconnaître vaguement, puis la voiture s'éloigna en douceur.

Mercredi 4 février, 20 heures

En serrant Rowena dans mes bras dans l'entrée du restaurant, je sens ses seins rebondir contre moi sans s'aplatir. Elle les porte incroyablement haut et semble avoir pris deux tailles de bonnets.

Les premiers mots qu'elle me dit sont une réponse à la question que je n'ai pas formulée. « Oui, je me les suis fait refaire. » Son décolleté brille – elle y a appliqué une couche de poudre scintillante. « On porte son corps tous les jours. Alors autant se sentir bien dedans. »

Rowena travaille seule pour l'entreprise qu'elle a créée, spécialisée dans l'analyse de communication. Elle examine chaque déclaration, chaque publicité, chaque logo produit par ses clients. Puis elle leur dit comment leur message est réellement perçu. Peut-être a-t-elle travaillé pour un chirurgien plastique et a-t-elle été séduite par les brochures qu'elle était censée étudier.

« Le fait d'avoir trente-huit ans ne t'oblige pas à faire ton âge. » Elle inspecte son visage dans son miroir de poche, avec un air tellement inquiet qu'elle me fait penser à la reine dans *Blanche-Neige*, avec son miroir maléfique. Son front est lisse et brillant, complètement en décalage avec sa mâchoire et ses joues.

Pour que Rowena ait l'air moins triste et tendue, je lui demande – d'un ton tout aussi taquin qu'affectueux – comment elle fait pour avoir un visage aussi frais et rayonnant.

« Je me contrôle pour ne jamais hausser les sourcils et pour garder une expression aussi neutre que possible. Les mouvements donnent des rides. »

Elle n'est pas intelligente, disait Henry.

Il y a plusieurs formes d'intelligence, répondais-je.

Henry me hante, lui aussi, mais pas autant que toi. Tu es en train de le dépasser à grande vitesse.

Malgré la nuit glaciale et les trottoirs glissants, Rowena porte une robe sans manches en velours violet foncé très décolletée et des talons hauts. Je trouve ça un peu étrange, car cela ne lui ressemble pas, de faire tous ces efforts rien que pour moi. Je lui dis que sa robe est magnifique.

« Il y a beaucoup de femmes qui ne changent jamais de look », répond-elle, et je suis à peu près sûre qu'elle dit ça pour moi.

Est-ce bien la Rowena qui me prêtait en douce ses vêtements préférés quand je voulais porter quelque chose qui n'avait pas été cousu par ma mère ?

J'aperçois mon reflet dans la fenêtre. Mes cheveux sont attachés au sommet de mon crâne et fixés par des barrettes argentées de forme géométrique. Quelques mèches blondes se sont échappées et encadrent mon visage et mon cou. Le corsage et les manches de ma robe gris anthracite sont très ajustés, et la jupe s'évase en cloche jusqu'au-dessus de mes genoux.

Rowena baisse les yeux vers sa poitrine. « Ce n'est pas juste pour attirer les hommes. » Il y a trop d'émotion derrière ses mots ; sa bouche tremble pendant qu'elle lutte pour ne pas froncer les sourcils. « C'est pour moi. Je le mérite. Et ces nouveaux nichons ne bougent pas du tout. Ils sont tellement fermes, tellement espiègles que je n'ai même pas besoin de soutien-gorge. »

Je pense aux accusés se moquant de Miss Lockyer. *Regardez ses nibards qui tremblent.*

Fermes, espiègles – ces mots n'appartenaient pas au vocabulaire de Rowena. Quand donc y sont-ils entrés ?

Rowena continue à parler, visiblement plus pour se convaincre elle-même que moi. « Les filles de la salle de gym n'arrêtent pas de me demander, "Qui t'a refait le visage ? Qui t'a refait les nichons ?" » Elle parle comme si n'importe qui pouvait acheter ces parties de son corps, comme un sac ou une robe.

Les accusés disent nibards. Rowena dit nichons. Moi, je dis seins. Je ne sais pas ce que toi tu dis. Je ne veux pas le savoir. Ce que je sais par contre, c'est que ces différences comptent.

« C'est un super compliment. Tu devrais essayer le Botox, Clarissa. Au moins. Si tu tardes trop, tu vas finir par ressembler à un ballon dégonflé. »

Elle n'est même pas sympa avec toi, disait Henry.

Elle n'a pas peur d'être franche avec moi, répondais-je.

Vous n'avez rien en commun, disait-il.

Je cligne plusieurs fois des yeux, comme si cela allait faire revenir la Rowena que je croyais connaître. La version d'aujourd'hui conseillerait sans doute à Henry des implants capillaires. J'imagine sa réponse si jamais elle osait : cette façon méprisante qu'il aurait de lever un sourcil incrédule sans dire un mot. Je me dis qu'Henry est beau comme il est, même si je n'ai plus le droit de penser cela de lui puisqu'il ne m'appartient plus.

« Je vais y réfléchir. Mais toi alors, tu vas bien ? Tu t'es bien remise de ces opérations ?

– Le seul inconvénient, c'est que je ne sens plus mes mamelons. » Rowena dit cela du ton moqueur de celle qui a renoncé au chocolat pour maigrir, mais qui de toute façon ne l'aimait pas. Je fais des efforts pour dissimuler ce qu'elle m'inspire de tristesse – et d'horreur à l'idée qu'elle a ainsi mutilé son corps et son propre désir. « Les cicatrices ne sont vraiment pas jolies, mais le chirurgien a bon espoir qu'elles s'estompent. »

Est-ce bien la Rowena qui se laissait flotter sur les vagues, les yeux fermés, bercée par le courant, en chantonnant et en faisant semblant d'être une sirène ?

J'imagine les mamelons de Rowena cousus sur elle comme des boutons et cerclés de noir. Pendant quelques secondes, j'ai une sensation de brûlure et de picotements dans les miens. « Mais oui, bien sûr. Je suppose que ça prend un peu de temps, c'est tout. »

Elle examine mon visage. « Tu as des cernes. Tu devrais les maquiller. À ta place, j'envisagerais un lifting. Ça rajeunit, vraiment. Ça te donnerait une bien meilleure image de toi. Si tes collègues te voient l'air fatiguée, ils penseront que tu es véritablement fatiguée. Ils se diront que tu ne fais pas bien ton boulot, que tu n'es pas sérieuse. »

Souvent, les femmes rechignent à raconter aux autres ce qui leur arrive.

Je me mords la lèvre. « Je ne dors pas très bien en ce moment, Rowena. C'est à cause d'un homme. »

Elle me comprend de travers. « Je veux tout savoir. Tu me raconteras ça tout à l'heure, d'accord ? »

Est-ce bien la Rowena qui un jour a fait le trajet Édimbourg-Londres en urgence quand j'étais en deuxième année de fac pour que je puisse sangloter sur son épaule parce que mon petit ami avait rompu ?

« OK », dis-je.

Elle ne parle que d'elle-même. Elle ne s'intéresse pas à toi, disait Henry.

Mais je lui ai caché ce qu'il y avait de plus important pour moi, répondais-je, *pour ne pas la perdre. Comment peut-elle s'intéresser à moi alors que je lui ai dissimulé les parties essentielles de ma vie ?*

Les deux maris de Rowena disaient qu'ils ne voulaient pas d'enfant, puis l'ont quittée pour en avoir avec d'autres femmes. Elle ne m'a jamais pardonné d'avoir volé Henry à sa femme. J'en suis même arrivée à me demander si mon sentiment de culpabilité ne m'empêchait pas de tomber enceinte. Mes tentatives pour avoir un bébé n'auraient sans doute fait que rendre Rowena encore plus folle. Cela, Henry le savait. Il m'a aidée à dissimuler les choses, tout en soulignant à quel point cette amitié était à sens unique.

L'air sévère, elle inspecte son visage dans le miroir, et je me rends compte que ce sont probablement ses mariages ratés qui l'ont rendue si sensible à ce culte de l'apparence. « Tu penses que j'ai fait ce qu'il fallait pour mon visage ? » Elle retire un peu de poudre au-dessus de ses sourcils, qui me paraissent plus hauts que dans mon souvenir.

« Mais oui, bien sûr. Tu ressembles à une star de feuilleton américain. » À ces mots, l'ombre d'un sourire apparaît sur ses lèvres qui sont, je viens juste de le remarquer, plus charnues. « Si ça te rend heureuse, si ça te donne confiance en toi, alors c'est ce qui compte. C'est ce qu'on voit. »

Elle hoche la tête avec enthousiasme. « C'est un visage plus ferme, plus jeune, plus ciselé. » Henry aurait fait la grimace en entendant ça. Pas moi.

Le serveur nous installe à une table dans un coin. Les murs du restaurant sont décorés de tableaux pseudo-Arts déco représentant des femmes nues. Dans cette salle faiblement éclairée, on pourrait facilement ne pas les distinguer. Mon attention est distraite par l'une d'elles – une danseuse. Ce qui me fait de nouveau penser aux accusés dans le box et au moment où ils ont forcé Miss Lockyer à se déshabiller et à danser pour eux. « Qu'est-ce qui t'a fait choisir cet endroit ?

– Ce n'est pas moi qui l'ai choisi.

– Qui ça, alors ? »

Elle ignore ma question. « Tu penses que ça fait naturel ? » Il y a dans sa voix un tremblement qui me fait de la peine.

Les flammes vacillantes des bougies donnent au visage figé de Rowena l'illusion d'une expressivité, mais je trouve alarmant le relief de ses joues et crains que les produits injectés par les techniciens de la beauté ne soient nocifs pour elle. « Oui. On dirait que tu as fait une super cure de rajeunissement. »

Est-ce bien la Rowena qui jouait avec mes cheveux et me chatouillait les bras quand on dormait l'une chez l'autre, et puis me demandait de lui faire la même chose ?

« Je considère que notre responsabilité à toutes, c'est d'avoir l'air aussi jeune que possible, quel que soit notre âge. »

Qui es-tu, et qu'as-tu fait de Rowena ?

Je lui prends la main pour attirer son attention. « Il faut que je te parle. C'est très grave. »

Elle regarde vers l'entrée du restaurant, et c'est comme si quelqu'un avait tourné un bouton : en un éclair, un sourire d'une blancheur étincelante, un sourire de star devant les caméras, apparaît. Elle n'essaie même pas de le contrôler.

Je suis son regard et manque d'avaler de travers la gorgée d'eau que je viens de boire. J'ai l'impression que le jazz français langoureux est de plus en plus fort et que la pièce bascule de la pénombre à une quasi-obscurité. Que s'est-il passé pour que l'éclairage soit encore plus mauvais ? Car je n'arrive pas à intégrer ce que je découvre.

Ce que je découvre, c'est toi. Qui t'avances vers moi comme s'il n'y avait rien de plus normal au monde.

Il n'y avait pas un seul signe de toi quand je suis sortie de chez moi. Aucun signe de toi quand le taxi m'a laissée. Aucun signe de toi jusqu'à maintenant. Comment as-tu compris que je me trouvais ici ? Seule Rowena savait.

Tu as un sourire épanoui. Tu rayonnes de bonheur. Un bonheur tel que je suis saisie, à ma grande surprise, par une pointe de tristesse à l'idée que c'est moi qui vais anéantir cette béatitude insensée. Comme à chaque fois. Tu ne comprends donc pas à quel point c'est épuisant ? Et toi, ça ne te fatigue pas ?

Ta bouche bouge, prononce des mots que je ne comprends pas. Tu es debout à côté de Rowena. Tu te penches et l'embrasses sur les deux joues.

« Ne… Ne la touche pas. » D'ordinaire je ne bafouille pas, mais là, ça me prend pendant quelques secondes. « V… va-t'en. »

Rowena tire la chaise qui se trouve à côté d'elle en signe de bienvenue. « Rafe va se joindre à nous. »

Comment se fait-il qu'elle sache ton nom ? Tout cela n'est pas logique. « Impossible.

– Je l'ai invité. » Rowena pose sa main sur la tienne. Tu es le premier à rompre le contact, mais elle semble ne pas le remarquer. « Assieds-toi, Rafe.

– Puisque tu insistes. »

Tu poses ton manteau sur le dossier de la chaise, déclinant la proposition de la serveuse de l'accrocher au portemanteau. Je suis certaine qu'il y a quelque chose dans les poches que tu ne veux surtout pas que quelqu'un découvre. Je suis tout aussi certaine que tu préfères garder tes affaires à côté de toi pour pouvoir les récupérer rapidement et me courir après quand je m'enfuirai.

Mon regard se fixe sur Rowena, comme si elle était mon garde-fou. « Je ne comprends pas.

– On voulait te faire la surprise. »

Rowena replace une mèche de ses cheveux châtains soigneusement illuminés par un balayage.

Je me force à utiliser mon cerveau. Vite. Je tente de comprendre comment tu as établi le lien entre Rowena et moi. Sans doute par cette cérémonie de remise de prix il y a huit ans. Rowena était entre deux maris à l'époque, alors je l'ai accompagnée. Quand son nom a été annoncé, j'ai applaudi si fort que les paumes de mes mains me brûlaient, souri jusqu'à en avoir mal aux mâchoires. Un journal a publié une photo de Rowena et moi en indiquant nos noms. Quand on me cherche sur Internet, c'est sur ça qu'on tombe.

« On se disait que ça te ferait plaisir de savoir qu'on se connaît. » Rowena a l'air blessée, mais l'horreur que tu m'inspires est encore plus forte que ma tendance naturelle à la consoler et à la rassurer.

« Mais comment ? » Ma vision est floue dans cette salle ridiculement sombre. « Comment vous connaissez-vous ?

– On s'est vus pour la première fois ce midi. Mais on s'échange des mails depuis deux mois. C'est incroyable, à quel point on peut se sentir proche quand on s'écrit. » Elle éloigne d'un geste la serveuse qui s'approche. « Rafe suit mon blog pro. Il le fait lire à ses étudiants pour qu'ils apprennent à se vendre. Mais il a remarqué que mon profil faisait référence à mes ambitions littéraires, alors il m'a contactée. Il me donne des conseils pour ces Mémoires que j'ai toujours voulu écrire. »

Une veine palpite dans mes yeux. Le sang bat dans mes orbites. « Il t'a traquée sur Internet.

– Arrête ton cinéma. C'est de la parano. » Elle se tourne vers toi. « Pardon, ce n'est pas ce que Clarissa voulait dire.

– Si, c'est exactement ce que je voulais dire. » Tout est plongé dans la pénombre. Je secoue la tête plusieurs fois pour m'éclaircir les idées. Puis je me force à te regarder bien en face, chose que je déteste plus que tout. « Tu ne sais pas ce que c'est que d'écrire des Mémoires. Tu es critique littéraire, c'est tout. » Je fais sonner les mots comme si c'était la pire insulte que je puisse trouver.

« J'ai un certain nombre de talents et de centres d'intérêt que tu ne soupçonnes pas, Clarissa. »

Tu recommences. Cette façon tordue de ponctuer tes phrases avec mon nom. Pourquoi Rowena ne voit-elle pas à quel point c'est bizarre ? Un sanglot m'échappe malgré moi. « Tu n'as pas besoin de lui, Rowena. Tu peux t'inscrire à un atelier d'écriture. Il t'utilise pour m'atteindre.

– Le monde ne tourne pas autour de toi. Ce que tu dis est d'une arrogance incroyable. Pour ne pas dire ridicule. Rafe et moi, on a tout simplement découvert il y a quelques semaines qu'on te connaissait tous les deux. »

Je ferme les yeux, puis les ouvre, sans me soucier de l'air bizarre que ça me donne. « Quelle coïncidence.

– N'est-ce pas, Clarissa, dis-tu.

– Nous t'aimons tous les deux, dit Rowena.

– Beaucoup, dis-tu.

– Il t'a raconté ce qu'il a fait ce matin ? Quand il m'attendait devant chez moi ? Et que la femme qui conduisait le taxi a dû le menacer d'appeler la police ? Alors qu'il savait que je ne voulais pas de lui ? »

Tu secoues la tête histoire de faire celui qui se sent blessé et incompris. Ton petit jeu est clair, même dans le brouillard trouble de cette affreuse salle de restaurant.

« Clarissa, dis-tu. Oh, Clarissa. Comment peux-tu imaginer une chose pareille ? »

J'ai du mal à m'empêcher de te balancer au visage la cruche d'eau froide posée à côté de moi.

Rowena te touche le bras. « Rafe s'inquiète à ton sujet. C'est pour ça que je suis venue. »

Ainsi, c'est uniquement à cause de toi qu'elle reprend contact avec moi au bout de deux ans de silence. Belle ironie.

Elle m'observe, l'air déçue. « Il m'a dit que tu n'étais plus toi-même. Que tu te comportais de manière bizarre au boulot. Je lui ai demandé de veiller sur toi jusqu'à ce que j'arrive. Jamais je n'aurais imaginé que tu pourrais être aussi désagréable avec lui. »

Le front pris dans un étau, je commence à prendre la pleine mesure du mal que tu t'es donné pour monter cette histoire, du temps que tu as consacré à combiner et à manigancer tout ça, de l'anticipation dont tu as dû faire preuve, de la patience et de la discipline auxquelles tu t'es contraint dans l'attente de cette soirée. Rowena était la cible idéale pour toi – une femme blessée, clairement, dont la vulnérabilité et le désespoir sont gravés dans les seins et le visage tout neufs. Tu l'as préparée. Tu l'as complètement manipulée. Tu l'as carrément charmée.

Si vous avez des amis en commun, il risque de les retourner contre vous en discréditant vos inquiétudes ou en affirmant que vous vous êtes montrée injuste envers lui.

On dirait que toi aussi tu as lu les brochures anti-harcèlement, et que tu retournes tous leurs conseils contre moi. Nous n'avons aucun ami en commun. Alors, tu es allé chercher Rowena et tu t'en es fait une amie.

Ma gorge se serre, mais tout s'éclaire. « Ce n'est pas comme ça que les choses se sont passées. »

Tu as un petit sourire satisfait. Tu te régales – deux femmes se battent à ton propos. Tu m'as mise dans une position où je dois te regarder et t'accorder mon attention. Tu m'as déjà obligée à rompre le silence que j'avais résolu d'observer avec toi ce matin même.

« Tu ne peux pas ne pas me croire, Rowena. » Si ma propre amie croit ta version davantage que la mienne, si elle pense carrément que tu es crédible, alors aucun espoir que la police ne me prenne au sérieux. Aucun espoir pour Miss Lockyer non plus.

Tu suces une olive en m'observant. Tu sors le noyau de ta bouche, lentement, sensuellement. Il y a un film d'huile sur tes lèvres. Le spectacle me fait frissonner. Je détourne le regard en regrettant que ma vision ait brusquement acquis cette nouvelle acuité.

Rowena me tapote la main. « Changeons de sujet, Clarissa. Parlons de choses plus gaies. Tu m'as toujours encouragée à être créative, et Rafe m'a poussée à écrire sur mon enfance. Je me suis dit que ça te ferait plaisir. Je lui ai raconté les coups qu'on faisait, gamines. Je suis en train d'écrire sur la fois où cette fille t'a tapé dessus sur le front de mer. Tu te souviens cette policière, comme elle a été affreuse avec toi ? »

Le radiateur derrière moi est brûlant. Pourtant, je frissonne dans ma robe en laine. Mes avant-bras sont couverts de chair de poule. La personne que je veux éviter plus que toute autre connaît maintenant les moindres détails de l'histoire que je ne veux surtout pas raconter. J'ouvre la bouche, mais rien ne sort.

Rowena est trop excitée pour faire attention à moi. « Tout est dans la précision – c'est ce sur quoi Rafe me fait travailler. Tu te souviens quand je t'ai ramenée chez toi et que je t'ai nettoyée ?

– Oui, dis-je. Personne n'aurait pu m'aider comme toi.

– C'est une histoire magnifique. Clarissa sera fière de toi quand elle la lira. »

J'aimerais te donner un coup de pied sous la table mais il est hors de question que je te touche, ne serait-ce qu'avec ma botte, et je refuse de te laisser convaincre Rowena que je suis déséquilibrée. À ma grande surprise, tu te lèves. Pendant une seconde d'espoir fou, je suis prête à croire que tu t'apprêtes à partir. Mais bien sûr, ce n'est pas le cas. Tu vas juste au bar.

Je me suis dressée, prête à m'en aller, mais presque immédiatement je me rassois. Je ne pourrais pas te livrer mon pire ennemi, encore moins ma meilleure amie ; même si pour l'instant Rowena se comporte davantage comme le premier que comme la seconde. Mais peu importe Rowena, je suis la digne fille de mes parents ; ils m'ont inculqué la loyauté envers les amis et la famille, même quand – surtout quand – cette loyauté est mise à l'épreuve. La Rowena que j'aime est peut-être toujours là, même si pour l'instant elle est si loin que je doute de pouvoir un jour la retrouver, ou même d'avoir envie d'essayer.

C'est comme si elle t'avait fait faire la visite guidée du tiroir où je range mes sous-vêtements. Mais je dois garder l'air calme pour avoir une chance de la toucher. « Je ne veux pas que tu lui parles de moi. S'il te plaît.

– C'est mon histoire à moi. Il se trouve simplement que tu en fais partie. Tu n'as pas le droit de me dire quoi faire.

– Peut-être que toi, tu désires sa présence, mais pas moi. J'ai été claire. Un homme normal respecterait mon souhait. Tu comprends ce genre de chose, non ? »

Elle ne répond pas. L'espace d'un instant, je me dis qu'elle comprend. Les oreilles de Rowena rougissent chaque fois qu'elle est bouleversée, et c'est ce qui se passe en ce moment. Leur teinte foncée fait ressortir les cicatrices toutes proches. Je détourne le visage pour qu'elle ne surprenne pas mon regard.

« Il m'a fait venir ici par la ruse. Il savait que je refuserais si tu me disais qu'il se joindrait à nous. Tu ne trouves pas étrange qu'il t'ait demandé de garder le secret ? »

Elle hésite, réfléchit, repousse les doutes qu'elle pourrait commencer à avoir à ton propos et crache sa réponse : « Non. »

Ce qui va sortir de ma bouche, je ne voulais pas le dire, mais je sais qu'il le faut. « Il ne s'intéresse pas du tout à toi. »

Les lèvres retroussées de Rowena expriment une colère incrédule. « Figure-toi que les hommes ne sont pas tous amoureux de toi. Tu ne peux pas tous les prendre. » Peut-être a-t-elle deviné à propos d'Henry. Peut-être lui as-tu dit. Tu as sans doute lâché la vérité sans y penser, alors que tu parlais d'autre chose. Ça serait bien ton genre.

« Son truc, ce n'est pas l'amour, c'est l'inverse. » Je parle avec douceur, très bas, avec toute la tendresse dont je suis capable. « On dirait qu'il essaie de tout me prendre. Et maintenant, c'est toi qu'il me prend.

– Je ne t'appartiens pas. Cela fait des années que tu n'es plus dans ma vie. Tu gardes tellement de secrets que je ne te connais plus. Tu ne vois donc pas à quel point ça m'a fait mal ? »

Sa voix se brise.

Je pose la main sur la sienne, émue par cette brève réapparition de la Rowena qui avait besoin de moi autrefois. « Si, je le vois. Et je le regrette. Mais là, tout de suite, j'essaie de faire en sorte que personne ne te fasse du mal. Si je suis restée au lieu de partir comme je le voudrais, c'est uniquement pour cette raison. Lui, il le sait. C'est pour ça qu'il nous a tendu ce piège. »

Elle retire sa main brusquement. « Quelle générosité, quel altruisme de ta part ! » Sa voix est froide, sèche : « Tu ne veux pas de lui. Alors laisse-le-moi.

– Il est dangereux. Il me fait vivre un enfer. Je voulais te parler de ça justement. C'est une chose difficile à confier à quelqu'un. Si je le pouvais, j'appellerais la police, là, tout de suite, mais est-ce que tu me soutiendrais ?

– Tu es complètement hystérique. Je l'ai invité. Tu délires. Je commence à bien le connaître.

– Tu n'as aucune idée de ce qu'il est. Il t'utilise uniquement pour m'espionner.

– Jamais je n'ai connu une fille aussi égocentrique que toi. »

Tu es déjà revenu, toujours avec ce sourire satisfait. « Bellini à la pêche, annonces-tu d'un ton fier. Le cocktail de la soirée. Ils ont un super-barman ici. C'est pour ça que j'avais proposé ce restaurant. »

Le visage de Rowena s'illumine. « J'adore le Bellini. » C'est sûr, elle t'apprécie.

J'essaie de te voir avec les yeux de Rowena. Pour Henry tu étais un rigolo, mais il reconnaissait que certaines étudiantes avaient le béguin pour toi. Ce soir, tu portes un jean noir et une chemise bleu foncé que tu n'as pas rentrée dans ton pantalon. C'est mon bleu préféré. Bleu nuit. En fait, j'aime ce que tu portes. L'idée me traverse l'esprit qu'Henry s'habille parfois ainsi et que tu l'imites exprès.

Tu poses les deux Bellini sur la table, et une bouteille de bière française pour toi. « Maintenant, on va s'amuser. » Mais toi, tu t'amuses déjà. Jamais tu ne t'es autant amusé depuis le mois de novembre. « J'espère que tu aimes le Bellini, Clarissa. » Tu me regardes, puis te tournes vers la femme nue accrochée au mur au-dessus de la table.

Elle est assise sur un tabouret, les jambes serrées pour que le tableau ne soit pas trop explicite. Elle est vêtue en tout et pour tout d'un porte-jarretelles, de bas et de talons hauts. Une cravache est posée sur ses genoux. Tu fais un geste vers le tableau et prends un air faussement gêné. « Désolé. J'avais oublié le décor. » Mais nous savons tous les deux que ce porno public t'excite, que tu prends ton pied à me voir entourée par ces images. C'est pour cela que tu as choisi ce restaurant.

« Je trouve ça joli. De bon goût. » Rowena tend la main vers son verre.

Je me souviens du vin que tu m'as fait prendre en novembre. « Ne bois pas ça. » J'attrape sa main. Elle la libère d'un geste brusque. J'essaie encore et elle me tape carrément le poignet – violemment – et soulève le verre. Après une lutte absurde, je renverse son Bellini sur la corbeille de tranches de baguette séchée.

« Tu es complètement folle, Clarissa, dit-elle. Ce que tu viens de faire, c'est dingue.

– Je pense que Clarissa ne va pas bien. » Tu arrives à avoir l'air désolé. « Elle a besoin d'être comprise, soutenue.

– Elle a surtout besoin d'être soignée », dit Rowena.

Je prends l'autre Bellini. Je ne veux pas le laisser sur la table maintenant que, par ma faute, Rowena est décidée à le boire. J'attrape mon sac et mon manteau qui étaient posés sur le dossier de ma chaise. Comme toi – à cause de toi, j'ai l'habitude de garder mes affaires à portée de main, afin de pouvoir m'échapper rapidement. J'envisage de sortir en courant du restaurant, mais je sais que tu me suivras et que je me retrouverai seule avec toi dans la rue obscure. Il n'y a qu'un seul endroit où je peux appeler un taxi et me cacher jusqu'à ce qu'il arrive. Et j'ai un plan, formé grossièrement dans mon esprit en quelques secondes. Il implique de me retrouver de nouveau seule avec toi, mais il est relativement sans danger et, à cause de Rowena, je ne vois pas d'autre solution.

Tu commences à te lever. Alors ma main s'envole pour t'avertir, comme celle d'un policier réglant la circulation. « Ne t'avise pas de me suivre. » Je peux compter sur toi pour ignorer mes désirs. Comme toujours. Je parle si fort que les clients des autres tables se retournent. Je dis au revoir à Rowena d'une voix étranglée mais elle ne répond pas. Je me précipite vers l'escalier métallique qui descend en spirale vers le sous-sol où se trouvent les toilettes.

Il y a un autre tableau pseudo-Arts déco à l'entrée des toilettes. Il s'agit cette fois-ci d'un homme et d'une femme ensemble, histoire de montrer que les toilettes sont unisexes. Ils sont tous les deux nus, forcément. Il est debout, la regarde. Elle est à genoux devant lui. On la voit de derrière ; sa tête empêche de voir le milieu du corps de l'homme.

Les toilettes sont plongées dans une pénombre très tendance, si profonde que j'ai de nouveau l'impression d'être aveugle. Je me dirige vers une cabine, jette au passage le Bellini dans un lavabo. La cabine est équipée d'une porte sans espace en haut ou en bas, si bien qu'il n'y a aucun risque que tu passes par-dessous ou que tu regardes par en haut. J'appelle un taxi. Le standardiste me dit que la voiture arrivera d'ici dix minutes. J'ai l'intention de rester derrière cette porte verrouillée pendant les neuf premières minutes.

Quand je sors, tu es dans la pièce, exactement comme je m'y attendais. Tu te tiens devant la sortie. J'ai du mal à respirer à cause de cette écœurante fumée d'encens qu'ils font brûler dans les toilettes, et tu bloques le peu de lumière qu'il y a. Je sens un martèlement dans ma tête, peut-être parce que mes yeux fatiguent, ou parce que je suis en train d'être étouffée par des miasmes de jasmin synthétique. Je me rappelle que le chauffeur de taxi va venir me chercher au restaurant d'une seconde à l'autre. J'ai calculé avant de descendre aux toilettes qu'il y aura forcément un client qui entrera ici, alors je ne crois pas que tu vas oser faire quoi que ce soit de dangereux. Reste que je n'ai pas envie de demeurer coincée ici pour vérifier si mes calculs sont bons ; j'ai préparé cette collision avec toi avec le maximum de précision, en me laissant juste le temps de dire ce que je dois dire sans que Rowena écoute.

Je vais droit au but. « Je ne m'approcherai plus de Rowena. Tu peux la voir comme ça te chante. Pour moi, peu importe. Ce n'est pas comme ça que tu auras accès à moi. » Je te connais. Je sais que Rowena ne court aucun réel danger. Elle se jette à ton cou, elle. Or tu ne t'intéresses pas aux femmes qui te désirent. Uniquement à celles qui ne te désirent pas.

« Ce qui est important pour toi est important pour moi, Clarissa. Je veux que tes amies soient mes amies. Je veux aider Rowena. Pour toi, Clarissa. Je m'intéresse à elle parce tu t'intéresses à elle. Ne sois pas jalouse.

– Je ne suis pas... » Ta dernière affirmation est si outrancière que je commence à la contester. Mais je parviens, je ne sais trop comment, à ravaler la fin de ma phrase. Je recommence, sur un ton que je veux indifférent et froid : « Rowena et moi nous sommes éloignées l'une de l'autre. Ça fait trop longtemps. Elle ne m'intéresse plus. Même, je ne l'aime plus. »

J'ai à peine prononcé ces mots traîtres que je voudrais les renier. Mais c'est impossible, malgré la douleur que je ressens pour Rowena. Impossible pour moi de l'aider comme une amie le devrait. Ou comme elle devrait m'aider. Impossible, maintenant que tu me l'as prise. Je ne peux rien faire d'autre que de prononcer ces mots – pour m'assurer qu'elle ne t'est plus d'aucune utilité. Mais elle ne me remerciera pas.

Je fais un pas vers la porte. « Laisse-moi passer. »

Tu ne bouges pas.

« Si tu ne me laisses pas passer, je t'y obligerai. » Ma phrase paraît ridicule. Nous savons tous les deux que je ne peux t'obliger à rien.

Tu souris avec indulgence. « Tu es délicieuse quand tu es en colère, Clarissa. »

Ma main se referme autour du distributeur de savon en verre dépoli. Il est lourd, ridicule, comme tout ce qu'il y a dans ces toilettes au décor stupidement tendance et faussement évocateur.

« Ça me plaît de te voir jalouse, Clarissa. J'aimerais t'enlever ces barrettes et passer mes doigts dans tes cheveux et t'embrasser. J'aimerais voir ce que tu portes sous cette robe. »

Je lève le distributeur de savon comme si c'était une arme.

Tu ris tout haut, carrément. « Jamais tu ne pourras me faire mal, Clarissa. Je te connais. »

Ma main cesse de faire ce que des mains sont censées faire. Le distributeur de savon glisse, explose comme une bombe sur le carrelage uni pile au moment où la porte, poussée par Rowena, claque contre toi. Tu trébuches, dérapes sur le mélange de savon et de verre, et te raccroches au dernier moment au lavabo. Si la soirée a été un cauchemar surréaliste, la chorégraphie involontaire provoquée par l'entrée de Rowena tient de la farce.

« Je dois y aller, Rowena. »

Elle paraît ne pas savoir quoi faire. Pendant un instant, son visage s'adoucit, et ses yeux s'emplissent de larmes qu'elle parvient à empêcher de couler. Puis elle dit : « Personne ne te retient. »

Je grimpe en titubant l'escalier en colimaçon, sors du restaurant et monte dans le taxi qui m'attend. Mes lèvres ont un goût salé parce que je pleure ; je me rends compte que je me les suis sans doute mordues : les larmes me piquent. J'ai perdu Rowena. Elle s'est perdue elle-même. J'ai vu ça dès les premières minutes. Avant même que tu n'arrives et que tu fasses ce que tu as fait.

Jeudi

Jeudi 5 février, 8 h 02

Une autre enveloppe de toi m'attend ce matin sur le paillasson devant la porte d'entrée. Si elle a échappé au regard d'aigle de Miss Norton, c'est sans doute parce que tu l'as glissée dans la fente très tôt. Je cours jusqu'au taxi, soulagée de voir qu'au moins tu n'es pas là.

Dans la voiture qui descend la route sinueuse, je compose le numéro de l'hôtel de Rowena. Elle rentre à Londres aujourd'hui. Pour s'éloigner de toi, j'espère. Mais aussi de moi.

Elle répond d'une voix pâteuse. « Allô ?

– C'est moi.

– Il n'est pas là, si c'est pour ça que tu appelles. Il est resté au restaurant juste le temps de me dire qu'il ne peut plus m'aider avec mon travail d'écriture, et qu'il ne veut plus rien avoir à faire avec moi. Il dit qu'il ne veut pas causer de rupture entre deux vieilles copines. »

La rupture, tu l'as déjà causée. Rowena raccroche brutalement et je perds la tonalité.

Au moins, je sais qu'elle est hors de danger. Au moins, tu t'es éloigné d'elle, comme je le prévoyais. Tu as obtenu ce que tu voulais. Tu as obtenu de moi tout ce qu'elle pouvait te procurer.

J'ouvre ton enveloppe. Elle contient deux billets pour le ballet. La représentation de ce soir. Et une lettre.

Tu dois être stressée, Clarissa. Je suis convaincu que tu n'avais pas l'intention de me traiter de cette façon désagréable. Tu ne peux pas penser ces choses cruelles que tu as dites. Je ne souhaite que ton bonheur. Je voulais que la soirée d'hier soit spéciale pour toi, je voulais que tu renoues avec ton amie, mais je vois que je me suis mépris. Je promets de ne plus jamais revoir Rowena. Je t'en prie, laisse-moi t'emmener au spectacle pour me racheter. Seuls. Rien que nous deux. Je t'appartiens tout entier. Personne d'autre. Je sais que tu vas adorer la *Cendrillon* de Prokofiev. Nous avons tellement en commun, Clarissa. Rendez-vous au foyer à dix-neuf heures. N'oublie pas les billets ! On ira prendre un verre avant le spectacle. Et manger quelque part après.

Je t'aime, Rafe.

Par où commencer pour démonter la folie de ta lettre ? Tu n'entends donc pas ce que je te répète – non, non, et encore non – encore et encore ? Je crois qu'il t'est impossible de comprendre ; tu es prisonnier d'une forme délirante de raisonnement décalé, de sincérité terrifiante même.

As-tu inspecté mes CD et mes DVD quand tu étais chez moi ? Parce que tu as raison : j'adore ce ballet. Par contre, je le détesterais à un point dont tu n'as pas idée si je devais le voir avec toi. De la part d'un autre homme, le geste aurait pu être romantique. Mais pas de ta part à toi. De la part de celui qui a utilisé ma plus vieille amie et l'a retournée contre moi. Venant de toi, ces billets sont une agression, pas un cadeau. Quand même, tu dois bien savoir, au fond de toi-même, que tu ne seras pas assis à côté de moi au théâtre ce soir.

Mais je ne peux me défaire d'une crainte à l'idée de ce que tu feras quand le rideau se lèvera et que je ne serai pas là. Je ne peux pas m'empêcher de t'imaginer debout dans le foyer carrelé, face à ton propre visage dans le miroir à cadre doré, attendant, furieux et contrarié de ne pas me voir venir, avec l'homme derrière le guichet qui te remarque et devine qu'on t'a posé un lapin.

Tu as été un bébé. Que t'est-il arrivé, pour que tu deviennes ça ?

« Vous pensez pouvoir continuer ce matin, Miss Lockyer ? » Mr Morden avait l'air triste, inquiet. Sa voix était douce et courtoise.

Les accusés regardaient tous droit devant eux, le visage vide, immobiles dans leur box en bois brillant, assis sur des chaises recouvertes du même tissu bleu roi que celles des jurés et des avocats. Tout était très bleu, sauf le fauteuil en cuir du juge.

« Ça va aller. Merci. » Elle prononça ces mots comme s'ils n'étaient que tous les deux. Clarissa s'aperçut alors que dans des circonstances différentes sa voix pouvait être belle.

« Je sais que la journée d'hier a été difficile pour vous. »

Miss Lockyer portait deux couettes, comme une petite fille. Elle tira sur l'une d'elles.

« Pouvez-vous raconter au jury ce qui s'est passé ensuite ? »

Miss Lockyer prit la parole d'une voix déterminée et ferme. « Je suis retournée dans la chambre. Je sais que ça peut paraître étrange, que je sois retournée me coucher dans le même lit que les deux hommes qui venaient de me violer, mais je me suis dit que sinon, ils me chercheraient et qu'alors ça serait pire. Je me suis blottie dans un coin du lit, en boule, toute recroquevillée. Vous n'avez pas idée à quel point il faisait froid dans cet appartement. La couette était coincée sous eux, alors je n'ai pu la tirer sur moi qu'un peu. J'avais peur de les réveiller si je la tirais trop. J'ai vaguement dormi, j'étais tellement crevée, mais je me suis réveillée plein de fois. Ensuite, le jour s'est levé et Sparkle est arrivé et depuis le seuil il m'a fait signe de le suivre dans le salon. »

Mardi 11 novembre, 9 heures
(Il y a trois mois)

Nous sommes le matin qui suit le lancement de ton livre. J'émerge à grand-peine d'un cauchemar, battant l'air de mes bras pour échapper à des lieux sombres. Je me retrouve dans mon propre lit, allongée sur le côté, dos à toi. Tu es collé contre moi, ton ventre contre mon dos, et je sens ton érection. Ta main est posée sur mon sein, plaquée dessus comme une ventouse. Tu m'embrasses sur la nuque en murmurant que tu me regardais rêver. Tu me serres si fort que je dois me débattre pour me libérer de ton étreinte. J'attrape ma robe tombée par terre pour me couvrir et entre en courant dans la salle de bains où je vomis. Ensuite, appuyée sur le lavabo pour retrouver mon équilibre, j'inspecte mon corps. L'intérieur de mes cuisses est couvert de sang séché, avec des marques rouges auxquelles je préfère ne pas penser. Elles se transformeront en bleus demain. Mes lèvres, mes poignets et les chevilles portent des traces de frottements. Mes cheveux sont emmêlés, enchevêtrés. J'ai très mal aux yeux. J'éteins les lumières. Sous le jet d'eau chaude de la douche, je me fais un shampoing et lave méticuleusement mon corps dans l'obscurité. Quand j'arrive entre mes jambes, ça brûle. Je me brosse les dents. Mes mâchoires sont douloureuses. La dernière chose dont je me souviens, c'est quand tu as enlevé ma robe. Après, tout est noir. La salle de bains est verrouillée. Je ne réagis pas à tes coups répétés contre la porte et à tes questions inquiètes. Dans l'après-midi, je dois prendre rendez-vous en urgence chez le médecin pour qu'il me prescrive des antibiotiques contre une infection urinaire. Après, je suis malade pendant trois jours : j'ai une migraine persistante ; je vomis, encore et encore, jusqu'à cracher ma bile ; je dors sans arrêt. J'ai beau passer mes journées au lit, impossible de me réveiller.

Miss Lockyer se mit à haleter. Brusquement, elle pâlit de façon spectaculaire. Le changement était net sous la lumière claire provenant de la verrière en dôme de la salle d'audience n° 12 et de la rangée de fenêtres derrière Clarissa – les seules fenêtres de la salle, placées bien trop haut pour permettre de voir dehors. L'endroit aurait fait une salle de bal parfaite. Peut-être l'avait-il été, autrefois.

« J'ai besoin de faire une pause. Désolée. J'ai besoin d'une pause. » Miss Lockyer se couvrit le visage.

Ils étaient assis dans la petite salle d'attente sans fenêtre qui jouxtait la salle d'audience.

« Elle ne reviendra pas, déclara Annie.

– Moi je suis sûre que si », dit Clarissa tout bas.

Annie leva au plafond ses yeux bruns à la douceur trompeuse en faisant voler ses cheveux noirs brillants et en gonflant ses joues roses. Les lumières artificielles donnaient à sa peau laiteuse une teinte jaunâtre.

« Vous avez sans doute raison, s'empressa d'ajouter Clarissa. Vous observez tout. Moi, j'écris trop. Je prends trop de notes. Et comme je ne regarde pas, je passe sans doute à côté de certaines choses. »

Annie avait un visage angélique en forme de cœur. Ses traits innocents parurent se détendre un peu. Du bout de l'index elle tapota plusieurs fois son adorable petit menton. « Elle s'imaginait quoi, en leur volant cette drogue ? »

Clarissa sortit un catalogue de patrons japonais. Il y avait une chemise de nuit avec un corsage croisé qu'elle aimait beaucoup – il y avait de quoi en tailler deux dans cette soie bleu-mauve qu'elle avait. Elle en enverrait une à Rowena une fois qu'elle aurait réussi à faire définitivement sortir Rafe de sa vie.

« Ma femme faisait de la couture. »

Le propriétaire de la voix avait sans doute remarqué ce qu'elle regardait. Le visage empourpré, elle referma le catalogue. L'homme grand, placé devant elle dans le box du jury, lui faisait face. Elle aimait bien ses cheveux châtain foncé. Des cheveux si courts qu'elle se demanda s'il n'était pas dans l'armée ; elle avait passé une bonne partie de ces deux dernières journées avec ce crâne en ligne de mire ; elle se dit qu'il devait piquer.

« Elle n'en fait plus ? » demanda-t-elle.

Ses mâchoires – fortes et carrées et tellement différentes de celles d'Henry – se crispèrent de façon presque imperceptible. Elle eut l'impression qu'il réfléchissait à sa réponse, même si son silence lui parut sans doute plus long qu'en réalité. « Elle est morte. Ça fait deux ans.

– Oh, je suis désolée. »

Il s'appelait Robert. Elle se présenta à son tour pendant qu'on ouvrait la porte de la salle et que l'huissier les invitait à entrer. Elle se leva pour rejoindre la file des autres jurés. La voix de Robert la fit se retourner :

« Vous avez laissé ça sur votre chaise. » Il tenait le catalogue de patrons japonais. La chemise de nuit qu'elle avait regardée – très mignonne, quoique un peu décolletée – figurait sur la couverture, accrochée à une armoire en bois. L'immense main de Robert couvrait la photo.

Elle se mordit la lèvre et prit un air gêné, tout en se surprenant à remarquer l'exceptionnel symétrie de ses lèvres à lui, et leur perfection – ni trop épaisses, ni trop fines, ni trop rouges, ni trop pâles : parfaites, tout simplement. Quant à ses yeux, jamais elle n'en avait vu d'un bleu saphir aussi lumineux. Elle risquait fort d'être aveuglée si elle les regardait trop longtemps.

Malgré ses traits remarquables, le visage de Robert était neutre, voire impassible. « Je pense que vous avez raison, dit-il. Elle va revenir. »

Elle était en effet revenue, même si ses yeux étaient bordés de rouge et qu'elle dut déglutir plusieurs fois pendant son récit.

« Ils m'ont forcée à m'allonger par terre. Ils ont jeté une couette sur moi. Et là, ils ont commencé à me frapper, à me donner des coups de pied. Je me suis mise en boule pour essayer de protéger ma poitrine, ma tête. J'ai cru qu'ils allaient carrément me tuer, et qu'ils m'avaient couvert le visage pour ne pas être obligés de le voir pendant qu'ils le faisaient. J'ai commencé à crier que j'allais appeler mon grand-père, qu'il donnerait l'argent.

Sparkle a retiré la couette, m'a tendu mon téléphone. Il m'a dit, "Fais le numéro". J'ai expliqué à mon grand-père que j'étais dans une situation désespérée, qu'il me fallait mille cinq cents livres, mais il a dit non. J'ai cru qu'ils allaient recommencer à me battre mais Sparkle a dit que je pourrais le rembourser en dealant pour lui. Il m'a donné trois cents livres pour commencer. Ensuite, il m'a conduite à la gare et m'a laissée partir. »

Jeudi 5 février, 20 h 30

À vingt heures trente quelqu'un sonne à la porte. S'acharne sur la sonnette. Je savais depuis ce matin que tu me harcèlerais à cause du lapin que je t'ai posé hier soir. Je ne réponds pas, bien sûr. À la place, j'essaie un truc : je décroche l'interphone. Mais ça ne neutralise pas la sonnette ; pire, ta voix devient pressante. Sans un mot, je replace le combiné et décide de ne plus y toucher.

Je vais dans ma chambre et décroche mon téléphone fixe. J'appuie sur le 9. Deux fois. Me souvenant de mon appel au service d'urgence vendredi dernier, je marque un temps d'arrêt avant d'appuyer sur la touche une troisième fois.

J'ai de nouveau quinze ans. Je dépose plainte pour le vol du sac. La policière me bombarde de questions. Je regrette que mes parents ne soient pas là avec moi au lieu de patienter dans la salle d'attente en compagnie de Rowena et des familles des délinquants qui vocifèrent. M'a-t-on vraiment volé mon sac ? Peut-être l'ai-je simplement perdu et ai-je peur de dire la vérité à mes parents ? Ils seraient sûrement bien embêtés par les désagréments entraînés par cette imprudence : faire changer les serrures, racheter les livres d'école, me redonner de l'argent pour la semaine de cantine. Je réponds que ce genre de choses ne dérange pas mes parents. Que je n'ai aucune raison de les craindre. Qu'ils se soucient avant toute chose de ma sécurité. L'incrédulité de la policière semble croître à mesure que je parle. Je réussis à la convaincre d'écouter Rowena, mais visiblement elle la considère comme un témoin peu fiable dont la version des faits, en tout point semblable à la mienne, est sujette à caution.

Ils n'ont jamais trouvé la fille qui m'avait attaquée. Forcément. Je doute qu'ils l'aient jamais recherchée.

La police ne peut pas agir en l'absence de preuve avérée qu'un délit a été commis.

Comprenant que je ne peux pas aller voir la police à ce stade, j'interromps mon appel et jette le combiné sur mon lit. Je n'ai pas encore suffisamment de preuves. Quand ils arriveront ici, tu seras parti – et alors ils refuseront de me prendre au sérieux. Tu n'es pas bête au point de te laisser attraper devant ma porte. Peut-être vont-ils carrément m'accuser de faire perdre du temps à la police en composant le 999 sans raison valable six jours après mon dernier appel. Ils penseront que tu es un fantasme, exactement comme la fille qui m'a frappée sur le front de mer.

À vingt et une heures, le hurlement incessant de ma sonnette est devenu insupportable. Je décroche l'interphone, mais ne dis rien. J'attends ta voix – je sais qu'elle ne tardera pas à se faire entendre.

« Clarissa ? dis-tu. Clarissa ? Je t'ai attendue, Clarissa. Il se passe quelque chose, Clarissa ? Comment peux-tu être aussi cruelle avec moi, Clarissa ? Je pensais que tu serais désolée après ce que tu m'as fait hier soir. Et voilà comment tu me traites. »

Avant toi, j'aimais mon nom. Je ne veux pas que tu me prives aussi de ça. C'est hors de question, même si je frémis chaque fois que je t'entends le répéter.

Cette façon que tu as de passer de la sollicitude à la colère, de l'apaisement à la réprimande, me fait tellement peur que je serre les bras autour de ma poitrine et me balance d'avant en arrière.

Je vais dans la salle de bains, ferme la porte. Le bruit est à peine étouffé. J'ouvre le robinet à fond. Ça aide, mais ça ne te submerge pas complètement. Je verse des sels de bain à la lavande dans la baignoire : le cadeau de Noël de Gary, le même chaque année, ce qui nous fait rire tous les deux quand il nous le présente. Pour l'instant, je n'ai aucune envie de rire. Je laisse tomber mes vêtements par terre et, dès que la baignoire est suffisamment pleine pour que l'eau recouvre mes oreilles, j'entre en éclaboussant partout.

Le truc marche à la perfection. Maintenant, je ne t'entends plus du tout. Par contre, les sels de bain ne font rien pour me détendre. Au bout de quelques minutes à peine, je me sens faible, au bord du malaise à cause de la chaleur, et la vapeur m'empêche de respirer. Le fait de ne rien entendre provoque une inquiétude d'un autre type. J'ai le vague espoir qu'en crevant la surface de l'eau et en émergeant, je trouverai le silence. Mais bien sûr tu es toujours là, à faire ton raffut. Je sors trop vite de la baignoire et suis prise de vertiges.

Si je voulais être sympa, je dirais que tu es méthodique. Sinon, que tu es un obsédé compulsif, appellation que tu mérites amplement. Personne ne l'incarne mieux que toi. Tu appuies sur la sonnette pendant soixante secondes exactement, puis m'accordes précisément deux minutes d'un silence précieux avant de répéter le cycle. J'imagine que tu as un chronomètre dans ta boîte à outils. Heureusement que Miss Norton est pratiquement sourde, qu'elle se couche tôt et retire son sonotone avant de dormir. Je rends grâce au ciel de ne pas me trouver dans un endroit public où tu pourrais me piéger comme tu l'as fait avec Rowena.

Je m'emmitoufle dans des serviettes et retourne dans la chambre. Je referme la porte. Là encore, ça ne fait rien pour étouffer le cri strident de la sonnette. J'allume la radio. Ils passent un prélude de Chopin. Je monte le son : tu es assourdi, sauf pendant les silences entre les notes du piano. Mais c'est uniquement en me glissant sous les draps et en les rabattant au-dessus de ma tête que tu disparais entièrement.

Mes oreilles ne tardent pas à me faire mal d'une manière différente. Cette musique n'est pas faite pour être saccagée. Tu as gâché ce morceau de Chopin à jamais. Le jouer à un tel volume pour rivaliser avec ton doigt sur la sonnette l'enlaidit et l'ensauvage – il n'était pas censé être utilisé comme arme. Je suffoque à nouveau, incapable de faire entrer suffisamment d'air dans mes poumons à travers l'édredon qui me couvre le nez, et vite, je dois abandonner cet équipement de privation sensorielle. Une fois de plus, tu transperces mes tympans.

À vingt-deux heures, c'est devenu trop pour moi. Je saisis l'interphone. Tu as encore gagné. Impossible de garder le silence.

« Jamais je ne te laisserai entrer. Je ne veux pas sortir avec toi ; je ne t'ai jamais demandé d'acheter ces billets. Jamais je ne serais venue dans ce restaurant l'autre soir si j'avais su que tu y serais. »

Tu dis : « Je ne veux pas te contrarier, Clarissa. » Tu dis : « J'essaie simplement de te rendre heureuse, Clarissa. » Tu dis : « C'est tout ce que je souhaite. Mais tu m'as meurtri, Clarissa. » Tu dis : « Je sais que tu te sens seule, Clarissa. Moi aussi. » Tu dis : « Je voudrais simplement notre bonheur à tous les deux, Clarissa. » Tu dis : « Je sais qu'on t'a brisé le cœur, Clarissa. Le mien aussi a été brisé. Par toi. Plusieurs fois. » Tu dis : « Je m'en vais maintenant, Clarissa. »

Je raccroche dans un geste tellement désespéré que le combiné tombe et se balance au bout de son fil. Je le remets en place. L'absence toute nouvelle de bruit est tellement profonde qu'elle produit un petit bourdonnement dans mes oreilles. Mais la crainte que tu sois peut-être toujours là ne me quitte pas.

Vendredi

Après une nuit quasiment blanche, elle éprouva des difficultés à se concentrer sur l'avocat d'Azarola.

« Veuillez confirmer votre description de l'homme que d'après vous ils ont pris en allant à Londres. » Mr William lui faisait penser à un acteur dans un film judiciaire qui aurait parfaitement mémorisé ses répliques et sa gestuelle. « Vous nous avez dit "environ un mètre soixante-quinze, métis, assez mince, avec de longues tresses". »

Azarola se pencha en avant. Il mesurait largement plus de un mètre quatre-vingts, avait la peau dorée, les yeux noisette, et ses cheveux raides étaient courts, épais et châtains. Il avait les épaules et le torse larges, comme Robert, et portait un pull noir moulant visiblement cher et raffiné. Du cachemire, probablement. Elle lui trouva un air de chanteur de pop espagnol.

« Oui, c'était ça, ma description », dit Miss Lockyer.

Cette description-là ne correspondait pas du tout. Clarissa risquait-elle de faire le même type d'erreur si la peur l'empêchait de regarder ? Ou bien la police avait-elle arrêté la mauvaise personne ?

L'avocat de Tomlinson ressemblait à un vieil acteur shakespearien. « Mr Tomlinson a eu des relations sexuelles consenties avec vous. Il ne s'agissait pas de la confrontation violente que vous avez décrite, mais d'une transaction commerciale parfaitement calculée pour obtenir de la drogue. Vous êtes une professionnelle, Miss Lockyer. Vous avez même donné un préservatif à Mr Tomlinson. »

Clarissa frissonna. Ses souvenirs de cette nuit de novembre étaient trop flous pour savoir si Rafe portait bien un préservatif. Le connaissant, elle se douta que non. Elle avait éprouvé un soulagement muet à l'arrivée de ses règles une semaine plus tard, à la date prévue : expérience inédite pour elle que de ne pas vouloir être enceinte. Que penserait d'elle Mr Belford si elle se retrouvait assise à la place du témoin ?

Clarissa s'adressa à Annie à voix basse pendant qu'elles récupéraient leurs manteaux et sortaient lentement du bâtiment : « Voilà ce qui arrive, quand on porte plainte, quand on va jusqu'au bout. Ils vous violent une deuxième fois en disant que vous êtes une prostituée.

– C'est pourtant bien ce qu'elle était, Clarissa, répondit Annie. Elle aura beau affirmer le contraire, qui peut la croire ? »

Clarissa fourra dans son sac son vieil exemplaire des poèmes de Keats – relique de sa thèse abandonnée à laquelle elle se raccrochait quand le monde autour d'elle lui paraissait particulièrement sombre et sauvage. Jetant un bref coup d'œil par la fenêtre du train, elle vit Robert remonter le quai d'un pas assuré et disparaître dans l'escalier. Elle ne s'était pas rendu compte qu'il était dans le train ; jamais elle n'aurait imaginé qu'il puisse habiter à Bath lui aussi. Il était sorti du train et avait pratiquement quitté la gare avant même que les autres passagers aient eu le temps de descendre.

Elle inspecta le quai, guettant Rafe, fouillant du regard la foule qui la poussait vers l'escalier. Au bout d'une journée passée sur une chaise, tout son corps était tendu. Elle avait besoin d'air. De mouvement. Déjà, elle avait dû abandonner sa marche matinale. Elle ne voulait pas en plus de cela renoncer à rentrer chez elle à pied. La longueur de la file d'attente à la station de taxis finit de la convaincre, et elle se réjouit du monde dans la rue.

Pourtant, ce fut avec appréhension qu'elle s'avança vers le tunnel derrière la gare. Elle s'arrêta à l'entrée : pas de Rafe en vue. Puis elle marqua une pause avant de s'engager sur le pont qui enjambait la rivière : là encore, aucune trace de lui.

Par contre, il y avait bien quelqu'un au milieu du pont, une femme recroquevillée sous un tas de couvertures miteuses, entourée de cannettes de bière vides, qui tenait à la main une bouteille d'alcool bon marché. Des sacs disposés autour d'elle contenaient ses maigres possessions.

Normalement, Clarissa aurait maintenu entre elles la plus grande distance possible. Cette fois-ci, elle s'approcha, tout en luttant contre le même mélange de peur et de pitié que lui inspirait Miss Lockyer. Elle serra son sac contre elle.

Les cheveux de la femme étaient tellement gras et emmêlés que Clarissa fut incapable d'en discerner la couleur. Son coupe-vent tout fin pendait, déchiré et crasseux, sur sa carcasse squelettique. Sa peau ridée était douloureusement sèche, rouge et crevassée. À première vue, elle semblait âgée, mais n'avait sans doute pas plus de la quarantaine. Miss Lockyer ressemblerait-elle à cela un jour ? Il flottait dans l'air une odeur suffocante de chair âcre – le mélange caractéristique d'organes génitaux et de dessous de bras non lavés. Clarissa essaya de respirer par la bouche, en espérant que la femme ne le remarquerait pas.

« S'il vous plaît, un peu d'argent pour dormir ce soir », dit la femme en tendant une main pratiquement bleue de froid. Clarissa retira une mitaine et sortit un billet de vingt livres, sachant qu'il servirait sans doute à acheter une dose de crack ou d'héroïne. « Dieu vous bénisse », dit la femme.

Clarissa retira son autre mitaine et lui offrit la paire, sans trop savoir si les tricots de sa mère seraient acceptés. Après un moment d'hésitation, la femme prit les mitaines et les enfila, lentement et maladroitement. « Dieu vous bénisse », répéta-t-elle en évitant le regard de Clarissa. Alors Clarissa s'éloigna, ses poings gelés enfoncés dans les poches du manteau chaud qu'elle s'était confectionné à l'époque où Henry était encore avec elle.

Henry, esquissant un sourire, un verre de vin et un papier à la main tandis qu'agenouillée par terre dans le séjour elle se penchait sur le tissu en laine indigo qu'elle avait matelassé, totalement absorbée par son projet. Henry, bruissant d'énergie même quand il restait immobile. Henry le matin, dans la douche, rasant les quelques cheveux qu'il lui restait, si bien qu'il était entièrement chauve – choix stylistique assumé plutôt que subi, et preuve supplémentaire de son sens esthétique infaillible. Henry, à Cambridge à présent, à des années-lumière de cette femme et de Clarissa.

Elle hâta le pas, pressée d'arriver chez elle le plus vite possible. Quelques minutes plus tard, elle atteignit l'ancien cimetière. Miss Lockyer avait dû passer par là un nombre incalculable de fois, y compris le jour où on l'avait enlevée. Avait-elle remarqué l'unique tombe à ne pas avoir été démontée ? La pierre grise marquant l'emplacement des corps avait la taille d'un cercueil. Verdies par la moisissure, ses lettres gravées perdaient leurs contours. C'était l'un des endroits préférés de Clarissa. Des siècles auparavant, le cimetière était une forêt. Elle se plaisait à penser qu'il aurait un jour un effet magique sur elle. Mais pour l'instant, rien ne s'était produit.

Une femme avait été enterrée là avec ses deux bébés au milieu du dix-neuvième siècle. Trois morts en deux ans. Il était impossible de lire les inscriptions dans le noir, mais Clarissa les connaissait par cœur.

Matilda Bourn, morte le 21 août 1850 à l'âge de 4 mois.
Louisa Bourn, morte le 16 septembre 1851 à l'âge de 6 semaines.
Jane Bourn, leur mère, morte le 22 décembre 1852 à l'âge de 43 ans et 6 mois.

Clarissa imaginait toujours les deux bébés dans les bras de leur mère, sous la terre humide, et la mère heureuse de pouvoir enfin les garder près d'elle. Avait-elle eu d'autres enfants ? Sans doute, oui, et beaucoup ; c'était plus que probable. Sans doute sa santé avait-elle été fragilisée par de trop nombreuses grossesses trop rapprochées – c'était peut-être ce qui l'avait tuée. Clarissa aurait pu faire des recherches sur le sujet, mais elle ne tenait pas vraiment à savoir. Elle préférait l'histoire qu'elle se racontait à elle-même, dans laquelle la femme attendait pendant des années et se languissait d'avoir des enfants. Puis, miraculeusement, elle donnait naissance à deux bébés après quarante ans, l'âge que Clarissa aurait dans un an et demi. Deux bébés qu'elle perdait.

Aucune mention du mari. Du père. Comme si seule comptait la relation entre la mère et ses bébés morts. Pourtant, quelqu'un les avait aimés au point de faire installer cette pierre.

Clarissa avait presque le même nom de famille qu'elles, mais ce n'était pas ça, la raison pour laquelle elle ressentait un lien si puissant avec la mère morte et ses bébés morts. Elle suivait un rituel presque superstitieux de prières pour elles – et à leur adresse – chaque fois qu'elle passait devant la tombe. Parfois, elle enjambait la grille en fer pour ramasser des cannettes de Coca ou des emballages graisseux.

Ce soir, il faisait nuit noire. Les gens qui semblaient l'avoir accompagnée jusque-là depuis la gare s'étaient étrangement volatilisés sans qu'elle le remarque ; elle s'était attardée trop longtemps auprès de la mendiante sur le pont. Regrettant sa décision de ne pas attendre un taxi, elle envisagea de faire demi-tour. Puis elle calcula rapidement que ça n'arrangerait rien – elle se retrouverait tout aussi seule et isolée en rebroussant chemin que si elle continuait à avancer.

Elle essaya de se raisonner en se disant que Rafe ne savait rien de ses trajets quotidiens à Bristol ; rien ne lui permettait de deviner qu'elle rentrait chez elle à pied le soir depuis la gare. Néanmoins, elle ne put s'empêcher d'imaginer des ombres longeant les murs, là où avaient été posées les vieilles pierres tombales ; ceux qui avaient pleuré dessus étaient morts depuis longtemps ; ils n'avaient sans doute jamais imaginé que ces stèles soigneusement ouvragées seraient arrachées de leurs emplacements.

Elle hâta le pas, se retenant de courir pour ne pas glisser sur le chemin gelé. Elle avait la certitude qu'il allait brusquement se révéler à sa vue, surgir de la nuit sans étoiles.

Elle ne commença à respirer librement qu'en atteignant sa rue. Plus jamais elle ne rentrerait seule à pied après le coucher du soleil. Où que ce soit. Peu importait le temps qu'il lui faudrait passer à attendre un taxi. Et quand elle se déplacerait à pied, ce serait uniquement pour se rendre dans des endroits dont elle était certaine qu'ils grouillaient de monde.

Vendredi 6 février, 18 h 15

Une petite enveloppe matelassée m'attend sur l'étagère dans le hall. Elle contient une minuscule boîte. Tu l'as enveloppée dans un papier gaufré et doré, puis soigneusement décorée avec des rubans argentés. Tu y as glissé une carte épaisse couleur crème avec une rose imprimée dessus. J'ai vu ce que tu aimais. Porte-la pour moi.

Mes mains tremblent dans l'escalier en ouvrant la boîte. Je trébuche, comme envoûtée, en découvrant la bague qui avait arrêté mon regard cette nuit-là, en novembre. Tu ne l'aurais jamais achetée si tu avais su que je pensais à Henry à ce moment-là. Je ne pensais pas à toi. Surtout pas à toi. Jamais à toi. Mes visions de toi sont toujours sombres.

Dans un accès de folie, je suis persuadée que les bouts de mes doigts vont saigner en caressant le petit cercle de platine froid et les minuscules diamants qui y sont incrustés. La bague m'est parvenue comme un boomerang maléfique.

Dès que je suis chez moi, je remets tout dans l'enveloppe, y compris la carte, et vite je la ferme avec du gros Scotch, y colle un timbre, gribouille ton nom et l'adresse de la fac en barrant la mienne. Surtout, je ne peux pas te laisser croire que j'ai accepté un cadeau aussi cher de ta part. Je posterai l'enveloppe le plus tôt possible demain matin.

Mais à peine ai-je commencé à fourrer le paquet dans mon sac que l'une des recommandations données dans les brochures arrête ma main.

Conservez toutes les lettres, les paquets et divers objets, même s'ils sont inquiétants ou perturbants.

Je dois conserver la bague, quel que soit le prix que tu as payé pour elle. La bague est un cadeau, après tout. Pas simplement dans le sens où tu l'entends toi. Je l'ajouterai à ma collection grandissante d'éléments à charge. Un assortiment de preuves sinistres, mais pas encore irréfutables.

SEMAINE 2

La danse du feu

Lundi

Clarissa remarqua que Robert feuilletait le dossier destiné aux jurés. Il s'arrêta sur une photo de l'intérieur de la camionnette, l'étudia et gribouilla une note qu'il donna à l'huissier afin qu'il la remette au juge.

Mr Belford contemplait Miss Lockyer d'un air dubitatif. « Une histoire, disait-il, de coups et de torture méthodiques, de violences sexuelles et d'enfermement sous la contrainte. Pourtant, pratiquement aucune marque sur la victime. »

Le juge intervint avec son habituelle courtoisie froide pour leur demander de regarder la photo signalée par Robert. Derrière le siège conducteur, posé sur un emballage de fast-food gras et froissé, se trouvait un briquet jetable vert.

Mr Morden adressa à Robert un sourire radieux. Jusque-là, personne n'avait remarqué ce briquet. Il confirmait parfaitement ce qu'avait raconté Miss Lockyer sur Godfrey faisant chauffer sa boucle d'oreille dans la camionnette.

La conversation eut lieu pendant l'une de ces nombreuses suspensions occasionnées par les discussions à voix basse entre Mr Morden et Mr Belford. Clarissa était assise à sa place habituelle. Robert avait pris l'habitude de s'installer en face d'elle, dans un angle de la petite annexe aux murs d'un blanc éblouissant dont la luminosité n'avait rien de naturel.

« Pauvre fille », dit-il, exprimant ouvertement sa compassion sans la moindre trace de gêne.

Clarissa se demanda combien d'hommes oseraient parler de la sorte, devant les autres. « Oui, dit-elle avec un petit hochement de tête et une moue triste. La pauvre. » Puis : « C'est incroyable que vous ayez repéré ce briquet. Vous êtes détective dans la vie ?

– Non, simple pompier, répondit-il. En général, les gens ne sont pas à l'affût des risques potentiels d'incendie. Moi si. Depuis que j'ai vingt ans. La moitié de ma vie. »

Mais déjà l'huissier les rappelait.

Clarissa récupéra son sac et son gilet. Jamais jusque-là elle n'avait rencontré de pompier. Elle s'était entourée d'universitaires, tout en décidant de ne pas s'engager elle-même dans cette voie-là. Elle s'était, elle en était bien consciente, jetée dans les bras d'un universitaire, Henry en l'occurrence, même si ce dernier était surtout un poète. Elle se dit que le métier de Robert était intéressant et important.

« C'est juste un boulot », dit-il, comme s'il avait lu dans ses pensées et voulait que les choses soient claires pour elle. Il parlait d'un ton neutre, mais à sa manière chaleureuse et calme. « Nous faisons tous ce que nous avons à faire. »

« Vous-même, vous êtes capable d'actes violents, n'est-ce pas, Miss Lockyer ? »

Miss Lockyer secoua la tête comme si la question de Mr Belford ne méritait pas une réponse. Furieux, Mr Morden se leva d'un bond, et les jurés furent de nouveau invités à sortir.

De nouveau, Clarissa se retrouva assise en face d'Annie et Robert dans la petite annexe.

Les souvenirs de la soirée de mercredi défilaient dans sa tête. Le distributeur de savon qui lui glissait des mains et explosait sur le carrelage des toilettes – et pas sur le crâne de Rafe.

Tu serais incapable de me faire du mal, Clarissa. Je te connais.

« Je ne suis pas certaine d'être capable de faire du mal à quelqu'un, dit-elle, mais je commence à me dire que j'aimerais pouvoir.

– Telle que je vous vois, vous ne feriez pas de mal à une mouche », dit Annie.

Robert étudia le visage de Clarissa. « Faire du mal à quelqu'un, ce n'est pas qu'une question de force physique. Vous ne vous êtes jamais trouvée dans une situation qui vous y obligeait. N'importe qui peut se montrer violent, Clarissa. Je vous promets que vous aussi vous pourriez, si vous y étiez obligée.

– Et vous, Robert, ça vous est arrivé ? » demanda Annie.

Le visage impassible, il ne répondit pas.

« Je n'avais pas vraiment besoin de poser la question, reprit Annie. Bien sûr que ça vous est arrivé. »

Mr Belford donnait l'impression de ne pas avoir quitté Miss Lockyer du regard depuis que les jurés étaient sortis : un faucon planant au-dessus d'un mulot, guettant l'occasion.

« Est-il exact que votre ancien compagnon a une nouvelle petite amie ? »

Clarissa adressa un regard inquiet à Annie, dont le mari venait de la quitter pour une autre. Elle pensa à Rowena. Et à la femme d'Henry.

Miss Lockyer contempla ses mains.

Clarissa se demanda ce qu'elle ressentirait quand Henry aurait trouvé quelqu'un d'autre. Elle savait qu'elle serait meurtrie s'il réussissait enfin à concevoir un bébé avec une autre, elle qui devrait être au-dessus de ce genre de mesquinerie. Non pas qu'il se relancerait sans hésiter dans ce parcours du combattant. Henry voulait entretenir les autres dans l'idée qu'il suintait la testostérone par tous les pores de sa peau. Il lui avait fait jurer de ne jamais dire à quiconque que les quelques spermatozoïdes déformés qu'il produisait avaient tous cinq têtes et dix queues et qu'ils nageaient en cercle comme des déments en se cognant les uns aux autres.

Miss Lockyer gardait le silence.

« Avez-vous menacé de la tuer ? lui demanda Mr Belford pour la faire réagir.

– Bien sûr que non. »

Il secoua la tête, façon de montrer que ses réponses étaient tellement absurdes que cela ne valait plus la peine de s'adresser à elle.

Elle s'était tellement concentrée sur Miss Lockyer, Mr Belford et ses notes qu'elle n'avait pas regardé la tribune où était installé le public. Un mouvement dans la dernière rangée attira son attention.

Un homme au teint pâle, jusque-là appuyé contre le mur, s'était penché en avant et la fixait, l'obligeant à remarquer son regard.

Robert s'effaça pour la laisser sortir du box du jury. Elle s'avança d'un pas incertain, les joues rouges, le souffle de plus en plus court, le cœur battant si fort qu'elle se dit qu'on devait le voir palpiter sous sa robe.

Lundi 9 février, 17 h 55

Je suis assise dans la salle des jurés et je fais semblant d'être absorbée dans mon livre au point de ne pas remarquer que tout le monde est parti. La greffière range bruyamment ses affaires en me regardant. Elle finit par me dire que la salle doit être évacuée pendant la nuit. Alors je comprends que je ne peux plus retarder la rencontre avec toi.

Tu patientes pile devant le tribunal, exactement comme je m'y attendais. Je passe devant toi, marche jusqu'au bout de la rue et tourne à gauche en faisant comme si tu n'étais pas là.

« Clarissa. » Tu m'as rattrapée. « Ne sois pas ridicule. Parle-moi, Clarissa. »

Je m'arrête devant le café, maintenant fermé pour la nuit comme les autres commerces. Jamais je n'ai vu la rue si calme. Il y a quand même des gens dehors. Cela me donne la sécurité d'un lieu public.

« Ma chérie, je t'en prie, parle-moi. »

C'est plus fort que moi. Les consignes de silence données dans les brochures ne sont pas tenables. « Je ne suis pas ta chérie. » Tu t'approches. « Ne t'approche pas. » Ma voix est stridente. J'essaie de baisser le ton. « Ne reviens plus jamais ici. Tu n'as pas le droit.

– C'est une tribune publique. »

À moins de t'empêcher de revenir, je ne vais plus pouvoir entrer dans ce box et participer au procès. La salle d'audience n° 12 deviendra un piège, un lieu où je serai captive, offerte à ton regard. Je me rends compte à quel point je tiens à ce procès, à quel point il compte pour moi, à quel point je suis fière d'être membre d'un jury – j'en avais toujours rêvé. Des idées à l'eau de rose – le service public, le civisme – se bousculent dans ma tête, même là, en ta présence.

« Si tu reviens, je leur dirai que je te connais. Ils risquent d'ajourner carrément le procès. Ils ne veulent pas que les jurés soient perturbés par des gens qu'ils connaissent. J'ai besoin de toute ma concentration.

– Ce témoignage t'a bouleversée, Clarissa. Je l'ai bien vu. »

Tu as raison. Je déteste que tu aies raison à mon sujet. Je déteste l'idée que je ne me suis pas rendu compte de ta présence, de tes yeux sur moi. Je déteste l'idée que je ne sais pas trop ce que j'aurais fait si je t'avais remarqué, non pas vers la fin de cette audience éprouvante, mais pendant qu'elle battait son plein.

« Aucune loi n'interdit les amis des jurés d'assister au procès.

– Tu n'es pas mon ami.

– Exact. » Tu te corriges toi-même. « Je suis ton amant.

– Tu n'es pas... »

Je me mords la lèvre. Tu as un air tellement triste que tout autre que moi te prendrait en pitié.

« Je croyais que tu serais heureuse de me voir.

– Eh bien non. »

Ce n'est pas si difficile que cela d'être méchante. La colère me fait presque trembler. Jamais ma mère n'aurait pu imaginer un homme tel que toi.

« Je ne vois plus Rowena.

– Peu m'importe qui tu vois et qui tu ne vois pas.

– Tu es cruelle, Clarissa. J'étais inquiet. Tu étais malade.

– Je t'ai menti. Je n'étais pas malade. Ce matin-là, je ne voulais pas que tu me suives. Je ne voulais pas que tu me trouves. Je ne voulais pas que tu saches que j'étais ici. J'ai le droit d'aller quelque part sans que tu le saches. Je n'aime pas être suivie. »

Voilà qui est mieux : ferme et franc.

« Ce n'était pas gentil de ta part. Tu me déçois.

– Peu m'importe ce que tu penses de moi. Je ne veux pas que tu penses à moi du tout.

– Ton portable est toujours éteint.

– J'ai changé le numéro. À cause de toi. Je ne veux rien avoir à faire avec toi. Je te l'ai dit des centaines de fois.

– J'ai fait toutes les salles d'audience pour te trouver. »

Je secoue la tête de droite à gauche. « Tu ne vois donc pas que ce n'est pas normal, ça ?

– Pas du tout. Bien au contraire. Ça prouve à quel point je tiens à toi. »

Tu ouvres les bras, comme si tu t'attendais à ce que je me jette contre ta poitrine. Je recule. Comment peux-tu t'imaginer une chose pareille ? « Ça t'a fait plaisir, la bague, Clarissa ?

– Non.

– Pourtant, tu l'as gardée. Donc, elle doit te faire plaisir.

– Ne m'envoie plus rien. Je ne veux pas que tu t'approches de moi. » Au moment où je commence à m'éloigner, tu saisis mon bras. Je me libère d'un geste brusque. « Ne me touche pas. Tu me dégoûtes. Ce que tu fais, ça me dégoûte.

– Tu ne peux pas coucher avec moi et changer d'avis le lendemain. Tu ne peux pas te montrer à moi telle que tu es réellement pour ensuite m'ignorer. »

Une phrase lue dans l'une des brochures me déchire.

Un tiers des persécuteurs ont eu des relations intimes avec leur victime.

« C'était une nuit, rien de plus. Ça ne voulait rien dire pour moi. C'est la plus grosse erreur que j'aie jamais faite, et je ne l'aurais pas faite si je n'avais pas été saoule. Ou pire. Pire que saoule. » Pour une fois, tu ne trouves rien à dire. « Comment se fait-il que je ne me souvienne de rien ? » Pour une fois, j'ai plus de choses à dire que toi. « Pourquoi est-ce que j'ai été si malade après ? »

Enfin tu parles. À peine les mots sortis de ta bouche, je regrette ton silence. « Tu étais folle de passion pour moi, Clarissa. Tu ne maîtrisais plus rien, tes réactions, les choses que tu m'as supplié de te faire.

– J'étais inconsciente. » J'agrippe mon sac pour essayer de faire cesser le tremblement de mes mains. Le café que j'ai bu à la pause-déjeuner remonte dans ma gorge. Je le ravale. « Tu avais versé quelque chose dans mon vin, n'est-ce pas ?

– Là, vraiment, tu délires. Tu avais envie de moi, Clarissa. Autant que moi j'avais envie de toi. Pourquoi essaies-tu de le nier ? Tu étais allongée, tu jouissais.

– Je n'ai jamais eu envie de toi. Pas plus ce soir-là qu'aujourd'hui. »

Ta bouche se tord. Tu serres les poings, les desserres, les resserres, encore et encore. « Salope. » La haine déforme tes traits, mais tu parviens à redonner à ton visage son aspect lisse. « Je ne voulais pas dire ça, Clarissa.

Je m'excuse. Tu m'as tellement blessé. Pardonne-moi. Je ne savais pas ce que je disais. »

Les brochures se rappellent de nouveau cruellement à moi.

Chaque mois, huit femmes meurent en Angleterre, victimes de violence conjugale.

Si seulement le contenu de ces brochures cessait de me poursuivre. Je ne veux pas y penser. Je ne veux pas m'imaginer qu'il puisse y avoir du vrai. Ces brochures sont comme des amies qui me murmurent des vérités gênantes que je refuse d'entendre. J'aimerais croire que ces chiffres sont une pure invention. *Chaque mois huit femmes meurent.*

« Je m'en vais. Si tu me suis, je retournerai au tribunal et je le dirai aux agents de sécurité. Ils ne sont pas encore partis.

– Dis-moi que tu me pardonnes et je m'en irai.

– Jamais je ne te pardonnerai. Si jamais je te revois dans cette salle d'audience, je te dénonce au juge.

– Je ne voulais pas dire ça, Clarissa. Le mot m'a échappé.

– Et je raconterai au boulot ce que tu as fait, que tu m'as suivie jusqu'ici, que tu m'as tellement harcelée que je n'ai pas pu m'acquitter de cette tâche très importante. » Je suis sans pitié. Je ne tremble plus, n'ai plus la nausée. Je sais ce que je dois dire pour t'éloigner de la salle n° 12. « Je vais déposer plainte auprès de la direction du personnel. Ils prennent très au sérieux leur responsabilité envers les employés convoqués pour être jurés. » C'est la plus stricte vérité. « Je vois bien que tu n'as pas envie que tout le monde au boulot sache ce que tu fais. »

Ça aussi, c'est vrai. La lueur dans tes yeux le confirme – tu ne m'envoies jamais de mail depuis ta messagerie professionnelle.

« Tu es vraiment une salope. Tu n'es pas la femme que je croyais.

– C'est exact. Je ne suis pas celle que tu croyais. Tu ne me connais pas du tout. Alors laisse-moi tranquille. C'est tout ce que je te demande. »

Je m'éloigne. Cette fois-ci, tu ne me suis pas.

Ils disent qu'il ne faut pas parler de façon équivoque. Ils disent qu'il faut être direct, ferme. Ils disent qu'il ne faut pas prendre de gants. Ils disent que « Non ! » est une réponse valable. Qu'il faut lui donner tout son poids. Qu'un Non se suffit à lui-même.

Mardi

Clarissa attendait le départ du train lorsque Robert monta, juste avant la fermeture des portes. Pourtant, il n'avait pas l'air de quelqu'un qui avait couru. Assise côté couloir, elle le regarda s'avancer vers elle en songeant qu'il était rare de voir quelqu'un marcher d'un pas si sûr dans un wagon bringuebalant.

Le siège de l'autre côté du couloir était libre. Il s'y installa et lui adressa un sourire. « Vous ici ? dit-il. Vous allez quelque part ? »

Elle prit un air mystérieux. « Ça se pourrait.

– Au travail, peut-être ?

– Je me suis dit que j'allais sécher aujourd'hui. Une envie, comme ça. En fait, j'ai décidé de ne pas aller au boulot pendant six semaines.

– Moi aussi, dit-il.

– Quelle coïncidence, dit-elle.

– Non mais sérieusement. » Il allongea ses longues jambes dans le couloir, détendu mais vigilant ; elle devina qu'il les bougerait pour dégager le passage si nécessaire avant même qu'on le lui demande. « Vous savez que je suis pompier. Et vous, vous êtes universitaire, c'est bien ça ? Je vous ai entendue dire à Annie que vous travaillez à la fac. »

Elle fit non de la tête, comme si l'idée la choquait, voire l'horrifiait. « J'ai failli le devenir, mais non. Je travaille dans les services administratifs. » Elle marqua un temps d'arrêt. « Mon père – il voulait que je devienne prof de fac. Il a enseigné l'anglais jusqu'à sa retraite. » Elle eut un petit rire. « C'est une heure bien matinale pour se faire des confidences.

– Il n'est jamais trop tôt. Mais ça m'intéresse de savoir pourquoi vous avez changé de voie de manière aussi radicale. » Il s'interrompit, réfléchit. « Chaque fois que je vous vois, vous êtes en train de lire ou d'écrire. »

Elle hocha tête. « Quand on est universitaire, on passe son temps à travailler. La nuit, le week-end. Il y a toujours des travaux à noter, des articles à écrire, des mémoires à lire, des formulaires à remplir, des étudiants à contacter. Sans parler des cours et des réunions. Ça ne s'arrête jamais. Il y en a à qui ça convient, mais moi, je me suis sentie piégée. Je voulais pouvoir rentrer chez moi à la fin de la journée en laissant le travail derrière moi. Et je voulais que mon imaginaire m'appartienne – je ne voulais pas avoir à le justifier auprès d'autres personnes. » Elle se mordit la lèvre, étonnée de s'entendre lui confier ces choses-là. « Alors j'ai abandonné ma thèse.

– Elle portait sur quoi ?

– Sur la façon dont les peintres préraphaélites ont réagi à la poésie romantique. Henry – mon ex – pensait que les préraphaélites étaient absurdes. Il avait sans doute raison, mais moi, je ne peux pas m'empêcher de les aimer.

– Vous aviez des goûts communs en poésie, Henry et vous ?

– Oui. Il m'a fait découvrir Yeats. »

Elle ne précisa pas qu'Henry lui murmurait des poèmes entiers de Yeats au lit.

« Vous ne donnez pas l'impression d'être du genre à laisser tomber. »

Elle ne voulut pas l'ennuyer avec l'histoire du pontage de son père alors qu'elle était en deuxième année de thèse, et de la perte d'intérêt qu'elle avait ressentie pour ses recherches après avoir aidé sa mère à le soigner. Cela dit, elle savait que les gros problèmes de santé de son père n'avaient fait que hâter une prise de conscience inévitable : celle de son incapacité à vivre dans l'abstraction, la stérilité, l'exploration interminable des idées et des mots d'autres personnes dans un langage étranger. Les colloques et les revues universitaires lui donnaient tout bonnement la nausée. Elle préférait regarder les tableaux et lire les poèmes qu'échafauder des théories à leur propos. Et elle avait besoin d'utiliser ses mains, de créer.

« Ces préraphaélites ont peint de magnifiques robes, dit-elle, des tissus aussi. J'adore coudre. Alors au lieu d'écrire ma thèse je passais mon temps à recréer ces robes.

– En effet, ça devait être difficile de résister à la tentation, plaisanta-t-il. Vous auriez dû faire une thèse sur les textiles. Ça existe ?

– Sans doute. Je crois qu'on peut en faire une sur à peu près n'importe quoi aujourd'hui.

– Sur l'histoire des camions de pompiers ?

– Certainement, dit-elle. Mais c'est un mauvais exemple. En réalité, le sujet est tout à fait sérieux. »

Le train arriva à Bristol. Le sac à dos bleu foncé de Robert était posé par terre devant lui. Il était énorme et paraissait lourd, mais il le souleva d'une main comme s'il ne contenait que des plumes. Ils sortirent du train.

Un homme déguisé en poulet se tenait près des guichets. Se souvenant de la droguée sur le pont, Clarissa déposa un billet de cinq livres froissé et légèrement déchiré dans son écuelle. C'était tout ce qu'elle avait. Robert y ajouta cinq livres.

Mr Tourville était corpulent et avait le visage rougeaud. Quand il s'essuya le front, sa perruque, posée de travers, parut sur le point de glisser. Les yeux pâles de Doleman fixaient le dos de son sauveur potentiel, lequel faisait passer une coupure de presse.

On y voyait Carlotta Lockyer assise sur une pelouse parsemée de pissenlits dont le vert rappelait celui de ses yeux. Elle portait un jean délavé à pattes d'éléphant, des tennis et un chemisier violet vaporeux. Ses cheveux blonds détachés et coincés derrière ses oreilles frôlaient ses épaules. Elle regardait l'objectif, son joli menton ramené sur sa poitrine. Plissant les yeux à cause de la douce lumière printanière, les sourcils un peu froncés, elle paraissait à la fois triste et courageuse, comme assagie après avoir frôlé le danger ; tout le contraire de l'image que Clarissa se serait attendue à voir diffuser par Mr Tourville.

Elle lut le titre – *Elle échappe à un dangereux pervers sexuel.*

Elle chercha la date – la coupure datait de fin avril, il y avait presque trois ans.

Elle lut la légende sous la photo – *Carlotta Lockyer (photo ci-dessus) aurait pu être tuée par Randolph Mowbray.*

Puis elle lut l'article.

Carlotta Lockyer, jolie fêtarde de vingt-cinq ans, a bien failli connaître le même sort que Rachel Hervey, dix-neuf ans, assassinée en août par Randolph Mowbray, un pervers sexuel de vingt-six ans. C'est dans un night-club londonien que Carlotta avait rencontré Mowbray, un violeur et tueur sadique. Elle reconnaît être tombée sous le charme de l'homme, calculateur, vaniteux et sournois. « Quand je pense que j'ai tout de suite accepté d'aller chez lui, ça me gêne, ça me terrifie. Mais au dernier moment je n'ai pas pu y aller parce que j'étais malade. J'ai appris plus tard que le même week-end, il a tué cette fille. Ça aurait pu être moi. »

Mowbray, qui préparait une thèse sur la figure du tueur en série en littérature, était obsédé par Rachel depuis plusieurs mois quand il l'a violée, torturée et étranglée. Il a ensuite caché son corps sous le plancher de sa maison, où il n'a été découvert que dix jours plus tard. La disparition de l'étudiante en anglais a déclenché des recherches dans tout le pays ainsi qu'une reconstitution télévisée de ses dernières heures. Le procès, qui a duré cinq semaines, s'est avéré une épreuve d'autant plus difficile pour sa famille que Mowbray a soutenu que Rachel était allée vers lui pour s'adonner à des jeux sexuels consentis, lesquels avaient d'après lui mal tourné, causant sa mort accidentelle.

« Cette affaire, a dit le commissaire Ian Mathieson, est l'une des plus atroces et des plus tragiques que j'ai eu à traiter en trente-cinq ans de carrière. La vie d'une jolie jeune femme talentueuse a été cruellement détruite par un criminel particulièrement abominable. Les dernières heures de Rachel ont été une plongée dans la nuit, la terreur, la douleur. »

« Décidément, Miss Lockyer a de mauvaises fréquentations », chuchota Annie.

Clarissa hocha la tête, bien qu'elle ait à peine entendu ce qu'elle disait. Elle se souvint avoir lu quelque chose sur cette affaire à l'époque. Il avait été dit lors du procès de Mowbray que Rachel avait déposé plainte contre lui quelques semaines avant sa disparition, mais comme elle n'avait pas assez de preuves la police n'avait rien fait.

La nuit, la terreur, la douleur.

Elle eut envie de pleurer. Elle imagina le corps meurtri et ensanglanté de Rachel caché sous les lames du plancher, et ses parents désespérés priant pour la retrouver saine et sauve.

Mr Tourville fusilla Miss Lockyer du regard. « Vous avez vendu votre histoire et votre photo à un journal national.

– Ils ne m'ont pas payé un centime. Il s'en est fallu de ça – elle rapprocha son pouce et son index – pour que j'y passe.

– Vous avez utilisé le viol et le meurtre abominable de Rachel Hervey pour satisfaire votre soif d'attention.

– Jamais je n'ai voulu ce genre d'attention. J'ai détesté ce qu'ils ont écrit sur moi. Ce n'était pas vrai. Ils ont tout déformé.

– Vous dites qu'on vous a violée. Les autres hommes se trouvaient dans la pièce voisine quand la chose est censée s'être produite. Pourquoi n'avez-vous pas appelé à l'aide ? Pourquoi ne vous êtes-vous pas débattue ?
– Ils m'avaient clouée au sol. Doleman me menaçait avec un couteau. Quant aux autres, vous croyez sérieusement qu'ils allaient voler à mon secours ?
– Je vous en prie. Vous savez pertinemment qu'il n'y avait pas de couteau. Vous l'aviez voulu. Vous étiez allongée, jouissant. »

Il parlait d'une façon tellement crue et venimeuse que Clarissa n'en crut pas ses oreilles.

« Non. » La réponse était plus un sanglot qu'un mot.

Le torse bombé, bien planté sur ses deux pieds, Mr Tourville affronta le regard scandalisé de Miss Lockyer sans broncher, comme s'il venait de dire quelque chose de très courageux que personne n'avait osé dire.

Elle était assise dans la salle d'attente, la voix de Rafe sonnant sans arrêt dans sa tête. *Tu étais folle de passion pour moi, Clarissa. Tu ne maîtrisais plus rien, tes réactions, les choses que tu m'as supplié de te faire. Allongée, jouissant.*

« Clarissa ? » Elle sentit quelqu'un lui toucher légèrement l'épaule. Levant les yeux, elle vit que c'était Annie. « Il est l'heure de rentrer à la maison. » Les autres se levaient pour suivre l'huissier. Il n'était que quatorze heures trente, mais on les faisait sortir pour que le juge puisse s'entretenir avec les avocats.

Robert scruta son visage. « Vous avez mauvaise mine. Ça va ?
– Ça va. » Elle parvint à sourire. « Je suis juste fatiguée.
– Allez faire une bonne promenade cet après-midi, dit-il. Prenez l'air. On n'en a pas beaucoup l'occasion ces derniers temps.
– Oui, dit-elle. Je crois que c'est ce que je vais faire. »

Mardi 10 février, 16 h 30

À peine rentrée, je laisse tomber mes affaires par terre. J'enfile à toute vitesse deux paires de chaussettes de laine et mes bottes en caoutchouc. Je ressors directement, toujours emmitouflée dans mon manteau, avec mon bonnet et mes mitaines.

Instinctivement, je vérifie qu'il n'y a personne dans la rue. Nulle trace de toi nulle part, ce qui ne devrait pas me surprendre. En fait, je sais que tu es coincé à Londres par un colloque de troisième cycle – Gary m'a demandé de t'y inscrire, c'est au moins l'avantage de mon boulot.

J'ai besoin de me retrouver dans un endroit où je peux penser, un endroit que j'aime. J'ai besoin de croire que les assassins qui torturent les femmes et dissimulent leur corps sous le plancher n'existent que dans les journaux. Pas dans la vraie vie. J'ai besoin de croire qu'il est normal d'aller se promener en fin d'après-midi, même si le ciel commence déjà à s'assombrir. Si j'y crois dur comme fer, ça deviendra peut-être vrai.

Je marche jusqu'au parc aussi vite que le permet le trottoir gelé.

Le parc est de forme circulaire. Je le vois comme un immense cadran de montre. Les grilles métalliques noires qui en marquent l'entrée représentent six heures. Je les franchis et pars dans le sens des aiguilles d'une montre, direction neuf heures, en restant sur la route qui borde la circonférence du parc. Chaque fois que je viens, j'imagine les douze chiffres de l'horloge espacés le long de cette allée, et je mesure l'endroit où je me trouve par rapport à eux. La route encercle l'immense île d'herbe au milieu du parc. L'épaisse couche de neige qui recouvre l'herbe rend cet espace difficile à traverser.

J'ai atteint huit heures. À ma gauche se trouve le sentier qui longe la falaise. En contrebas, il y a une pente raide couverte par la forêt et ma vue préférée de Bath. L'abbaye ne va pas tarder à baigner dans une lumière bleue.

Ils ont sablé la route, ce qui me permet de marcher vite. Je savoure la circulation du sang dans mes veines, la caresse du vent sur mon visage. Cet endroit est paisible, irréel dans le crépuscule. Un enfant ferait de la montagne d'herbe enneigée un royaume enchanté. Seul parvient à mes oreilles le craquement de mes bottes sur les brindilles sèches. C'est comme si le parc était mon jardin privé ; le froid dissuade les gens de sortir de chez eux.

Je suis à douze heures, à mi-chemin, au point le plus éloigné de l'entrée du parc. Dans l'aire de jeux déserte, une balançoire grince, comme poussée par un fantôme.

C'est alors que tu apparais.

« Bonjour Clarissa. »

Je reste complètement figée.

« Je ne me sentais pas bien. J'ai dû renoncer au colloque. »

J'oublie de respirer pendant quelques secondes.

« J'ai dit que je ne me sentais pas bien, Clarissa. Ça ne te fait rien ? Tu n'es pas inquiète ? »

Je place les mains sur mes oreilles et serre fort pour m'aider à réfléchir.

« Tu me déçois. » Tu secoues la tête d'un air triste. « Je suis passé devant chez toi. Je t'ai vue te diriger vers le parc. »

Tu dois vraiment être doué pour me suivre, d'assez près pour ne pas me perdre de vue sans que je soupçonne ta présence. Je ne me doutais de rien. Je n'ai rien vu. Rien entendu.

« À un moment, j'ai cru t'avoir perdue. Tu avais disparu, mais je t'ai retrouvée. »

Tu me retrouves toujours. Toujours. T'est-il déjà arrivé de ne pas me retrouver ? Cette fois-ci, c'est de ma faute. Entièrement. Tout cela parce que j'ai cédé à ce besoin stupide de ne pas laisser ma peur de toi m'emprisonner.

Le droit à ne plus avoir peur la nuit. C'était tellement important pour Rowena et moi à la fac. Toutes ces marches auxquelles nous avons participé, en nous souvenant des femmes qui l'avaient fait dans les années 1970.

Nous avions tort. Elles avaient tort. Il ne fait pas encore nuit, mais ça ne va pas tarder. Je n'aurais pas dû venir ici. Je n'aurais pas dû essayer d'ignorer cette peur des endroits sombres. Je ne dois plus jamais ignorer cette peur.

J'examine la possibilité de quitter la route pour couper le disque d'herbe en ligne droite, façon la plus directe de gagner la sortie, mais c'est une idée ridicule. Les congères sont trop hautes – cela prendrait des heures – et il y a trop d'arbres et de buissons qui font de l'ombre. Je ne me laisserai pas détourner de mon chemin comme le Petit Chaperon rouge. Je ne comprends que trop bien les leçons enseignées dans les contes.

« Ma voiture est garée là-bas. » Du coin de l'œil je te vois faire un geste en direction de trois heures. « Je peux te ramener. »

La proposition est tellement absurde que je devrais en rire, sauf que je suis prise d'un vertige qui m'empêche de trouver la chose drôle.

« J'essaie d'être gentil après ce qui s'est passé hier, Clarissa. Et tous les autres jours. Tes insultes, tes affronts. Mais tu ne me rends pas la tâche facile. »

Laisse-moi tranquille. C'est tout ce que je te demande.

Tu ne m'as donc pas entendue te dire ça ?

« J'ai besoin de t'entendre me dire que tu me pardonnes pour ce que j'ai dit hier, Clarissa. Tu sais que ça m'a échappé, ce mot. J'étais en colère. Et tu m'avais provoqué. »

Jamais je ne te pardonnerai.

Et ça, tu l'as entendu ? Visiblement non. Raison pour laquelle les brochures ont raison. Te parler – ne serait-ce que très brièvement – n'est absolument pas la chose à faire.

Le regard fixé droit devant moi, j'avance le plus vite possible dans le sens contraire des aiguilles d'une montre. Est-ce que je vais me sortir de cette situation ? Non, je ne peux pas me permettre ce genre de réflexion ; j'essaie de me persuader que j'exagère. Je ne suis qu'à onze heures trente. Plus que cinq minutes jusqu'aux grilles noires à 6 heures. Je refais exactement le chemin inverse de celui que j'ai pris. Pas question que tu m'attires dans la direction de ta voiture.

« Tu as eu tes règles la semaine dernière, n'est-ce pas ? »

C'est plus fort que moi : je te regarde brièvement. Tu souris comme un détective tout content de ses sources secrètes. Je ne dis pas : *Comment le sais-tu ?* Non, j'essaie de comprendre.

« Je te connais, Clarissa. Mieux que quiconque. C'est pour ça que tu étais de mauvaise humeur, hein ? C'est pour ça que tu as voulu me faire croire que tu étais malade. C'est pour ça que tu as gâché notre soirée au restaurant. C'est pour ça que tu m'as posé un lapin l'autre soir. C'étaient tes hormones. Je ne fais qu'essayer de te pardonner pour ce que tu m'as fait subir. J'essaie de comprendre. »

Malgré le sable répandu sur la route, je manque de perdre l'équilibre. Tu t'approches de moi. Je fais un écart pour me mettre hors de ta portée.

« Je voulais juste t'aider. Tu aurais pu tomber, te faire mal. »

La faute à qui ?

« Tu n'as pas besoin de toutes ces brochures envoyées par les associations antiharcèlement, Clarissa. Tu sais bien qu'il ne s'agit pas de cela. »

Comment t'es-tu débrouillé pour savoir ça ? Là encore, je parviens à garder mes questions pour moi. Je vois bien qu'il serait inutile d'essayer de te convaincre. Tu viens de prononcer le mot qui désigne ce que tu es. Et pourtant, tu ne t'es même pas reconnu.

Les trois quarts des victimes de sexe féminin connaissent leur harceleur. Les brochures disent cela également. J'aimerais ne jamais t'avoir rencontré.

Je continue à marcher. Je n'ai pas beaucoup avancé. Je ne suis qu'à onze heures. Je regarde partout dans l'espoir de repérer des caméras de surveillance, mais il n'y en a visiblement pas une seule.

« Tu voulais que je te trouve ici, hein ? Tu voulais que je te suive. »

Je me demande s'il ne faudrait pas crier, mais il n'y a personne aux alentours et je ne suis pas sûre de ma voix.

« J'aime ton nouveau parfum, Clarissa. »

Vraiment ? Il s'est complètement évaporé depuis ce matin. Je m'en suis mis un tout petit peu. Derrière les oreilles. Sur la nuque. Exactement comme ma mère me l'avait appris. Ne jamais trop en mettre, disait-elle.

« White Gardenia. C'est celui-là que tu portes aujourd'hui, n'est-ce pas ? »

Depuis quand connais-tu les parfums au point de pouvoir les identifier ?

« Viens dans ma voiture. Il y fait chaud. On pourra discuter. »

Marcher plus vite. Plus vite. Plus vite.

« Je mettrai le chauffage. »

Plus vite, vite, vite. Ne pas glisser. Pas glisser.

« Tu vas dans le mauvais sens. »

Et là, tu attrapes ma main. Je sens ton geste avant de le voir, puisque je refuse de te regarder.

« J'ai tenté de te faire entendre raison, Clarissa, mais tu refuses de m'écouter. »

J'essaie de libérer ma main, mais tu la serres encore plus fort. Je remarque alors que tu portes de fins gants de cuir.

« Maintenant, c'est moi qui décide. »

Je ne sais pas pourquoi, mais en me rendant compte que jamais je ne t'ai vu avec des gants jusqu'à présent, mon estomac se retourne. Je jette des coups d'œil affolés autour de moi mais le parc est toujours désert. Je t'ordonne de me laisser partir, tu n'as pas le droit, laisse-moi partir tout de suite, mais malgré tout ce que je peux dire ou faire, tu ne me lâches pas.

« S'il te plaît, Clarissa, fais un bout de chemin avec moi. On pourra parler. Il faut qu'on parle. »

Tu as réussi à me tirer sur quelques mètres. Dans la direction que je ne veux surtout pas prendre.

« Comment vont tes parents ? »

Tu parles comme si tu les avais rencontrés, comme si nous nous baladions tranquillement en papotant comme deux bons amis, comme si tu n'étais pas en train de me traîner de force, comme si le fait de parler de choses anodines pouvait rendre tes agissements anodins. Si la situation n'était pas aussi atroce, elle en serait comique.

« Je ne savais pas qu'ils avaient vue sur la mer. »

Alors je comprends.

Tu es venu en douce dans ma rue tôt vendredi matin et tu as volé le sac-poubelle noir qui contient mes ordures, y compris mes serviettes hygiéniques sales.

Tu es vraiment un malade.

Tu as dû prendre aussi le contenu de ma poubelle de recyclage – l'enveloppe avec le logo de l'association antiharcèlement, l'emballage en papier kraft avec l'adresse de mes parents à Brighton, la facture du parfum.

Les actes les plus anodins de notre vie quotidienne. Retrouver une amie pour dîner n'est désormais plus possible pour moi. Sortir la poubelle cesse d'être un geste qui va de soi. Tu veux donc que je le sache ? Ou bien aurais-tu tellement perdu le contrôle de toi-même que tu ne vois pas que tu es en train de me montrer ta main, de me révéler tes techniques d'espionnage secrètes ?

Tu m'as traînée jusqu'à douze heures.

« Je veux simplement te ramener à la maison, Clarissa », dis-tu.

« Avec moi », dis-tu.

« Chez moi », dis-tu.

« Juste pour passer un peu de temps avec toi », dis-tu.

« C'est tout ce que je veux », dis-tu. « Rien de plus. »

« Je te préparerai le dîner », dis-tu.

« Je sais que tu ne dors pas bien en ce moment. Tu dormiras comme un bébé si tu passes toute la nuit avec moi », dis-tu, et je devine que tu as dû trouver le flacon de somnifères vide dans ma poubelle.

« Le soleil est presque couché. Tu prends des risques, à te trouver seule dans le parc le soir », dis-tu, et bien malgré moi je m'étonne de ne pas percevoir la moindre touche d'ironie dans ta voix.

Tu me traînes derrière toi de plus en plus vite, tes deux mains agrippant ma main et mon poignet. Nous sommes à une heure.

Pourquoi n'avez-vous pas appelé à l'aide ? Pourquoi ne vous êtes-vous pas débattue ?

Mon cœur cogne si fort contre ma poitrine que je ne sais pas comment il fait pour continuer à battre ; mon nez coule et la peau de mon crâne me picote, comme si des mini-décharges électriques venues du ciel me tombaient dessus. Je ne me laisserai pas embarquer dans ta voiture. Je dois empêcher cela à tout prix.

Je me débats à nouveau pour me libérer.

« Tu l'as voulu. » Tu tires sur mon bras, tellement fort que je crie.

Tu l'as voulu.

Tu me ramènes brutalement contre toi. Le choc me coupe le souffle. Tu me coinces le bras derrière le dos, tu plaques ta jambe derrière moi, pour m'empêcher de bouger. De loin, je suis sûre qu'on nous prendrait pour des amants.

« J'aime te tenir dans mes bras comme ça, Clarissa. »

Je suis complètement seule ici. Jamais les conseils des brochures n'ont été aussi inutiles.

« Tout ça est de ta faute, Clarissa. »

Ton souffle est sur mon visage. Cette fois-ci, il ne sent pas le dentifrice. C'est le souffle aigre, chargé de bactéries, qu'on a juste avant un mal de gorge. J'ai un haut-le-cœur. J'essaie de tourner la tête mais ton autre main me serre la nuque.

« Tu ne me laisses pas le choix, Clarissa. »

Mon bonnet est tombé. Tes lèvres sont tout contre mon oreille. Tu me mords le lobe.

Si je me laissais tomber, peut-être qu'alors tu ne pourrais plus me retenir. Ce n'est pas facile, de tirer un poids mort. C'est ce que Robert m'a dit ce matin lors d'une pause. Mais je me rends compte que même si Robert a raison, je ne veux pas me retrouver par terre. Dieu sait ce que tu pourrais faire si j'étais par terre. Il est crucial que je reste sur mes pieds.

« Tu t'attends à quoi en passant ton temps à te sauver et à m'éviter ? » Tu t'interromps quelques secondes avant de redire mon nom. Cette fois-ci, tu le prononces comme un grognement.

N'importe qui peut se montrer violent, Clarissa. Je vous promets que vous aussi vous pourriez, si vous y étiez obligée.

Je sais que Robert a raison, et que je ferais preuve de la plus grande violence avec toi si je le pouvais. Mais aujourd'hui, ce n'est pas un affrontement physique qui va me permettre de m'en sortir. Je ne peux pas te battre sur ce terrain-là. Je ne peux pas te blesser. Je ne peux pas courir plus vite que toi. De toute façon, pour l'instant, tu fais tout pour je ne puisse carrément pas bouger.

Il ne me reste que la parole. La ruse. Et la chance. Je pense que je peux jouer sur les deux premières. Quant à la troisième, elle ne dépend pas de moi.

Je dis : « Je te suis. »

Tes lèvres sont posées sur mon front. Elles sont humides.

Je dis : « Je te suivrai jusqu'à ta voiture, mais s'il te plaît, lâche-moi. »

Tes lèvres sont sur les miennes. « C'est sûr ?

– Oui, dis-je. Mais tu me fais mal.

– Pourtant, tu aimes ça. Je connais tes secrets les plus noirs, Clarissa. Je connais tes talents cachés.

– Je n'aime pas qu'on me fasse mal. Vraiment pas. S'il te plaît, arrête. »

Tu passes ta langue sur mes lèvres.

« Tu me serres le cou. Ça m'empêche de respirer. De parler.

– Tant mieux. » Pourtant, tu desserres ton étreinte. « Parler ? Je n'en ai plus envie, Clarissa. »

Ta langue est dans ma bouche. Je respire par saccades irrégulières, bruyantes et rapprochées. Trop bruyantes, trop rapprochées.

Tes hanches sont plaquées contre les miennes et tu m'écrases encore plus. J'ai envie de plier les genoux, mais tu me serres avec tant de force que je ne peux pas tomber. « Tu vois l'effet que tu me fais ? » Ta main est posée sur ma poitrine. « On va te débarrasser de toutes ces couches. » Tu dis cela comme si nous étions des amants plaisantant ensemble. « Elles me gênent.

– Tu ne veux tout de même pas faire ça ici. »

Ma voix est tremblante. Tu t'imagines sans doute que c'est l'effet de la passion – pas de la peur, ni du dégoût.

Ta main saisit mes cheveux, tire si fort ma tête en arrière pour me forcer à te regarder que mes yeux s'emplissent de larmes. « Est-ce que je peux te faire confiance ?

– Oui. » Tu as l'air sceptique, mais je crois que tu es disposé à te laisser convaincre. « On n'est pas près d'arriver chez toi si on reste comme ça. »

J'essaie de prendre un ton taquin. Je crois que c'est raté mais peu importe, car j'ai dit ce que tu voulais entendre.

« J'ai des projets pour nous ce soir. » Tu tires encore plus sur mes cheveux. « Des trucs que je sais que tu aimes. »

Tu gardes mon bras coincé derrière mon dos. Tu glisses ta main gantée sous mon manteau, sous ma robe, et tu la presses entre mes jambes. « C'est ça que tu veux. » Je chancelle, mais ne tente pas d'arrêter ton geste. Tu presses encore plus fort. « N'est-ce pas ?

– Oui.

– Bien. Redis-le-moi.

– Oui. C'est ça que je veux. »

Et, bien que mes mots soient un sanglot, tu finis par retirer ta main et relâcher mes bras. Je me force à les laisser pendre calmement, même si je meurs d'envie de les frotter pour les débarrasser du souvenir de ton contact et de te repousser le plus violemment possible.

« Bien. » Bien est visiblement l'un de tes mots préférés. Tu poses la main au creux de mes reins. « Tu n'avais pas toute ta tête ces derniers temps, Clarissa. Tu t'en rends compte ?

– Oui.
– Prends-moi la main. »
Je prends ta main.
« Laisse-moi penser pour nous deux.
– Oui. »
Je recule, si bien que nos corps ne se touchent plus.
« Tu dois faire ce que je te dis de faire. » Tu me traînes sur quelques mètres.
« Oui. » Et je constate que oui est lui aussi un mot magique pour toi.
Tu me forces à te suivre de plus en plus vite. « C'est mieux comme ça.
– Oui. »
Pile au moment où le mot sort de ma bouche, un homme accompagné de son gros chien noir entre dans le parc à onze heures, là où débouche le chemin menant aux jardins ouvriers.
J'attends cela depuis que tu m'as trouvée. Pas un instant je n'ai cessé de guetter. Il m'a toujours semblé logique que quelqu'un finirait par arriver ; je n'ai pas cessé de me le dire ; je ne pouvais pas renoncer à y croire.
Tu suis mon regard et chancelles en les voyant. Mes bottes sont en caoutchouc, certes, mais je me mets en équilibre sur un pied et frappe le plus fort possible en visant ton tibia.
Tu hurles, autant parce que tu as mal que parce que tu te considères trahi. « Salope. » Ce même mot, de nouveau. Ce que tu penses sincèrement. « Tu m'as menti. » Tu as l'air vraiment stupéfait.
Je me mets à crier, à hurler mais « À l'aide » devient dans ma bouche un croassement ridicule, comme dans ces cauchemars où la voix nous fait défaut.
« Tu faisais semblant de me désirer.
– Oui. »
Et malgré moi je savoure ce oui, même si tu parviens à me traîner encore sur quelques mètres et que je crie pour que tu me libères et que je hurle que tu me fais mal.

J'essaie de planter les talons de mes bottes en plastique dans le goudron pour nous ralentir.

« Je ne te ferai plus jamais confiance. »

Je ne sais pas si les bruits que je fais sont suffisamment fort, ou si l'homme voit que nous sommes en train de nous battre, ou bien s'il devine qu'il se passe quelque chose de louche, mais lui et son chien hâtent le pas à mesure qu'ils approchent et tu me relâches si soudainement que j'ai l'impression de faire un vol plané de quelques mètres avant de m'écraser sur la route.

« Cette fois-ci, tu es allée trop loin. »

Je me relève péniblement.

« Ça, c'était ta dernière chance. »

L'homme et son chien se sont rapprochés.

« Je vais te punir. »

Je crie à nouveau en direction de l'homme, et cette fois, ma voix fonctionne parfaitement : elle transperce l'air glacial et clair avec une précision glaciale et claire. « S'il vous plaît, par ici ! Venez m'aider. »

Tu t'éloignes, te diriges vers ta voiture à trois heures, vers l'école en lisière du parc.

Lorsque l'homme et son chien arrivent, tu te retournes et fais quelques pas vers nous. Le chien commence à t'aboyer dessus. Tu te figes. Tu es obligé de crier pour couvrir les aboiements et faire porter ta voix jusqu'à nous.

Tu dis à l'homme : « C'est ma petite amie. Il s'agit simplement d'une querelle domestique. Elle fait n'importe quoi, elle refuse de venir dîner avec moi comme prévu. Vous ne devriez pas vous mêler de ça. Ça arrive à tout le monde d'avoir des problèmes de couple. »

Tu me dis : « À bientôt, Clarissa. Quand tu te seras calmée. »

Tu dis à l'homme : « Faites taire votre sale clébard. »

À mesure que tu t'éloignes, les aboiements s'espacent. Quand le chien semble certain que tu ne reviendras pas, il se calme.

« Ce n'est pas mon petit ami », dis-je à l'homme en frottant ma bouche sur la manche de mon manteau. Puis, n'hésitant pas à demander un service à un parfait étranger, je dis : « Vous pouvez m'accompagner jusque chez moi ? C'est à dix minutes, pas plus. J'ai peur qu'il m'attende là-bas. »

L'homme ramasse ma mitaine, qui est tombée. Je ne l'avais pas remarqué. Je la passe sur mon front et sur mes lèvres et mon oreille et mon cou, puis la fourre dans ma poche. L'homme récupère aussi mon bonnet, et je frotte à nouveau toutes les parties de ma peau que tu as touchées. Je pleure, mais me force à retenir mes sanglots.

Le chien me lèche la main, comme s'il voulait me consoler. Je me rends compte que ma paume est couverte de sable. L'homme dit : « Il s'appelle Bruce. Il vous aime bien », puis il fouille dans sa poche et en sort un mouchoir qu'il me tend sans un mot et je sèche les larmes qui gèlent sur mes joues et la morve qui commence à craqueler mes lèvres et ma peau.

L'homme et Bruce me raccompagnent. L'homme est grand. Plus grand que toi. Il est mince. Plus mince que toi. Malgré ses couches de vêtements chauds je le vois bien. Il est gentil. Mille fois plus gentil que toi. Et normal, je crois. Un million de fois plus gentil que toi. C'est un fana d'informatique intelligent et un peu ringard. Un milliard de fois plus intéressant que toi. Il s'appelle Ted, un nom que j'aime infiniment plus que le tien.

Je me calme peu à peu. Nous ne parlons pas de ce qui s'est passé dans le parc, comme s'il valait mieux oublier ce genre de scène terrible et gênante maintenant que nous avons retrouvé la civilisation. C'est à peine si nous parlons, en dehors des quelques mots polis que des inconnus peuvent échanger. Nos souffles dessinent des nuages de vapeur gelée. Celui de Bruce aussi.

Puis l'homme me dit que le moment est peut-être venu pour moi de changer de petit copain, et quand je lui répète que tu n'es pas mon petit copain, j'ai du mal à retenir mes larmes.

Cet homme t'a vu. Il a vu la fin de ce que tu m'as fait subir. Et pourtant, même lui, il doute. Il a beau être gentil, il se dit quand même que c'était peut-être juste une querelle domestique. Même lui se dit que ta version est peut-être la bonne.

Quand nous arrivons devant chez moi, je frotte le sommet de la tête noire et soyeuse de Bruce pour lui dire au revoir. « Merci, Bruce. Tu es un bon chien très gentil. » L'homme sourit. Je chatouille la peau douce et plissée sous le museau de Bruce.

L'homme reste un instant au bout de mon allée et me regarde marcher jusqu'à la porte et l'ouvrir. Puis il s'empresse de rejoindre sa femme et son bébé. Quant à moi, je me précipite dans la salle de bains, et sous une douche brûlante, je me frotte énergiquement pour faire disparaître toute trace de toi.

Après, j'aimerais avaler quelques somnifères et me glisser sous la couette. Mais je n'en fais rien. Comme d'habitude, je me force à prendre le petit carnet noir. Je me force à noter dans les moindres détails ce que tu m'as fait ce soir, même si c'est une épreuve pour moi. Je n'ai aucune preuve concrète de ce qui s'est passé. Mais j'écris tout comme si c'était une histoire. Peut-être les brochures ne sont-elles pas complètement inutiles, après tout. Elles m'ont appris qu'un jour arrivera où ce récit sera capital. Et je sais déjà que chaque récit a un nom qui lui est propre. J'aimerais que celui-ci en ait un autre, mais impossible de le changer : *Je sais où tu es*.

Mercredi

Clarissa s'attarda dans le vestiaire des jurés. L'odeur de son shampoing était particulièrement forte ; elle s'était lavé les cheveux trois fois. Elle étudia son visage dans le miroir, surprise qu'il soit si pâle alors qu'elle se l'était frotté sans ménagement la veille au soir. Elle n'aurait été qu'à moitié étonnée de découvrir ses empreintes à lui sur sa gorge, mais il n'y avait rien ; elle avait même vérifié sa nuque à l'aide d'un miroir. L'idée lui traversa l'esprit qu'il avait peut-être modéré exprès la pression qu'il exerçait.

Son téléphone portable bipa, indiquant qu'elle avait reçu un mail. Elle sursauta en se rendant compte qu'elle avait oublié de l'éteindre. Le mail était d'Hannah. Elles suivaient le même cours de Pilates depuis un an. Hannah se demandait où était passée Clarissa ces derniers temps, lui proposait d'aller prendre un verre après le cours de jeudi.

Je veux que tes amies soient mes amies.

Rafe avait pris Rowena pour cible. Peut-être allait-il s'en prendre à Hannah. Peut-être l'avait-il déjà contactée ; et alors il attendrait dans le pub avec elle quand Clarissa arriverait.

Elle répondit qu'elle ne pourrait plus aller au cours, et qu'elle était occupée le lendemain. Puis elle éteignit son portable, consciente qu'il l'avait isolée encore plus. Il avait atteint son but. Tout comme le disaient les brochures.

Elle se lavait de nouveau les mains lorsque Wendy entra. Wendy avait vingt-trois ans. Elle avait montré à Clarissa des photos de son petit ami. Elle le retrouvait tous les jours pour déjeuner et portait fièrement ses chemises chez le teinturier, toute contente de jouer au petit couple. Clarissa s'était silencieusement reproché la pointe de jalousie qui lui avait transpercé le cœur.

« Regarde. » Wendy tenait le milieu de sa jupe. Ses cheveux blond platine raides comme des baguettes tombaient sur son joli visage rose. Le tissu en polyester bleu marine était fendu jusqu'en haut des cuisses. « C'est l'une des jupes que je mets au bureau. Je dois y aller ce soir après l'audience. »

Clarissa savait que Wendy travaillait comme secrétaire pour une entreprise de logiciels.

« Mon petit doigt me dit que cette fente n'est pas d'origine, dit Clarissa, heureuse de constater qu'une catastrophe pouvait être de nature relativement anodine et facilement réparable.

– Je me suis fait ça en descendant du bus. » Wendy esquissa un sourire. « Les accusés vont adorer. À mon avis, ils manquent de distractions en ce moment. »

Clarissa s'éloigna de l'unique sèche-mains qui fonctionnait, résistant à l'envie de placer son corps gelé tout entier sous le souffle d'air chaud. Elle fouilla dans son sac, en sortit son nécessaire à couture, que sa mère avait fabriqué avec des chutes de tissu imprimé de coquelicots et de marguerites. Wendy en scruta le contenu comme s'il s'agissait d'instruments chirurgicaux. « Je peux te la réparer », dit Clarissa. La proposition était tout aussi intéressée que généreuse ; les travaux d'aiguille la calmaient toujours, et elle aimait bien Wendy.

Cinq minutes plus tard, elles étaient installées dans un coin tranquille, Wendy sur une chaise tandis que

Clarissa, agenouillée sur la moquette bleue devant elle, recousait la jupe en partant du haut de la fente jusqu'à l'ourlet.

Elle devait ignorer la raideur de ses doigts et les douleurs dans ses bras causées par la façon dont il l'avait violentée. La peau de son poignet était marbrée, rouge et sensible, comme s'il lui avait fait une brûlure indienne avec ses gants en cuir. Ce matin, elle avait choisi exprès un haut avec des manches longues et serrées pour dissimuler les marques, après s'être forcée à les prendre en photo. L'idée lui avait semblé vaine, mais elle avait fini par se dire que même si l'image en elle-même ne prouvait rien, elle pouvait s'avérer utile plus tard, associée à d'autres éléments.

En entrant, Robert leva un sourcil quelque peu interrogateur.

« Ce n'est pas ce que vous pensez », dit Wendy en riant.

Il s'assit et se plongea dans son livre, les yeux rivés aux pages.

Clarissa s'efforça de se concentrer sur la jupe plutôt que sur Robert. Elle tendit le bras pour prendre ses ciseaux.

« Vous avez d'autres secrets ? demanda Robert. En dehors de vos talents cachés de couturière ? »

Elle ne put s'empêcher de se repasser la voix de Rafe. *Je connais tes talents cachés.*

« Je n'ai que celui-là. » Elle coupa le fil. « Mais je prépare un défilé pour la Fashion Week de Londres. Sous un nom top secret. » Elle lissa la jupe de Wendy et se leva. « Et voilà ! Une petite réparation express. »

Pourquoi Rafe portait-il ces gants ? Elle ne pouvait s'empêcher d'imaginer les raisons les plus effroyables.

« Je veux connaître la marque, dit Wendy. Je mettrai ma jupe aux enchères en disant que c'est une pièce originale de Clarissa. »

Elle ne pouvait s'empêcher de se demander à quoi elle avait échappé.

« J'emporterai mes secrets dans ma tombe », dit-elle.

L'huissier apparut pour voir si elles étaient prêtes, et Wendy se précipita pour aller lui parler.

Elle ne pouvait s'empêcher de se dire qu'il ne l'avait touchée qu'en surface. D'essayer de se convaincre qu'elle avait nettoyé toute trace de lui.

Elle se doutait que Robert avait traîné exprès pour pouvoir monter avec elle jusqu'à la salle d'audience. « Comment puis-je procéder pour découvrir vos secrets ? » dit-il avec un sourire discret.

Malgré elle, il empoisonnait tout ; et ça, elle devait l'empêcher.

« Je vous les livrerais certainement, à vous, dit-elle d'un ton léger. Mais n'allez pas dire que je ne vous ai pas prévenu. Certains de mes secrets ne sont pas très jolis.

– Qui vous dit que je n'ai pas moi aussi quelques cadavres dans mon placard ? » dit-il.

Avec son visage couvert d'acné, l'avocat de Sparkle lui faisait penser à un petit tyran de cours de récréation. « Le jour même de l'examen médical ordonné par la police, vous êtes allée rejoindre Mr Sparkle. Pourquoi quitter un endroit où vous étiez en sécurité, le commissariat, pour retrouver le kidnappeur prétendument violent et terrifiant auquel vous veniez d'échapper ? »

« Vieux con condescendant », dit Annie d'une voix basse, mais parfaitement audible.

Pourquoi êtes-vous allée retrouver Mr Solmes dans le parc ?

Voilà la question qu'on poserait à Clarissa si elle allait déposer plainte à la police.

Vous ne seriez jamais allée seule dans ce parc si vous ne comptiez pas l'y retrouver. Il est venu vous voir au tribunal la veille et vous avez passé quelque temps avec lui. Vous avez dîné avec lui et votre meilleure amie la semaine précédente. Il est clair que vous vous connaissez très bien.

Voilà ce qu'ils diraient.

Vous n'avez jamais couru le moindre danger et vous le savez. On vous a même vus main dans la main. Vous savez pertinemment que Mr Solmes ne vous a jamais menacée. Vous participiez de votre plein gré à cette conversation. Vous avez à plusieurs reprises répondu oui aux requêtes de Mr Solmes, puis vous avez changé d'avis sans prendre la peine de le mettre au courant. À présent, vous voulez vous venger. Vous avez rejeté toutes les propositions raisonnables faites par Mr Solmes pour parvenir à un accord amiable.

Elle avait déjà passé suffisamment de temps dans la salle d'audience n° 12 pour savoir comment les choses fonctionnaient.

Mr Solmes nous dit que vous avez récemment commencé à prendre des somnifères. Il est clair que votre état mental n'est pas stable.

Ils diraient ça aussi, sans se préoccuper de la façon dont Mr Solmes s'était procuré l'information, ni de la raison pour laquelle elle devait prendre des somnifères.

Vous ne teniez pas bien sur vos pieds. Quand vous avez glissé, Mr Solmes est intervenu pour vous empêcher de tomber et de vous blesser. Pour cette raison – et à cause de la marque à peine discernable sur votre poignet qui résulte de son geste pour vous rattraper – vous l'avez remercié avec de fausses accusations de violence et de tentative de kidnapping. Le moins coûteux de tous les vices, c'est l'ingratitude.

Voilà comment ils résumeraient l'affaire.

Miss Lockyer secoua la tête d'un air las. « La police voulait que j'y aille. Ils m'ont dit d'agir de façon normale, de faire en sorte que Sparkle ne me soupçonne pas de les aider. En plus, j'avais besoin de drogue. »

Sparkle prit l'air de celui qui essaie de retenir un fou rire en pleine messe.

« Il est vrai que la police vous mangeait dans la main.

– Ils ont été gentils avec moi, en effet. » Elle déglutit bruyamment. « Allez-y. En cherchant bien vous pourrez salir ça aussi. Vous êtes bons pour ce genre de chose, vous autres. Ce n'est pas dur pour vous, avec moi, hein ? »

Ce n'est jamais dur pour eux, avec personne, songea Clarissa.

Mercredi 11 février, 12 h 50

Annie et moi nous promenons dans les allées du marché pendant la pause-déjeuner. Je bois mon café à petites gorgées. Annie mange un sandwich au hoummous et des chips, le tout provenant de chez le traiteur. J'ai acheté une bouteille de jus de raisin biologique. Annie, un pot de crème fraîche, un gâteau aux pommes et une énorme truite.

« Prends un steak, dit Annie. Tu m'as tout l'air d'avoir besoin de fer.

– Ça va sentir drôlement bon dans le vestiaire, Annie. Mais ne t'en fais pas, je ne te dénoncerai pas.

– Le poisson gras, c'est bon pour les enfants. »

Je plisse le nez instinctivement. « Si tu arrives à leur en faire manger. Ces yeux globuleux, ça risque de leur faire peur. J'espère que tu vas la décapiter avant. »

Au lieu de me donner le coup de coude que j'attends, Annie se penche vers moi. Elle parle à voix basse : « Il y a un homme qui n'arrête pas de te regarder. Celui qui est près de l'étal du boucher. »

Avant même de me retourner pour vérifier, je sais que c'est toi. Mes yeux se posent sur toi quelques secondes, pas plus. Je les détourne comme si j'avais peur de rencontrer les tiens et d'être transformée en pierre. Je remarque quand même ton sweat UCLA bleu marine, ton jean, tes tennis sombres. Je remarque aussi que tu ne portes pas les gants noirs.

« Tu le connais ? Tu veux que je te laisse avec lui ?

– Non. Dieu du ciel, surtout pas. Je t'en prie, reste. Je ne veux pas lui parler. »

Je m'agrippe au bras d'Annie sans m'en rendre compte. Elle détache mes doigts, après avoir laissé sa main posée dessus quelques secondes, dans un geste doux.

« Il a l'air méchant, Clarissa. Furieux. Il te fusille du regard. On dirait qu'il... Je ne sais pas... Qu'il essaie exprès de t'intimider. Un peu comme l'accusé qui a giflé Miss Lockyer avant de la frapper et de brûler sa boucle d'oreille. Il s'appelle comment déjà ?

– Godfrey, dis-je.

– Oui, c'est lui. Sauf que ton copain, là, a un air menaçant beaucoup plus convaincant.

– Ce n'est pas mon copain, Annie. S'il te plaît, ne dis plus jamais ça. »

Je jette un coup d'œil à ma montre, un simple rituel, comme si les gestes ordinaires avaient du pouvoir. Mais je ne retiens pas l'heure qu'elle m'indique.

« On ferait mieux de rentrer.

– Il nous suit. C'est qui, ce type ?

– Quelqu'un que je connaissais. Ne le regarde pas. Ignore-le. »

Le fait d'en parler à d'autres personnes étaye votre témoignage et permet de faire des recoupements, ce qui augmente les chances de poursuites judiciaires.

Ma voix est très calme. « Peut-être – à un moment ou un autre – je te demanderai de déclarer que tu l'as vu ici. Ça ne te posera pas de problème ?

– Pas du tout. » Malgré mes conseils, Annie ne cesse de regarder derrière elle. « Et si jamais tu veux en parler...

– Merci. »

Mais je ne veux pas qu'Annie soit mêlée à cette histoire. Elle a déjà suffisamment de problèmes comme ça. Les disputes avec son mari dont elle est séparée au sujet de la garde de leur petite fille, qui n'a que six ans. Les efforts qu'elle doit faire sur elle-même pour ne pas céder à une jalousie obsessionnelle envers la jeune femme pour laquelle il l'a quittée.

Chaque fois qu'Annie se confie à moi, je pense à la femme d'Henry et j'ai la nausée. En partie parce que j'ai des remords. Et en partie parce que je redoute qu'elle me considère comme une ennemie et mette brutalement un terme à notre amitié naissante si elle apprend mon histoire.

Elle ne ressemble pas du tout à la femme d'Henry, mais elle a le même talent pour regarder les gens de travers. C'est comme ça qu'elle te regarde en ce moment, et ça me fait plaisir. Avec ce regard, Annie m'aide plus qu'elle ne l'imagine.

Je pense à Rowena, et à la façon dont tu l'as piégée et mise dans ta poche. Mais Rowena partait avec un handicap. Tu l'as infiltrée. Tu portais un masque. Tu t'es glissé sous sa peau et tu l'as manipulée avant qu'elle puisse se rendre compte de ta vraie nature. Lorsque Annie te découvre, c'est sous ta forme monstrueuse, tel que tu es réellement. À mon grand soulagement, elle te déteste franchement.

Furieux, nerveux, Godfrey lui faisait penser au Nain Tracassin. Son avocat, Mr Harker, parlait avec un léger accent irlandais. Son visage mince respirait la bonté, voire la compassion.

« Je ne conteste votre témoignage d'aucune façon, Miss Lockyer », dit-il.

Miss Lockyer sursauta, inclina légèrement la tête et parut sur le point de pleurer. On n'allait donc pas de nouveau l'attaquer ? Cet homme était-il vraiment en train de dire qu'il la croyait ?

« Pitoyable. » À peine Mr Harker assis, Annie commença ses messes basses. « C'était ça, la défense de Godfrey ? Ce discours ennuyeux à mourir sur le manque de fiabilité des souvenirs ? »

Clarissa ne put répondre que par un demi-sourire. Elle n'avait pas saisi un mot du discours. Elle était trop occupée à se rejouer la rencontre de la veille avec Rafe. C'était sa manière d'exhiber son sweat

UCLA qui la travaillait. Malgré le froid mordant, il n'avait pas pris de manteau. Parce qu'il voulait qu'elle remarque le sweat, elle en était certaine. Ça devait être une sorte de trophée, porteur d'un sens particulier pour lui.

Elle ne se rappelait pas l'avoir entendu dire qu'il avait étudié ou enseigné à l'université de Californie, ni même qu'il était allé à Los Angeles. Cela dit, ça pouvait être le cas. Elle savait si peu de choses sur lui en fait : elle s'en félicitait et détestait être obligée d'en apprendre davantage à son sujet. Le sweat contenait un message – elle en était sûre –, mais un message qu'elle ne parvenait pas encore à déchiffrer. En attendant, il savourait le pouvoir que lui conférait ce secret.

Elle entendit le téléphone sonner pendant qu'elle cherchait ses clefs. Elle suivit la sonnerie jusqu'à son atelier de couture, vérifiant dans les coins et derrière la porte avant d'entrer. L'appareil était là, sur sa table, la batterie presque vide. Elle répondit. C'était sa mère.

Elle alla dans la cuisine, remplit la bouilloire et la posa sur la cuisinière, la tête penchée sur l'épaule pour caler le téléphone.

« Tu as l'air distraite, Clarissa. »

Elle passa dans le salon, ramassa les piles de magazines de couture et d'art qu'elle avait laissés sur le parquet poncé et restauré par son père. Elle les posa sur les étagères qu'il avait construites, à côté des recueils complets des contes de fées des frères Grimm, de Perrault et d'Andersen qu'il lui avait lus quand elle était petite. Elle les avait relus plusieurs fois depuis, avec une fascination renouvelée, découvrant qu'ils n'étaient pas du tout faits pour les enfants.

« Tu veux bien rester tranquille une minute et m'écouter ? »

Sa mère avait recouvert le canapé pour elle. Des roses pourpres grosses comme le poing de Clarissa faisaient ployer des tiges rouge bordeaux sur fond rouge sang séché. Clarissa s'affala dessus.

« Tu prends bien soin de toi ? »

Derrière cette question, il y avait celle de sa rupture avec Henry.

« Mais oui, maman. Tu m'as appris ce qu'il fallait faire.

– Je m'inquiétais parce que tu ne répondais pas. »

La naissance de Clarissa quand sa mère avait quarante-trois ans avait été pour ses parents, après seize années d'attente, un véritable conte de fées. Son père disait souvent en plaisantant qu'il avait fait brûler tous les rouets du royaume pour la préserver des dangers. Elle répondait que la technique avait marché à merveille.

« Je vais bien, je te le promets. » Elle ouvrit la fermeture Éclair d'une botte, la retira, puis fit de même avec l'autre, tandis que sa mère passait le combiné à son père.

Clarissa se redressa. Retourna dans la cuisine, éteignit le feu sous la bouilloire qui sifflait, bercée comme d'habitude par la voix de son père. « Tu penses que c'est ridicule, demanda-t-elle, incapable de résister au besoin de se confier à lui, de prendre un taxi pour rentrer chez moi depuis la gare ? » À mesure qu'elle parlait, elle eut l'impression que les murs se refermaient sur elle et que le monde se rétrécissait, mais elle savait qu'elle n'avait pas le choix ; maintenant, elle devait faire face.

« Non. Mais pourquoi ce changement, Clary ? Toi qui adores marcher. »

Elle s'en voulut d'en avoir dit autant, de l'avoir inquiété. « Ça fait des journées longues, quand on est juré.

– Alors c'est une bonne idée », dit son père.

Dans la chambre, elle vérifia que personne n'était caché dans l'armoire, puis s'allongea sur le lit, retira ses bas et les laissa tomber sur le tapis couleur vieil or qu'elle avait fabriqué avec du tissu vintage imprimé d'immenses lys. Elle replia les genoux sur sa poitrine et remua ses orteils gelés.

Cela faisait cinquante-cinq ans que la mère de Clarissa se mêlait des conversations de son père. Sa voix monta, bien trop claire. « Dis à ta fille que manger une mangue, ça ne fait pas un déjeuner. Et une tasse de thé noir, ça ne fait pas un dîner. » Alors le téléphone émit trois bips et s'éteignit, comme s'il savait que sa mère avait fini et que Clarissa n'avait pas droit de réponse.

Jeudi

Jeudi 22 janvier, 14 h 30
(Il y a trois semaines)

Il me reste un peu plus d'une semaine avant de quitter le boulot pour occuper mes fonctions de juré. Comme je dois aller porter des documents à la nouvelle directrice du département d'anglais, je suis obligée de passer devant la porte bleue de ton bureau. Elle est ouverte, malgré le panneau indiquant que c'est une porte coupe-feu qui doit rester fermée. La pièce est vide. Mais je repère quelque chose qui me fait piler net, le souffle coupé, terrorisée à l'idée que tu puisses apparaître dans le couloir d'une seconde à l'autre. Pourtant, je ne peux m'empêcher d'aller voir.

Il n'y a que moi qui puisse savoir que la collection d'objets placés en haut de ton classeur est un autel miniature. As-tu l'intention de les utiliser tous pour quelque étrange rituel vaudou ? Une enveloppe avec ton nom rédigé dessus dans mon écriture, qui contenait sans doute un banal dossier d'inscription en troisième cycle. Un mug jaune décoré de marguerites orange et vertes que j'utilisais tous les jours avant qu'il ne disparaisse il y a un mois ; tu ne l'as pas lavé. Un pot de yaourt à la fraise, de ceux que j'apporte au boulot, strié des vestiges maintenant marron de ce que je n'ai pas réussi à racler. Je n'ose imaginer comment tu te l'es procuré. Un tube vide de cette crème pour les mains que j'ai toujours sur mon bureau. Des prospectus et des magazines sur la photographie amateur. Des documents que j'ai jetés après une réunion, recouverts de mes habituelles tulipes gribouillées.

Cent dix. Ils disent qu'il faut une moyenne de cent dix incidents en lien avec le harceleur pour qu'une femme se rende à la police. Je me dis que je suis bien loin du chiffre, tout en me demandant comment ils comptent.

Faut-il considérer chaque objet posé sur ton classeur comme un incident ? En fait, ces babioles ne rentrent sans doute pas dans le calcul. J'aurais l'air d'une imbécile si j'y faisais référence, et tu te débrouillerais pour expliquer leur présence, me faisant passer pour une parano stupide. Je peux quasiment t'entendre rire d'un air de conspirateur en réaction à l'absurdité d'une telle accusation.

Comptez-vous faire passer devant le comité anti-harcèlement de la fac chaque homme qui oublie de laver une tasse de café ?

Suis-je le seul à prendre par inadvertance la tasse de quelqu'un d'autre ? Coupable, Votre Honneur. Mais si elle voulait la récupérer, elle n'avait qu'à demander. J'ignorais totalement que c'était la sienne.

J'écrirai une lettre officielle aux services d'entretien pour m'excuser de ma négligence en matière de déchets alimentaires.

Je reconnais que j'ai un peu honte au sujet de la crème pour les mains, mais c'est l'hiver – les hommes aussi ont la peau sèche.

Je reconnais que je devrais mettre au point un système de recyclage des enveloppes et des papiers plus efficace. Traduisez-moi devant un tribunal pour incompétents. Infligez-moi quelques stages de formation.

Cela ne me mènera à rien de déposer plainte. Je ne peux rien prouver.

Je regarde de nouveau mes tulipes. Le fait de les voir dans ton bureau me ramène à cette réunion. Tu t'interromps pour écrire quelque chose, puis m'adresses un regard intense et hoches la tête d'un air satisfait, comme si tu venais d'avoir confirmation d'un fait me concernant que tu peux maintenant noter. Cela me donne l'impression qu'on m'a volé quelque chose. Il n'y a aucune façon de me dérober à ton regard, que ce soit en reculant ma chaise ou en me cachant derrière Gary. Je baisse les yeux vers la table. Je frémis, empruntée et gênée.

« Intéressant », dis-tu d'un ton entendu lorsque je marmonne une réponse qui est tout sauf intéressante à Gary qui m'a demandé une information soporifique. Les autres te trouvent impliqué, attentif ; tu t'en sors très bien. Au pire, certains pensent peut-être que tu fais de la lèche à Gary. Aucun n'imaginerait que tu puisses me harceler.

Je chasse la réunion de mon esprit et me rappelle où je suis. Un pas d'ogre résonne dans l'escalier. Le bâtiment donne l'impression de trembler. Toi, sans doute. Tes pas sont toujours bruyants, précipités, comme si tu voulais faire croire à tout le monde que tu sais où tu vas ; tu es déterminé ; tu as un tas de choses extrêmement importantes à faire et tu ne plaisantes pas. Quel employé modèle.

Je cogne vite à la porte de la nouvelle directrice du département. À mon grand soulagement, elle répond immédiatement. J'entre pendant que ton bonjour résonne tout près derrière moi, et je fais semblant de ne pas l'entendre.

La manière dont je vais passer devant toi en sortant m'obnubile au point que j'oublie totalement que je me trouve dans l'ancien bureau d'Henry ; je ne remarque même pas à quel point la nouvelle directrice a changé les lieux et l'a effacé, lui ; je ne repense même pas à la fois où nous avons fait l'amour sur ce bureau à présent couvert de tableaux et de boîtes à archives, mais qui était toujours impeccablement rangé et dégagé quand c'était lui qui l'utilisait. J'invite la directrice à venir tout de suite voir avec moi un nouveau programme informatique pour les troisièmes cycles. Je suis tellement soulagée de l'entendre dire oui aussitôt que j'ai envie de la serrer dans mes bras, mais je parviens à me retenir.

Tu m'observes, frustré, tandis que je passe devant ta porte – ouverte alors que c'est interdit –, accompagnée et tout à mon nouveau rôle improvisé de guide touristique. La directrice du département s'arrête et te reproche de ne pas respecter les règles en matière de risque d'incendie et de mépriser les consignes de santé et de sécurité. Elle s'exprime le plus sérieusement du monde et donne un coup de pied dans le classeur en plastique qui te faisait office de butoir de porte.

Même sans te voir je sais que tu la fusilles du regard. Tu as postulé pour son poste et ne l'as pas obtenu. Tu peux ajouter cela à la liste d'insultes et de griefs que tu es sans nul doute en train de dresser, et je ressens un élan d'inquiétude pour elle, tout en mourant d'envie de l'acclamer tandis que la lourde porte en bois se referme lentement sur toi.

Ce jeudi matin, le monde entier paraissait s'être barricadé chez soi. Clarissa avait appris par mail que l'université était fermée à cause de la tempête de neige. Mais il y avait suffisamment de trains et de bus vers Bristol pour que le procès se poursuive.

Elle attendait tranquillement avec Robert que les autres arrivent enfin.

Robert tira de son sac à dos un sachet en plastique transparent dont il sortit un croissant au chocolat. Il le coupa en deux et lui en offrit silencieusement un morceau.

Elle s'apprêtait à dire qu'elle ne mangeait jamais le matin, mais se retint. « Merci », dit-elle en mordant dans le croissant. Le goût du beurre et du chocolat noir fit merveille, la réveillant quelque peu. « C'est délicieux.

– Ça vient du café juste en face du tribunal. » Il mâchait, l'air songeur. « Espérons que Lottie passera une journée moins difficile aujourd'hui. »

Lottie. Le terme était affectueux, voire intime et aimant. Comme cette façon qu'avait le père de Clarissa de toujours l'appeler Clary. Pourtant, il s'agissait d'une femme qu'elle et Robert ne connaîtraient jamais, avec laquelle ils ne parleraient jamais ; une femme envers laquelle ils étaient censés maintenir le plus grand détachement.

C'était Clarissa qui avait commencé. Une fois, juste une fois, elle s'était laissée aller à utiliser le surnom lors d'une conversation avec Robert. Il avait immédiatement été contaminé. Cela ne datait que de mardi, mais déjà tous deux avaient pris l'habitude de l'utiliser entre eux. Jamais devant les autres jurés. Une règle adoptée instinctivement, tacitement. C'était leur petit secret à eux.

« Oui, dit-elle. Espérons. »

L'audience commença avec une heure et demie de retard seulement.

Visiblement soulagée de se trouver de nouveau entre les mains de Mr Morden, Carlotta Lockyer but quelques gorgées d'eau.

« Pouvez-vous décrire l'état dans lequel vous étiez les jours qui ont suivi l'enlèvement et le viol ?

– Je me suis repliée sur moi-même. J'étais extrêmement bouleversée. Je n'arrêtais pas de vomir. Les médecins ont été obligés de me faire prendre des médicaments pour diminuer l'angoisse et m'aider à dormir, alors qu'en général, ils hésitent plutôt à prescrire des médocs à des gens comme moi. »

Pas une seconde Mr Morden ne détacha ses yeux tristes, apitoyés, courtois et admiratifs de son témoin vedette.

« Merci, Miss Lockyer. Vous vous êtes montrée très courageuse. »

Clarissa voulut regarder une dernière fois le visage de Miss Lockyer, mais celle-ci, effondrée telle une poupée de chiffon, la tête pendant comme une fleur au bout de sa tige, se cachait autant qu'elle le pouvait dans cet espace des plus publics, se retirant dans son propre monde maintenant qu'elle en avait le droit.

La neige tombait en tourbillons épais derrière les fenêtres quand ils traversèrent la salle d'attente des jurés. Les autres procès avaient été suspendus tôt ce jour-là, à cause des intempéries. L'immense salle était étrangement vide et silencieuse. Il n'y avait personne dans le bureau de la greffière.

Parmi les douze jurés, seuls Clarissa et Robert venaient de Bath. « On risque de rester coincés ici, dit Clarissa à son compagnon tandis qu'ils progressaient à grand-peine dans la tempête. Les trains ne fonctionnent peut-être pas.

– Si jamais c'est le cas, je téléphonerai à la caserne. Un collègue viendra nous chercher.

– Il ferait tout le chemin jusqu'à Bristol pour nous ?

– Oui, dit-il sur ce ton calme et neutre qu'il adoptait toujours.

– Dans un camion de pompiers ? »

Il lui sourit comme si elle était une petite fille, mais son « non » fut prononcé avec la même fermeté bienveillante. « Dans une Jeep.

– Je suis déçue », dit Clarissa tandis qu'ils se dirigeaient vers le train de cinq heures, qui, par miracle, roulait. « J'aurais tant aimé monter dans un camion de pompiers.

– Ça ne serait pas... »

Il s'interrompit brusquement et sourit.

Les trois trains précédents avaient été annulés, si bien que celui-ci était bondé. Il n'y avait pratiquement pas de place à l'intérieur du wagon. Clarissa se colla contre la paroi, puis Robert entra et se glissa quelques centimètres derrière elle. Lorsque le train démarra, il fut projeté contre elle et elle se demanda brusquement quel effet cela ferait de l'embrasser. Il y avait une goutte de neige fondue sur sa joue. Elle résista à l'envie de lever le bras et de l'essuyer.

« Tu n'as pas l'impression, dit-elle prudemment, que chaque nouvelle question fait bouger les lignes, et qu'alors tout ce que tu pensais une minute auparavant, tu n'en es plus sûr ? » Le juge ne pouvait pas lui reprocher de poser cette question, même s'il n'avait de cesse de leur déconseiller solennellement toute discussion autour de l'affaire.

« Si. J'ai exactement la même impression. » Son haleine sentait le dentifrice. Avait-il avalé un bonbon à la menthe à la dérobée ? L'idée qu'il aurait fait cet effort secret en prévision d'un moment de grande proximité avec elle lui plut.

Le train approchait du quai. La porte s'ouvrit. Elle regretta que le trajet soit déjà terminé. Elle enfila son bonnet et ses mitaines – tricotés eux aussi par sa mère. Consciente de la présence de Robert derrière elle, elle descendit avec cette même gaucherie qu'elle ressentait chaque fois qu'elle entrait ou sortait de la salle d'audience.

Ils s'arrêtèrent une minute devant la gare. Le ciel nocturne paraissait comme envoûté ; la blancheur et la douce luminosité de la neige remplaçaient la pénombre habituelle. Le bonnet en laine polaire noire de Robert fut vite parsemé de fleurs pâles.

« J'habite près de l'ancien appartement de Lottie », laissa-t-elle échapper, histoire de trouver quelque chose à dire pour retarder le moment de se séparer.

« Le monde est petit. Tu l'as dit aux autres ?

– Non. Il m'arrive de passer devant quand je vais à la gare. Sauf qu'en ce moment je prends un taxi le matin – trop à la bourre, s'empressa-t-elle d'ajouter. Et de toute façon, je ne pense pas que je passerai par-là de nuit. Je prends aussi un taxi pour rentrer maintenant. »

Elle jeta un coup d'œil de l'autre côté de la rue. Rafe se renfonça dans l'embrasure d'une porte.

« Quelque chose ne va pas ? »

Elle hésita. « C'est peut-être ces trucs qu'on entend au tribunal qui m'effraient. »

Robert examina attentivement son visage. « C'est compréhensible. Tu n'es pas bien épaisse, et cette colline est sombre la nuit. » Au bout de quelques secondes d'un silence embarrassé, il dit : « J'habite de l'autre côté de la ville. Pas loin du jardin parfumé pour les aveugles. »

Elle connaissait la rue. Une rangée de jolies maisons georgiennes, modèles légèrement réduits des beaux bâtiments classés de Bath, mais néanmoins assez grandes et plutôt stylées. « Tu n'habites tout de même pas dans un grenier, dit-elle en pensant aux plafonds bas d'un appartement en dernier étage, incompatibles avec sa grande taille.

– Ce n'est pas un appartement, dit-il.

– Oh. » Elle s'efforça de dissimuler son étonnement. Il pouvait donc se payer toute une maison georgienne ?

« Tu trembles, dit-il. Tu ferais mieux de rentrer chez toi. Bonne nuit, Clarissa Jane Bourne. »

Elle n'eut pas besoin de se demander à cause de qui son esprit était autant sur le qui-vive. Elle pencha la tête, le regarda d'un air interrogateur en essayant de conserver un ton anodin. « Quels super-pouvoirs as-tu utilisés pour connaître mon deuxième prénom ?

– Il n'y a là-dedans ni regard laser ni lecteur de pensées magique ou opération d'agent secret. Simplement nos noms complets sur la liste des jurés. Je vois le tien chaque matin quand je raye le mien. Il est en haut. »

Elle se mordit la lèvre, feignant l'embarras. « Comment n'ai-je pas remarqué un truc pareil ? dit-elle avec un petit rire confus. Suis-je bête.

– Non, dit-il. Ce n'est pas un terme comme celui-là que j'utiliserais pour toi. »

En vérité, elle ne se sentait pas bête. Il n'était pas du tout le genre d'homme qui lui donnait l'impression d'être bête. Même quand elle devait bien s'avouer sa propre paranoïa, même quand elle avait perdu son sang-froid et ne pouvait s'empêcher de le laisser entrapercevoir sa panique, il réagissait avec ce qui semblait n'être que bonne humeur et gentillesse. Elle en était sûre, il repérait beaucoup de choses. Des noms. Des briquets. Elle se demanda ce qu'il voyait d'autre.

Après lui avoir souhaité bonne nuit, elle décida de ne pas se retourner pour voir s'il la regardait, tout comme elle ne regardait jamais où se dirigeaient les regards des avocats et des accusés quand elle entrait et sortait du box des jurés. Pourtant, elle se retourna. Impossible de résister. Robert s'éloignait, marchant droit, d'un pas décidé et régulier, sans un regard en arrière.

Elle se rua vers la station de taxis, soulagée de voir qu'il n'y avait pas de queue, sans même chercher l'ombre sinistre de Rafe. Elle savait qu'il était toujours là. Nul besoin de regarder pour le savoir.

Vendredi

Un petit homme grassouillet au teint terreux était assis dans le box des témoins. L'ancien copain, celui qui avait brisé le cœur de Lottie.

« Comment avez-vous trouvé Miss Lockyer quand elle est rentrée de Londres le dimanche 29 juillet ?

– Elle était dans tous ses états. Vraiment pas présentable. Sale. Elle avait un œil au beurre noir. Elle tremblait, elle pleurait. Elle a refusé que je la touche. Elle sentait mauvais. Elle ne portait pas de culotte. J'étais inquiet, bouleversé. Je lui ai demandé plusieurs fois ce qui n'allait pas, mais elle n'a rien voulu dire. Elle avait du sang séché entre les jambes. Sa respiration était irrégulière, comme si elle avait mal à la poitrine. »

En fin de journée, Clarissa et Annie se promenèrent dans les allées du marché. C'était Annie qui avait suggéré de passer un petit moment ensemble, de faire du shopping avant que Clarissa ne reprenne le train de Bath et Annie son bus de banlieue.

« Notre juge nous fait toujours sortir trop tard, dit Annie. Les autres jurys sortent avant nous. Il ne reste jamais rien de bon à manger quand on a fini.

– On pourrait venir ensemble à la pause-déjeuner. Comme mercredi.

– Toi, on dirait que tu te nourris d'air pur et d'eau fraîche. Nous autres, on a besoin de manger à midi. » Annie fronça les sourcils en observant les marchands remballer vite fait, avant qu'elle puisse mettre la main dessus, ce qui restait de leurs étals de potiches peintes, bijoux artisanaux, cartes postales faites main et robes tie-dye. « Au moins il ne nous suit pas, ton copain qui fout les jetons. Il a intérêt à ce que je ne le revoie plus. »

Clarissa se persuada qu'Annie n'avait rien à craindre de Rafe. Elle était certaine que s'il l'espionnait, Annie le remarquerait – elle était bien trop observatrice et prudente pour qu'il passe inaperçu. De plus, il y avait quelque chose chez Annie qui faisait dire à Clarissa que Rafe n'oserait pas se frotter à elle.

« Je ne suis pas disposée à me soucier de son intérêt à lui. » Clarissa se moucha, puis jeta le kleenex dans une poubelle.

« Qu'est-ce que tu penses de ça ? »

Annie examinait une boîte en bois décorée de princesses Disney. Clarissa la trouva hideuse. Devant son silence éloquent, Annie reposa la boîte, renonçant à l'acheter.

« Ça c'est joli », dit Clarissa en lui montrant une robe d'enfant bleu vif avec des roses brodées. Elle se dit qu'elle plairait peut-être à la petite fille d'Annie, puis inspecta l'ourlet, les sourcils froncés. « Il se défait. »

Annie leva les yeux au ciel. « Tu es experte en couture, Clarissa. Je te l'accorde. » Elle se tut quelques secondes, comme si elle hésitait, puis se décida. « Je voudrais que tu réfléchisses à quelque chose ce week-end. Peut-être qu'il a du vrai, ce cliché comme quoi les femmes en pincent pour les artistes. Et peut-être que c'est vrai aussi pour les pompiers. Et peut-être que les pompiers en sont conscients. Ça serait l'un des avantages du métier. » Annie lui serra le bras affectueusement. « Tu ne sais presque rien de lui, Clarissa, dit-elle en la regardant bien en face. Il y a quelque chose chez lui que je ne… » Elle s'arrêta. « Pas besoin de lire dans les pensées pour voir que tu l'aimes bien. Sois prudente. »

Samedi

Samedi 14 février, 11 heures
Joyeuse Saint-Valentin

En bas de l'escalier, je tombe sur Miss Norton. Je dois aller faire des courses et retrouver Gary pour prendre un café, mais Miss Norton, elle, revient déjà d'une matinée très occupée. Elle dit au revoir au chauffeur de taxi qui a tenu à porter son caddie écossais, et lui répète en le grondant qu'elle aurait pu le faire elle-même.

À quatre-vingt-douze ans, Miss Norton aime ses petites habitudes. Tous les jours, au saut du lit, elle fait vingt fois le tour de son appartement le plus vite possible pour faire un peu d'exercice. Les trottoirs sont trop irréguliers et dangereux pour qu'une vieille dame puisse y marcher vite, dit-elle.

Il me faut une bonne fée. Elle ressemblera à Miss Norton, aura son rire en cascade. Elle m'accordera trois vœux et je ferai un choix avisé. Premier vœu : un bébé. Deuxième vœu : Robert. Troisième vœu : que tu t'en ailles très très loin à tout jamais. La baguette magique se lèvera une fois, deux fois, trois fois. Ça sera tellement simple.

Miss Norton me lance un regard entendu. « Ça vous était adressé, mon petit. Des chocolats. Je viens de les poser sur l'étagère avec le reste de votre courrier. Une bien belle boîte. Quelqu'un l'a déposée sur le seuil. »

J'avance vers la porte. Malgré mes hésitations, je me force à l'ouvrir.

Tu es là, en face de la maison, de l'autre côté de la rue, appuyé contre un réverbère. Encore un jean noir. Un tee-shirt noir à manches longues sorti du pantalon. Tu ne portes ni manteau ni bonnet, et tu rentres les épaules en frissonnant. Tu as l'air carrément vulnérable.

L'espace d'un instant, j'oublie la haine que tu m'inspires. Je te vois comme si tu étais un inconnu. Je vois la peine sur ton visage, et je me dis que tu es vraiment une âme perdue. Je me souviens des premiers jours quand Henry est parti, et ce sentiment d'un amour terriblement déçu. N'est-ce pas ce que tu ressens, simplement à un degré qui relève du pathologique ? C'est alors que tu lèves la main pour me saluer, lentement, et que tu t'avances vers la maison. Tu te rapproches de là où je suis, de là où je ne veux pas que tu sois. Et la pointe de compassion qui m'avait saisie par surprise disparaît aussi vite qu'elle est venue.

Ta voix est trop forte pour ma rue paisible. « Bonjour Beauté. »

Bonjour Beauté.

C'est ce que m'a dit Henry le jour de notre rencontre.

C'était il y a cinq ans, peu après que j'ai commencé à travailler à l'université.

Le souvenir de cette première fois est toujours vif. Son costume chic. Sa cravate avec des citations de T.S. Eliot écrites en zigzag. L'éclat dans son regard lorsque Gary a fait les présentations au début de la réunion qui nous rassemblait ce jour-là. Le choc électrique du contact avec sa main. Le fait qu'il m'a tout de suite été impossible de détourner les yeux de lui quand il se trouvait dans une pièce.

Au cours de cette réunion, Henry m'a carrément fait un clin d'œil, si bien que j'ai dû réprimer un fou rire. Quand je suis retournée à mon bureau, deux mots m'attendaient dans ma boîte mail. *Bonjour Beauté*. Ils crevaient littéralement l'écran.

J'aurais pu l'ignorer, le repousser, ou même déposer plainte pour harcèlement. Mais je n'ai rien fait de tout cela.

Bonjour, ai-je répondu, consciente des battements effrénés de mon cœur.

Dînons ensemble ce soir. Son message est apparu quelques secondes après ma réponse. Ce n'était pas une question, mais j'aurais pu dire non et il aurait respecté mon refus.

Une autre différence de taille entre vous deux.

Sans parler du fait que je ne me souviens même pas de la première fois où je t'ai vu, toi. Avant la soirée pour le lancement de ton livre, je n'avais jamais eu affaire à toi en dehors du boulot, pas plus que je ne t'avais remarqué ; tu étais simplement l'un de ces professeurs après lesquels je devais courir pour remplir des papiers pour les étudiants de thèse. Rien de plus.

Après le restaurant, Henry et moi sommes rentrés à pied en longeant la rivière et en humant l'odeur de feu de bois des cheminées des péniches. La rivière était tellement haute qu'elle recouvrait les grillages métalliques censés empêcher les gens d'y tomber. Henry a récité la « Sirène » de Keats de mémoire et m'a fait promettre de ne pas le noyer. Bien que ralentis par tout ce vin que nous avions bu, nous avons mystérieusement trouvé notre chemin dans le labyrinthe, nous tenant la main dans le noir jusqu'à ce que nous arrivions à la mosaïque centrale.

À la fin de la soirée, nous sommes restés un moment près du barrage à regarder la mousse qui se formait sous le reflet inversé du pont, doré dans le miroir lisse de l'eau. « Une belle soirée entre amoureux », dit Henry. Il avait prononcé les mots avec son habituelle pointe d'ironie et sa façon de souligner que le poète en lui voyait bien le côté rétro de l'expression. « Une soirée entre amoureux », ça ne faisait pas partie du vocabulaire d'Henry. Pourtant, quand il m'a attirée à lui, j'ai bien dû reconnaître que c'était vrai.

Un mois plus tard, j'ai découvert qu'il était marié, même s'il a juré que la relation n'avait plus de mariage que le nom. Alors j'ai refusé de le voir pendant trois semaines, ignoré ses appels, messages et mails ; ne lui ouvrant pas ma porte, prise d'une indicible colère à l'idée qu'il m'avait caché cela. Mais j'étais déjà trop amoureuse de lui, et très vite j'ai rompu mon serment de renoncer à lui. Deux mois plus tard, Henry a quitté la maison conjugale et débarqué chez moi avec du vin, des fleurs et une valise.

J'aurais pu lui fermer ma porte, comme je l'ai fait avec toi tant de fois.

Mais lui, je l'ai embrassé et fait entrer.

Tu as fini de traverser la rue. « Clarissa, je voulais te dire… »

Je claque la porte sans te laisser le temps de finir.

Miss Norton lève un sourcil blanc. « Celui-là, je l'ai déjà vu plusieurs fois.

– Je vous en prie, Miss Norton, ne le laissez jamais entrer.

– Comme si c'était mon genre de laisser entrer un inconnu, Clarissa.

– Désolée. Je sais bien que vous ne feriez jamais ça. Il était inutile de vous le demander. Vous me direz si vous le revoyez dans les parages ?

– Bien entendu.

– Vous pourriez le décrire, si on vous le demandait ? Ou bien l'identifier ?

– Bien entendu, dit-elle à nouveau en me lançant un regard appuyé.

– Bien. C'est bien. »

Mais je regrette de lui en demander autant. Une dame de quatre-vingt-douze ans n'a pas à me protéger. C'est moi qui devrais la protéger. Délicatement, je touche la boîte en forme de cœur que Miss Norton a posée avec tant de soin sur l'étagère. Je retire vite mes doigts, comme si la boîte brûlait.

« Vous recevez vraiment beaucoup de cadeaux, Clarissa. » Impressionnée, Miss Norton secoue sa tête d'un blanc soyeux.

« Je ne les mangerai pas. » Je repousse la boîte de chocolats ; ils sont lourds. « Je voudrais bien les mettre à la poubelle. » Mais je sais que je dois les garder, les conserver avec les autres choses.

Miss Norton me jette un coup d'œil. Peut-être est-elle sincèrement choquée à l'idée d'un tel gâchis.

« Je suis désolée », dis-je. Miss Norton doit se demander pourquoi je ne lui donne pas les chocolats si je ne compte pas les manger moi-même. « Je sais que vous faites partie de cette génération qui a vécu le rationnement. Ma grand-mère aussi. Elle ne s'en est jamais remise.

– Et vous, mon petit, vous faites partie de la génération qui pense que les choses ne changeront jamais.

– Vous avez raison, dis-je, un peu honteuse. Je sais à quel point vous devez faire attention. »

Je décide d'acheter des chocolats à Miss Norton quand je sortirai, et de lui en faire la surprise à mon retour.

« Vous pouvez parler plus fort ? Les batteries de mon sonotone sont à plat. »

Je répète ma phrase patiemment.

« Oui, dit-elle, songeuse. C'est parce que je vis de ma retraite. » Elle a depuis longtemps cessé de travailler à l'école privée pour jeunes filles qu'elle dirigeait. « N'oubliez pas la carte », dit-elle. Sa main est blanc parchemin, veinée de bleue. Elle agrippe le bord de la boîte rouge cramoisi. Elle fait glisser l'enveloppe de sous les boucles des rubans roses.

L'enveloppe est de la même couleur que la barbe à papa. Elle aussi est en forme de cœur. Si elle venait de Robert, les mots écrits dessus me feraient secrètement sourire. *Pour la Princesse dans le Grenier.*

Sauf que tu n'es pas Robert. Tu es l'incarnation du miroir fabriqué par le troll dans *La Reine des Neiges*. Avec toi, même les choses les plus belles deviennent laides et difformes.

J'aimerais échapper au regard perçant de Miss Norton.
« Ça ne peut être que pour vous. Vous ressemblez vraiment à une princesse, vous savez. Et moi, je suis trop vieille pour vivre dans un grenier. » Elle tend sa main osseuse et me touche délicatement et brièvement le front. Sa main est douce et sèche. Une étonnante odeur d'eucalyptus émane d'elle. « Vous n'avez pas l'air en forme. »

Je m'efforce de sourire. « Je vais bien. C'est très gentil de votre part, Miss Norton. »

Le hall plonge dans la pénombre. Mes doigts laissent échapper la carte.

« Oh zut ! » dit Miss Norton.

Je cherche l'interrupteur à tâtons. Les gouttelettes en cristal argentées du lustre se retrouvent illuminées pour dix minutes supplémentaires. Je ramasse la carte tombée sur le paillasson couleur vieil or et la sors de l'enveloppe. *C'est toi que j'aime.*

Ton écriture m'est familière plus que toute autre. *Jamais je ne laisserai tomber.*

« Mais vous tremblez. Suivez-moi. Je vais vous préparer une tasse de thé. »

Malgré l'instinct qui me pousse à protéger et épargner l'adorable Miss Norton, les mots sortent de ma bouche. « Je sais que je dois vous sembler ingrate, et gâtée. Mais je ne la veux pas. » Je remets la carte dans l'enveloppe, regrettant de la toucher et de la regarder comme je le fais. « Je lui ai dit que je ne la voulais pas. Que je ne voulais rien de sa part. » J'essuie une larme. « Pas de thé pour moi maintenant. Merci quand même. »

Des chocolats, des diamants, des gants en cuir. Tu m'attaques dans le parc. Tu poses tes mains sur mon corps, là où je ne les veux pas. Puis tu m'envoies une carte pour la Saint-Valentin. Places-tu donc tout cela sur le même plan ? Ça tient de la schizophrénie.

Je sors quand même. Je passerai devant toi. Nous sommes en pleine journée. Si j'appelle à l'aide mes voisins m'entendront. Tu ne peux rien me faire un matin comme celui-ci. Si tu me suis, je t'entraînerai direct au commissariat, et je suis prête à parier que ça, tu n'aimerais pas du tout.

Mais je tremble encore en me souvenant de ma promenade au parc. J'ai prévu de déposer mon manteau chez le teinturier pour qu'ils en nettoient toute trace de toi. J'ai aussi prévu d'acheter une déchiqueteuse ; tu pourras toujours fouiller ma poubelle, tu n'y trouveras plus rien d'intéressant.

Tu ne verras pas la facture du livre sur les relations sexuelles que j'ai acheté hier pendant la pause-déjeuner en me disant que je devrais peut-être travailler le sujet, au cas où. Tu ne verras pas la facture du livre sur la fertilité naturelle que j'ai acheté en même temps, là aussi au cas où. Je vais donner le flacon de parfum de White Gardenia à peine entamé à une boutique caritative. Quant à mon nouveau parfum, tu n'en sauras jamais le nom : sa facture sera transformée en confettis.

Étrangement, on sait peu de choses sur toi. Peut-être y a-t-il une clef secrète ; une clef qui m'aiderait. Je me souviens d'avoir entendu Gary dire qu'il connaissait quelqu'un qui avait travaillé avec toi il y a plusieurs années. Peut-être Gary pourra-t-il m'apprendre quelque chose d'utile, même si j'aimerais ne pas avoir à penser à toi.

Mais il n'y a pas que toi. Tout ne tourne pas autour de toi. Et cela, je ne dois pas l'oublier.

Il faut que je voie Gary. Que j'aie des nouvelles des gens au boulot, de ce qui se passe en mon absence. Tu ne présentes aucun danger pour Gary. Tu ne peux pas lui faire mal comme à Rowena ou Hannah. Tu ne peux pas l'utiliser pour t'approcher de moi comme tu le ferais avec elles ; il te percerait à jour si tu te risquais à essayer.

Et puis Gary est un homme. Un homme costaud. Un collègue. Qui occupe un poste plus élevé et plus puissant que le tien. Tu t'en prends toujours à plus petit que toi.

M'armant de courage, j'ouvre la porte. « Je vais voir une amie, Miss Norton. Et j'ai deux ou trois courses à faire. J'y vais. » Depuis le seuil de la porte je scrute la rue large et élégante aussi loin que possible. Aucune trace de ton ombre laide et lâche. À moins que tu ne sois planqué dans l'un des jolis jardins qui précèdent les maisons et sont tous différents, à l'instar des bâtiments georgiens eux-mêmes, avec leurs façades et leurs fenêtres déclinant tons pastels et formes variées.

Je me demande vaguement si mon mal de mer s'apparente à des nausées matinales.

« Vous voulez que je vous prenne quelque chose tant que je sors, Miss Norton ? »

Vive comme à son habitude, elle me rappelle – gentiment – que je passe à côté de l'évidence. « Je viens de faire les courses, mon petit », dit-elle.

SEMAINE 3

L'amant constant

Lundi

Lundi 16 février, 8 h 12

Dès que le taxi débouche devant la gare je te repère. Tu es appuyé contre le mur près de l'entrée. À peine t'ai-je vu que tu te précipites sur moi, comme un journaleux harcelant une célébrité. Je me dirige vers le guichet. Tu te colles à moi.

Mon Dieu, qu'est-ce que tu peux être agaçant ! La personne la plus agaçante au monde. Quand je ne suis pas paralysée par la terreur, je me rends compte que même au meilleur de ta forme, tu es tout bonnement énervant. Mais tu es loin d'être au meilleur de ta forme. Tu te rapproches chaque jour davantage de ce qu'il y a de pire en toi, et je ne tiens pas à laisser mon esprit imaginer ce que pourrait être le stade ultime de cette trajectoire.

« Ça t'a plu, cette balade au marché avec ta copine juré mercredi, Clarissa ? »

J'ai la bouche sèche à l'idée que tu as remarqué Annie. Mais je me dis que tu n'imagineras pas pouvoir tirer quoi que ce soit d'une personne que je ne connais que depuis deux semaines pour l'unique raison que nos deux noms ont été tirés au sort. J'avale ma salive et m'éclaircis la gorge. Je me répète qu'Annie ne court aucun danger ; elle ne te donnerait rien sur moi. Annie n'est pas Rowena. Mais je sais également qu'à partir de maintenant, je dois éviter Annie en dehors du tribunal – je dois m'assurer que tu ne la verras plus jamais.

« Pourquoi ne portes-tu pas ta bague, Clarissa ? »

Mes yeux sont rivés sur le panneau des départs. Je cherche le train de Bristol tout en continuant à avancer. À mon grand soulagement, celui de 8 heures 22 est annoncé à l'heure.

« Si tu lisais les contes de fées comme il faut, tu saurais que la personne qui n'apprécie pas un cadeau se voit infliger un châtiment terrible. »

Je rentre dans le voyageur qui me précède à la queue devant les tourniquets et m'excuse en marmonnant.

« Je ne savais pas que Gary et toi étiez si bons copains, Clarissa. »

Même sans te voir, je t'ai senti samedi matin, en train de me suivre et de m'espionner. J'ai remarqué que Gary regardait par-dessus son épaule au moment où nous entrions dans le café, comme si lui aussi sentait quelque chose.

« Tu as aimé les chocolats, Clarissa ? »

Jamais je n'ai eu l'impression que la procession devant les tourniquets avançait aussi lentement.

« C'est malpoli de ta part de ne pas dire merci. »

L'espoir que tu puisses un jour faire ma conquête ne te retient plus. Même toi, tu dois bien voir que c'est impossible.

« Ce n'était pas très poli de ta part de ne pas me proposer d'entrer chez toi, Clarissa. »

Je ne dois pas oublier que tout ce que tu veux, c'est me faire réagir. Je ne céderai pas. Quoi que tu dises ou fasses, je ne réagirai pas.

« Je vais devoir t'apprendre les bonnes manières, Clarissa. »

Ne pas oublier que je me trouve dans un endroit bondé en plein jour.

« Je n'apprécie pas qu'on me claque la porte au nez. »

Ne pas oublier qu'ici tu ne peux pas me toucher.

« Je n'apprécie pas du tout. »

Enfin j'arrive au tourniquet, en priant pour que tu ne me suives pas. Il y a de bonnes chances que non – je sais grâce au planning de l'université que tu as un cours à neuf heures. Je mets mon ticket dans la machine et passe. Je t'entends crier derrière moi.

« Il ne me plaît pas beaucoup, ce pompier, Clarissa ! Je t'ai vue lui parler ici la semaine dernière ! Évite-le ! »

J'ai un haut-le-cœur. Tu sais déjà qui est Robert. Tu connais son métier. Tu n'auras eu aucune difficulté à apprendre ces choses-là en le suivant jusque chez lui jeudi soir. Tu auras regardé dans sa boîte aux lettres, vu son nom sur une enveloppe, et ensuite fait des recherches sur Internet.

Moi-même je suis allée sur le Net, où j'ai trouvé plusieurs articles. Une célébration d'Armistice, avec dépôt de gerbe en honneur aux pompiers morts au combat, avec une photo de lui si beau, si sérieux dans son uniforme d'apparat, la poitrine décorée de médailles et de rubans. Lui et ses coéquipiers assistant à une messe du souvenir en l'honneur des six victimes de l'incendie d'une tour qu'ils ont éteint. Lui qui sauve un enfant d'une maison en feu – accomplir un tel acte doit être un pur bonheur pour un pompier. Il y a dix ans, il s'est retrouvé sous les décombres d'un immeuble effondré et a passé une semaine à l'hôpital ; un pompier de garde avec lui était mort à ses côtés.

Bien sûr que Robert ne te plaît pas ; tu vois bien que tu ne fais pas le poids à côté de lui.

Je continue à avancer, à m'éloigner de toi. Je ne regarde pas en arrière. Les gens qui rédigent les brochures devraient me filmer. Court métrage : *Comment réagir lorsque votre harceleur vous provoque*. Je suis exemplaire. Tu n'existes pas. Tu peux dire les choses les plus atroces, tu restes un fantôme qui parle dans le vide. Pour l'instant, ton cours me sauve. Tu ne me suis pas.

Elle s'assit dans le train, examina le sac qu'elle avait fait ce week-end-là. Elle avait cherché, préparé et dessiné son patron, puis cousu jusque tard dans la nuit.

Elle le considérait comme son sac anti-harcèlement et s'étonnait qu'il puisse être aussi joli tout en occupant une fonction aussi repoussante. En inspectant les poches intérieures et en testant la sécurité et l'accessibilité des objets qu'elle y avait glissés, elle repensa à ce que Gary lui avait dit.

Dix ans auparavant, Rafe avait vécu à Londres avec une femme. Gary tenait cette information d'un ami qui enseignait à l'époque dans le même département d'anglais que Rafe, dans une autre université. La femme en question y travaillait également, en tant que secrétaire, et c'était ainsi qu'elle et Rafe s'étaient rencontrés. À peine Rafe nommé professeur à Bath, elle l'avait quitté et avait abandonné son poste. Personne ne savait ce qu'elle était devenue après la rupture ; elle s'était complètement volatilisée.

Mais Clarissa avait un nom : Laura Betterton. Elle avait fait des recherches sur Internet le week-end, sans rien trouver. Elle s'était attendue à des articles sur une disparition mystérieuse, voire des articles sur un meurtre non élucidé. Heureusement, Betterton n'était pas si fréquent, comme nom. Elle ne retrouva pas trace de Laura, mais par contre l'annuaire en ligne lui fournit l'adresse et le numéro de téléphone d'un certain James Betterton à Londres. Clarissa téléphona, certaine que cela ne donnerait rien. Un homme répondit. Elle demanda à parler à Laura.

« C'est de la part de qui ?

– Vous ne me connaissez pas, mais...

– Alors pourquoi vous appelez ?

– J'essaie de la trouver – de trouver Laura, je veux dire. »

L'homme grommela – un rire amer, presque étouffé. « Et vous ne pouvez même pas me dire votre nom ? » Il raccrocha.

Beaucoup de gens se montrent irritables et brusques quand on leur téléphone par erreur. En l'occurrence, elle percevait quelque chose d'autre dans la voix de cet homme. La stupeur. La colère aussi.

Pour l'instant, elle se refusait à le harceler en le rappelant – elle ne savait que trop bien à quel point cela pouvait être perturbant. Elle devinait aussi que son désir de trouver quelqu'un connaissant l'histoire de Laura était tellement fort qu'il risquait de lui faire imaginer des choses qui n'étaient pas dites, là où il n'y avait finalement rien de spécial.

Sally Martin tortillait ses mèches rousses préraphaélites pendant que Mr Morden lui faisait raconter le samedi où elle avait assisté à l'enlèvement de Lottie. Les accusés l'avaient forcée à les diriger dans Bath quand ils s'étaient mis à la recherche de Lottie.

« Ils ne voulaient pas que quelqu'un devine ce qu'ils allaient faire. Ils l'ont traquée jusque dans sa rue. On était là depuis une minute, pas plus, quand Tomlinson a dit, "Bingo". Sparkle a dit : "Fais-la entrer dans la camionnette. Vite." Ils l'ont fait entrer si vite que j'ai à peine vu la chose se passer. »

Clarissa laissa échapper son crayon, qui tomba par terre sous la table. Elle le chercha à tâtons, se releva en se cognant la tête, retint les larmes causées par la douleur.

« Elle était pâle comme la mort. Je n'avais jamais vu quelqu'un d'aussi terrorisé. Elle se mordait les lèvres. Se tordait les mains. Elle baissait la tête pour éviter de regarder. Au bout d'environ dix minutes, ils sont arrivés au bout de ma rue et m'ont dit de sortir.

– Pourquoi pleurez-vous, Miss Martin ?

– Quand la camionnette s'est éloignée, j'ai entendu Carlotta hurler. J'étais vraiment soulagée d'en être sortie, mais je savais qu'ils allaient lui faire mal. Je vois encore son visage. Je ne l'oublierai jamais. »

Les larmes de Sally Martin laissèrent Mr Belford de marbre. « Un mois avant le supposé kidnapping et viol de Miss Lockyer, vous avez été toutes les deux repérées par la police en train de vous livrer au racolage. »

Sally Martin ne fut pas impressionnée par l'érudition de Mr Belford. « Vous savez, je vois bien que vous êtes vachement instruit et que vous utilisez des mots compliqués, mais personne ne vous comprend.

– Permettez-moi alors d'être plus direct. Carlotta Lockyer était-elle une professionnelle ?

– Ouais. Et alors ? Ça ne veut pas dire que ces types ne l'ont pas violée. »

Clarissa et Annie descendaient l'escalier au pas de course.

Annie grimaça. « De toutes les personnes qu'on aura vues à la barre, Miss Martin est sans doute la seule qui va s'en tirer.

– Et Miss Lockyer ? dit Clarissa en redoutant la réponse. Elle ne va pas s'en tirer ?

– Non, dit Annie. Aucun espoir pour Miss Lockyer. »

Ils étaient assis dans le train l'un en face de l'autre, avec une tablette entre eux deux. Les radiateurs soufflaient un air chaud agréable. Clarissa ôta son manteau en se tortillant, le posa à côté d'elle et sourit à Robert.

Tout cela était normal. Elle se comportait normalement. Rafe n'était pas là. Robert et elle se trouvaient seuls dans le wagon. Elle était en compagnie d'un homme qu'elle aimait bien, parce qu'il était normal. Elle était heureuse, presque, mais elle dut faire taire son sentiment de culpabilité à l'idée d'avoir placé Robert dans la ligne de mire de Rafe. Elle se creusa la cervelle pour trouver un moyen de l'inciter à la prudence sans lui parler de Rafe.

Sa première tentative ne fut pas très convaincante, mais elle n'avait trouvé rien d'autre et c'était sans doute mieux que rien. « Tu penses qu'on devrait faire plus attention, à cause du procès ? » demanda-t-elle.

Il prit un air intrigué.

« Je veux dire, être plus vigilants, regarder autour de nous », dit-elle.

Il leva un sourcil.

« Au cas où, je ne sais pas, quelqu'un pourrait décider de nous suivre, prendre des renseignements sur nous. » Elle s'enfonçait dans le ridicule.

« Je n'ai pas peur des accusés, Clarissa. Toi non plus tu ne devrais pas. »

Elle se mordit la lèvre, déjà prête à laisser tomber. « Tu as raison.

– Les accusés ne vont pas t'embêter maintenant. »

Pour ce qui est de le mettre en garde, c'est réussi, songea-t-elle. Bravo, Clarissa. « Bien sûr que non, dit-elle. Je ne devrais pas me mettre ces idées en tête.

– Il est normal que tu sois inquiète. J'ai vu que tu l'étais l'autre soir. J'aimerais te rassurer.

– C'est fait. »

Elle voulut se persuader que Robert était un grand garçon capable de veiller sur lui-même ; si quelqu'un avait quelque chose à craindre, ce n'était pas Robert.

« Je t'ai vue dans le train le premier jour. Tu consultais ton portable. Tu étais très – il attendit que vienne le mot juste – absorbée. »

Elle se réjouit secrètement de constater que Robert l'avait remarquée avant même qu'elle prenne conscience de son existence à lui, et ne put s'empêcher de prendre note de la différence entre ses propres sentiments quand cet homme la regardait à son insu, et ceux que lui inspirait Rafe.

« Raconte-moi un incendie », dit-elle en regrettant que Rafe s'immisce toujours dans ses pensées. Il n'est pas là, se dit-elle. Ne le laisse pas te gâcher la vie quand il n'est même pas là.

« Les incendies, c'est ennuyeux, dit-il.

– Tu ne le penses pas sincèrement. Tu sais bien que c'est faux.

– À ton tour de me raconter quelque chose. Pourquoi est-ce que tu aimes coudre ? »

Elle cligna des yeux, surprise par sa question. « Ce n'est pas mon tour.

– Juste les cent premières raisons. Je veux savoir. »

Il avait des fossettes qui se creusaient quand il souriait.

« C'est un truc de famille. Je suppose que je l'ai attrapé. Ou que ça m'a été inculqué malgré moi. Ma grand-mère cousait tout elle-même. Ma mère coud très bien, avec passion – elle enseignait la couture. Elle tricote aussi. Tu as remarqué que j'ai beaucoup de vêtements tricotés main ? »

Il éclata de rire. « Cette robe, c'est toi qui l'as faite ? »

C'était du jersey très fluide couleur mûre. Le décolleté carré était suffisamment profond pour laisser voir la naissance de ses seins. Le corsage était légèrement moulant, avec des fronces verticales en accordéon qui lui donnaient un air vaguement grec. Les longues manches étaient très ajustées – les marques sur son poignet n'avaient pas encore tout à fait disparu. Elle sentit son visage s'échauffer. « Oui.

– Elle est belle. Elle... » Il interrompit sa phrase. « Pour quelle autre raison ?

– Ça fait du bien à l'âme, dit ma mère. » Elle rit d'elle-même. « Mais je pense qu'elle a raison. Ça n'est pas anodin, de passer du temps sur les choses, de fabriquer un vêtement de ses propres mains, de créer un objet qu'on peut toucher. Ma mère m'a appris à me méfier de la valeur affichée des choses et de la façon dont la production de masse transforme les gens. Il y a des personnes que je connais qui trouvent que je gâche mon talent.

– Tu penses à quelqu'un en particulier ?

– C'est un test, c'est ça ? » dit-elle en éludant subtilement la question – et l'évocation d'Henry.

Le train entrait en gare de Bath. Ils se levèrent, enfilèrent leurs manteaux, se retrouvèrent sur le quai, se dirent bonne nuit devant la gare.

Elle vit Rafe, posté dans l'ombre de l'autre côté de la rue de sorte qu'elle le voie bien. Il était hors de question qu'il l'empêche de vivre. Elle allait lui montrer que ses menaces et sa surveillance ne changeaient rien. Elle vivrait sa vie. Et elle aurait un petit ami, si elle le souhaitait. Qu'est-ce que cela changeait que Rafe sache qui était Robert ? Ce n'était pas un secret.

Robert n'était qu'à quelques mètres d'elle quand elle l'appela. « Je n'oublierai pas, Robert !

– Quoi donc ?

– Que la prochaine fois, ça sera ton tour de me dire quelque chose. »

Il promit d'un hochement grave de la tête et elle s'éloigna en souriant, au vu et au su de Rafe, consciente qu'elle avait forcé Robert à s'arrêter et à tourner la tête.

Lundi 16 février, 18 h 45

Les deux chiffres clignotent plus lentement que ne bat mon cœur. Après tant de mois de vide presque complet depuis qu'Henry est parti, le chiffre rouge affiché par le répondeur de mon téléphone me fait sursauter.

Quarante. Il y a quarante messages. Il n'y a que toi qui puisses laisser quarante messages. Pris tous ensemble les gens que je connais ne pourraient pas laisser quarante messages en un jour.

Je presse le bouton pour écouter le premier message. Le néant. Le silence. Je me force à tous les écouter, surprise de constater que j'espère vaguement qu'il y en aura un de Rowena. Mais bien sûr ce n'est pas le cas.

Bien sûr, ils sont tous de toi, ce que confirme le fait que le répondeur n'indique pas la provenance de l'appel. Bien que je sois ébranlée, bien que ma victoire sur toi à la gare ait été de courte durée, je me contrains à penser calmement, avec logique.

J'essaie de comprendre comment tu as obtenu mon numéro. Tu pourrais avoir trouvé un prétexte pour le demander à Rowena, mais je suis persuadée que cela l'aurait alertée. Il est plus probable que cette vieille habitude que j'ai de jeter mes factures de téléphone soit en cause, ce qui veut dire que tu as cette facture depuis au moins une semaine et demie. J'ai fait preuve d'une extrême prudence il y a trois jours, quand j'ai trié ce que j'allais mettre à la poubelle et ce que j'allais détruire avec ma nouvelle déchiqueteuse.

Je m'étonne que tu aies attendu avant d'utiliser ce numéro. Il est important que je comprenne pourquoi. Brusquement, je comprends. Je constate que tu es capable de te maîtriser, quand tu le veux. Tu calcules soigneusement les doses que tu m'infliges, tu organises tes attaques selon un ordre que toi seul peux comprendre, en t'assurant qu'elles sont régulièrement espacées.

Je vais changer mon numéro de fixe et faire bloquer les appels anonymes.

Depuis quelque temps je range tout ce qui te concerne dans le vieux placard en bois que mon père m'a réaménagé. C'est là que le répondeur et ses quarante messages vides vont finir.

Il est essentiel d'avoir des preuves. Conservez-les toutes dans un endroit sûr.

Pile au moment où je m'apprête à le saisir, le téléphone sonne. Je pousse un petit cri puis referme la bouche, furieuse de m'être de nouveau laissé prendre par toi. Tu m'espionnais. Tu sais que je suis rentrée ; tu sais que j'écoute cette sonnerie. Un autre appel anonyme, comme l'indique l'affichage sur le combiné. Je ne te répondrai pas.

Malgré cette sensation de me retrouver dans un cauchemar où je suis paralysée, je tombe sur les genoux. J'arrache la prise du téléphone avant que le répondeur ne se mette en marche. Je te coupe. Cette fois-ci je ne te laisse pas le plaisir d'avoir accès à mon répondeur, d'avoir accès à ma chambre. Jamais plus je ne te laisserai entrer dans ma chambre.

Mardi

Mardi 17 février, 8 h 05

Tu n'as donc rien de mieux à faire ? Tu ne t'ennuies pas, tu n'as pas froid, posté ainsi devant chez moi tous les matins ?

Je ne dis rien de tout cela en te découvrant de nouveau devant la porte de la maison. Je ne te regarde pas. Je m'avance vers le taxi d'un pas décidé.

« Ton répondeur doit être en panne, Clarissa. Tu le savais, Clarissa ? »

Si tu redis mon nom ne serait-ce qu'une fois, je suis capable de te filer un coup de poing. Tu m'ouvres la porte du taxi comme si tu étais courtois et bien élevé. Tu as beau être costaud, j'ai bien envie de te pousser.

« Je t'avais prévenue de ne pas t'approcher de ce pompier, Clarissa. »

Je me penche, attrape la poignée et ferme la portière en informant le chauffeur que je ne souhaite pas que tu montes avec moi. Il t'ordonne de t'éloigner de son véhicule.

« Mais très certainement », lui dis-tu poliment, d'homme à homme, comme si tu étais raisonnable, alors que tu agrippes toujours la portière sans détacher ton regard de moi. « J'étais juste en train de dire au revoir à ma petite amie. Tu savais, Clarissa, que quand tu me manques trop je regarde tes photos ? » Sur ces mots, tu lâches la portière. Elle se ferme en claquant d'un seul coup. Mais ce n'est pas le bruit sec de la portière qui résonne dans mes oreilles. C'est l'écho de ta dernière flèche.

En entrant en file indienne dans la salle d'audience, ils découvrirent un homme mince aux cheveux blancs et à l'allure distinguée assis droit comme un i derrière l'écran bleu. Le grand-père de Lottie.

« Le jury prendra note que le dimanche 29 juillet, à 15 heures 30, Mr John Lockyer a reçu sur son téléphone fixe un appel en provenance du portable de Carlotta Lockyer, dit Mr Morden. Vous souvenez-vous de cette conversation, Mr Lockyer ?

– Carlotta m'a demandé £ 1 500. Elle avait l'air terrorisée. Dans tous ses états. En grande détresse. »

Preuve supplémentaire que Lottie avait été kidnappée. Qu'elle ne voulait pas se trouver là où elle était et avec ces personnes-là.

Mr Lockyer inclina la tête et regarda ses mains. Le geste rappela à Clarissa que ses propres parents étaient âgés et qu'elle devait leur épargner le spectacle de ses douleurs, de ses peines et de ses peurs.

Mardi 17 février, 12 h 50

Je suppose que je ne cours aucun danger à me promener pendant la pause-déjeuner parmi les bouquinistes dans les allées poussiéreuses du quartier du tribunal. Ce que tu as brièvement vu de moi devrait te suffire.

Il n'empêche, je me tords le cou dans toutes les directions en te cherchant. Les gens doivent penser que je suis folle, que j'ai des tics. Je me surprends à me demander où tu es. Et ça, ça me fait encore plus peur : je constate que je risque d'être obsédée par toi autant que toi tu l'es par moi. C'est ça que tu cherches à obtenir en faisant tout pour attirer mon attention. Je dois faire mon possible pour ne pas en arriver là.

L'espace de quelques minutes, j'y parviens. En approchant du tribunal, je ne pense qu'au nouveau trésor que j'ai acquis : un volume précieux de *Transformations*, d'Anne Sexton[1]. L'espèce de lutin qui figure sur la jaquette est dissimulé par le sac en papier à fleurs du bouquiniste, mais son visage ne me quitte pas. C'est à ce visage desséché, tendre et troublant que je pense, pas du tout à toi. Et là, je te vois, juste devant les portes à tambour, et je ne peux plus penser qu'à toi.

Ma vision s'aiguise. Tout devient net. Les sons s'amplifient. Un panier à salade blanc passe ; ses gaz d'échappement brûlent l'intérieur de mes narines.

Je vois Robert déboucher comme au ralenti à l'angle de la rue. Il est à vingt mètres.

Passer devant toi est inévitable. Je me force à m'approcher des portes à tambour.

Robert est à quinze mètres.

Je prie pour que tu ne fasses rien qui te fasse remarquer par Robert, rien qui montre l'existence d'un lien entre nous.

Dix mètres.

Je passe devant toi en maintenant entre nous le plus de distance possible. Par contre je dis discrètement, sans te regarder : « Si tu me suis, je le dis aux gardes. »

Ta voix est basse mais parfaitement audible. « Je t'ai vue comme aucun autre homme ne t'a vue, Clarissa », dis-tu. Je franchis les portes à tambour.

Je ne vois plus Robert, mais je calcule le rapport entre sa vitesse et ta position. Six mètres. Trois mètres. Le son aigu d'un Klaxon au loin me fait sursauter et

1. Anne Sexton (1928-1974), poétesse américaine qui a abordé des thèmes spécifiquement féminins tels que l'avortement ou la masturbation, mais aussi l'inceste, évoqué dans *Briar Rose* (*Églantine*) à travers une parodie de *La Belle au bois dormant*.

regarder derrière moi. Tu t'éloignes en prenant la direction opposée à celle de Robert, sans croiser son chemin.

Robert la rattrapa dans le hall. Ils échangèrent des sourires en posant leurs affaires sur le tapis du détecteur et en papotant avec les gardes qui étaient maintenant comme de vieux copains et hésitèrent à leur passer le détecteur de métaux autour du corps, malgré la disponibilité polie qu'ils affichèrent une fois le portique passé. Elle se comporta comme si tout était parfaitement normal, espérant que Robert ne remarquerait pas son visage rouge et sa respiration haletante.

Clarissa appuya plusieurs fois sur l'extrémité de son portemine pour faire sortir la pointe en plomb.

Mr Morden interrogeait une vieille dame aux cheveux blancs sur un incident qui s'était produit une heure avant l'enlèvement de Lottie.

« Quatre hommes se sont introduits dans mon jardin. L'un d'eux a donné un coup de pied dans la porte de la cuisine. Un autre a crié en direction de la fenêtre de l'étage qu'ils avaient vu ma fille Dorcas à travers les rideaux de sa chambre et qu'il savait qu'elle était là et qu'elle l'entendait et qu'elle avait intérêt à sortir ou bien ils forceraient la porte et ils iraient la chercher et ça serait pire pour elle. Il a dit qu'elle aurait déjà dû comprendre la leçon. Il a utilisé des termes grossiers.

– Pouvez-vous répéter ces termes devant le jury ?

– Ce n'est pas le genre de mots que j'utilise. »

Mr Morden parut quelque peu calmé, mais aussi amusé.

« L'un d'eux m'a vue téléphoner à la police, alors ils se sont sauvés. Depuis, la porte ne ferme plus comme il faut », dit-elle.

La neige tombait silencieusement lorsque Clarissa et Robert passèrent les portes à tambour en fin de journée. Aucun signe de Rafe.

« J'aurais voulu réparer la porte de cette vieille dame, dit Robert.

– Tu veux toujours aider les gens même quand tu n'es pas de garde.

– Tu as raison. Le week-end dernier, j'ai sauvé un escargot attaqué par une grive. La grive le cognait contre une pierre pour essayer de briser sa coquille.

– Pauvre grive, dit Clarissa. Elle qui faisait preuve de tant d'ingéniosité, maintenant elle est sans doute morte de faim.

– Je referais la même chose. »

Il hocha la tête pour appuyer son affirmation.

Ils sourirent, comme s'ils s'appréciaient l'un et l'autre pour leur différence.

Ils n'étaient parvenus qu'au pont quand une voix les arrêta. « M'sieur le pompier ! Hé, m'sieur le pompier ! »

La voix n'avait rien à voir avec celle de Rafe, mais elle retint néanmoins son souffle un instant. Un jeune homme d'origine indienne apparut devant Robert. Elle fit un pas de côté. « Vous êtes venu en décembre parler à ma classe de sécurité routière, dit le jeune homme d'un ton de défi.

– Je me souviens de toi. Tu es venu discuter avec moi à la fin de mon intervention. Sharif, c'est bien ça ? Tu vis avec ta grand-mère. » Robert se dressa, bien planté sur ses pieds, regarda le garçon à sa façon directe et attendit patiemment. Elle s'émerveilla de ce qu'il puisse se souvenir de la rencontre plusieurs mois après, alors qu'il ne l'avait vu qu'une fois, très probablement dans une salle au milieu d'une foule de lycéens.

« J'ai réfléchi à ce que vous nous avez dit, aux diapos que vous nous avez montrées. Moi, je vais continuer à conduire vite.

– Je devrai procéder à ta désincarcération, que tu sois vivant ou mort », dit Robert.

Clarissa imagina en frissonnant les mains de Robert découpant avec d'énormes outils une carcasse métallique afin que les services d'urgence puissent avoir accès à la chair humaine piégée à l'intérieur.

« Ça ne change rien pour moi », dit Robert.

Sharif se mordit la lèvre.

« Mais ça peut tout changer pour ta grand-mère. »

Robert tendit la main. Sharif la serra. « Merci d'être venu faire un brin de causette et m'annoncer tes projets. »

Clarissa salua Sharif d'un signe de tête, sachant qu'il ne lui retournerait pas son salut, et ils poursuivirent leur chemin. « C'est vrai que ça ne change rien pour toi, qu'ils soient vivants ou morts ?

– En effet.

– Et si c'était quelqu'un que tu connais ?

– Ça dépend qui. »

Elle sourit, tout en frissonnant à nouveau. « Et si c'était moi ?

– Ça changerait les choses. »

Mardi 17 février, 18 h 20

Un petit colis rectangulaire est posé contre la porte de la maison, enveloppé dans du papier kraft et attaché avec une ficelle. Mon nom est écrit dessus à la main en lettres soigneusement tracées. Mais sous n'importe quelle forme je reconnais ton écriture. Je monte avec le colis, le cœur battant à tout rompre. Je laisse tomber mon sac et m'affale sur le canapé sans prendre la peine d'enlever mon manteau. J'ôte la ficelle et déchire le papier kraft, les mains tremblantes.

Je l'avais deviné : c'est un livre miniature à peu près de la taille d'une carte postale. Tu as découpé les pages dans un couteux papier crème épais. Tu les as reliées à la main, avec du fil épais que tu as passé dans les trous que tu avais percés. C'est un bel objet. Je l'admirerais si ce n'était pas toi qui l'avais fait.

Recueil de quatre contes de fées, choisis par Rafe Solmes, indique la couverture, avec sous le titre, *Édition limitée : un sur un*. Il y a une dédicace : *Pour Clarissa, qui est belle et aime le vin*. Je regarde la table des matières. Ces contes, je ne les connais que trop bien. Tout d'abord, « Le Château des Meurtres », puis « Barbe Bleue ».

J'ouvre le livre au troisième conte, « L'Oisel emplumé », et constate que tu as souligné un passage.

> *Il était une fois un maître sorcier qui, sous la figure d'un pauvre diable, allait mendier le long des maisons et s'emparait des belles filles. Personne ne savait où il les emportait, car on les revoyait jamais.*

C'est une histoire de crime sexuel et de meurtre répété plusieurs fois sur le même modèle. Le meurtrier a son « type », son profil de victime. Ses cibles sont jeunes et belles, forcément. Sinon, pourquoi s'intéresserait-il à elles ? L'histoire, c'est celle de charmantes jeunes filles qui disparaissent mystérieusement, comme dans nombre de contes de fées, et la question qui titille le lecteur, celle de savoir ce qui leur arrive après cet instant éclair où elles s'évanouissent de manière aussi complète de leur environnement quotidien. En prétendant être vulnérable, le tueur les capture. En ayant pitié d'un homme apparemment pauvre, elles deviennent des proies.

Voilà l'histoire expédiée en deux phrases. Les contes de fées ont établi le modèle et les méthodes bien avant que le premier des tueurs en série du XXe siècle n'attrape sa première victime.

Le bras en écharpe, les béquilles. Les soupirs de gêne, les grimaces de douleur réprimée, le tout soigneusement répété, pendant qu'il charge péniblement ses provisions ou ses livres dans sa camionnette sans vitres. Jouer sur la gentillesse et la pitié de la femme qui passe. Jouer aussi sur ses espoirs romantiques quand elle s'approche du bel inconnu pour lui proposer son aide ; peut-être se demande-t-elle même si ce ne serait pas là le début d'une histoire destinée à expliquer à de futurs enfants comment leurs parents se sont rencontrés. Peut-être pense-t-elle même à d'autres histoires, celles qui assurent que les bonnes actions sont toujours récompensées. Il redouble de charme, bien entendu, lui adresse ce sourire éclatant. Et là, il la fait entrer de force dans la camionnette, claque la portière et plaque le torchon imbibé de chloroforme sur son visage.

Je tourne les pages jusqu'à la quatrième et dernière histoire, « Le Fiancé brigand », où tu as de nouveau souligné le passage que tu veux absolument que je remarque.

> *L'affreuse bande vint au logis, traînant à sa suite une autre jeune fille ; les brigands, ivres, ne prêtaient aucune attention à ses cris et à ses larmes. Ils lui présentèrent trois verres de vin : un blanc, un rouge et un jaune, et son cœur se fendit. Puis ils lui arrachèrent ses vêtements soyeux, l'étendirent sur une table, coupèrent en morceaux son beau corps, et le couvrirent de sel.*

Une jeune fille est droguée, déshabillée, étendue sur une surface plane et torturée. Ainsi se déroule la scène. Ses cris et ses supplications ne font que rendre la chose plus excitante encore ; ils montrent que la jeune fille ne peut fermer les yeux sur le nouveau monde atroce dans lequel elle est tombée. Ils disent sans ambiguïté de quoi il s'agit véritablement. D'un crime sexuel déguisé en conte de fées. De crime sexuel déguisé en cannibalisme. De sadisme sexuel déguisé en préparation bouchère. D'un gang de violeurs déguisés en brigands. C'est ainsi que les frères Grimm ont trompé les censeurs, lesquels n'étaient pas des lecteurs très attentifs. Le cœur ne s'ouvre pas en deux littéralement. Il ne s'agit pas de nécrophilie. Elle n'est pas morte quand on lui fait subir tout cela. Elle est affolée, consciente et terrifiée. C'est cela que signifie le cœur fendu.

Je sais quelle lecture tu fais de ces histoires, je sais quelle lecture tu veux que j'en fasse. Ta dédicace me fait comprendre le lien que tu établis entre moi et les choses atroces que ces jeunes filles subissent, leur sort terrible.

Je me souviens de Mr Morden expliquant dans ses remarques préliminaires que ce qui était arrivé à Lottie n'avait rien d'un conte de fées. Il se trompait. Ce qui lui est arrivé sortait tout droit d'un conte de fées.

Avant même de poser le pied dans cette salle d'audience, je savais à quel point les preuves étaient essentielles. Ma première réaction serait pourtant de me débarrasser de tout ce que tu as touché, pour que l'air qui m'entoure ne soit pas empoisonné. Je veux minimiser ta présence – dans mon esprit et dans mon appartement. Mais je ne peux pas y donner libre cours.

En ce qui concerne la police, les brochures se contredisent totalement.

> *Appelez immédiatement la police – N'appelez pas la police tant que vous n'avez pas de preuves irréfutables.*
>
> *La police est là pour vous aider – N'attendez pas trop de la police.*

Par contre, pour ce qui est des preuves, c'est l'unanimité : je n'en aurai jamais trop ; le risque, c'est de ne pas en avoir assez.

Il me faut plus de preuves – pour que la police ne puisse pas avoir le moindre doute ou m'ignorer. Pour que la police ne puisse pas donner de moi l'image qu'ils ont donnée de Lottie.

J'ouvre le joli placard de mon père. Je place ton livre et son bel emballage tout au fond, près des autres objets qui viennent de toi. Je prends soin de dissimuler le tout derrière des piles de tissu. Je ferme les portes avec une telle violence que je me fais sursauter. Je me lave les mains, pour ne pas qu'il reste une miette de ton ADN après ce contact avec ce que tu as touché.

J'avale deux cachets et me mets au lit. J'ai *Transformations* en main, mais au bout de quelques pages les principes actifs m'emportent.

Le lendemain, à mon réveil, le livre est ouvert sur ma poitrine. Les mots ont traversé ma peau, envahi mon sang. Je ne cesse de penser au poème d'Anne Sexton, *Briar Rose* (La Belle au bois dormant). Rien ne peut la guérir de ce qu'elle a subi quand elle était enfermée dans le noir. Elle est hantée par la peur de fermer les yeux même après que le baiser du prince la sauve du cauchemar de ces cent années de sommeil.

Mercredi

Elle se promenait dans les allées du marché. Il était hors de question qu'elle courre se planquer au tribunal alors que la journée n'avait même pas commencé.

Se souvenant des recommandations d'Annie au sujet du fer, elle acheta du bœuf biologique à braiser. Elle se préparerait un ragoût ce week-end, en suivant la recette de sa mère. Elle acheta des poireaux, des carottes, des choux de Bruxelles, des oignons. Elle prit également une bouteille de vin. Cette histoire n'allait tout de même pas la faire renoncer à cuisiner au vin ou même à en boire. Ce soir de novembre, c'était du vin blanc qu'elle avait bu. À présent, il lui inspirait une aversion insurmontable. Mais elle voulut se persuader que le rouge ne présentait aucun danger. Y croire. Croire qu'il y avait forcément des choses sans danger.

Elle mit ses achats dans un sac qu'elle avait fait en moins d'une heure dans un joli tissu imprimé de carreaux anthracite et bleu. Ils pouvaient sans problème passer la journée dans le vestiaire. Le marché serait sans doute fermé si elle attendait la fin de la journée pour faire ses courses, et elle ne voulait pas laisser passer l'occasion de marcher jusqu'à la gare avec Robert. Elle refusait que Rafe la prive de cela.

Il la privait déjà de beaucoup de choses. Elle s'arrêta une minute pour taper furieusement sur l'écran de son portable en réponse à un mail de Caroline, une amie du boulot qui était la secrétaire du vice-président. Caroline proposait à Clarissa de déjeuner ensemble samedi. Même si Clarissa pensait peu probable que Rafe ait une quelconque relation avec Caroline, elle ne pouvait pas prendre le risque. Elle envoya donc un refus poli, exprimant dans son message une déception plus sincère que ce que Caroline aurait pu deviner.

Elle glissa son téléphone dans son sac et leva les yeux. Un homme avec une écharpe de supporter de foot autour du cou rigolait avec un autre qui tenait un stand. Il lui donna de l'argent, prit la tasse de café puis, se sentant observé, se tourna. Leurs regards se rencontrèrent : elle lut dans le sien, malgré son visage impassible, qu'il l'avait reconnue. Une voix lui fit rompre le contact avec les yeux de Mr Morden.

« Bonjour Clarissa. » Robert était juste à côté d'elle. « Je t'ai fait sursauter. Désolé.

– Mais non », dit-elle. Pas du tout. » Elle lui montra sa tasse presque vide. « Déjà trop de café, c'est tout. »

Elle s'abstint de lui dire que ses besoins en café augmentaient dans la même proportion que ses besoins en somnifères.

« J'ai rêvé de toi, hier, s'empressa-t-il d'ajouter. Rien de bien méchant. Je ne me souviens de rien. Sauf que tu y étais.

– J'espère que les accusés n'étaient pas dedans.

– Certainement pas. » Il sourit. « Ça doit être à cause de tout ce temps qu'on passe ensemble. »

Elle hocha la tête. « Moi aussi je rêve sans doute de toi, mais quand je me réveille, j'ai oublié.

– Tant mieux, dit-il, manière de signifier que le sujet était clos.

– C'était drôle de tomber sur ce garçon, hier soir. Il ne savait pas ton nom. Juste "M'sieur le pompier". Ça m'a fait comprendre à quel point ça fait partie de ton identité. Ça doit te faire drôle, de ne pas être pompier quand tu es ici, non ?

– C'est super », dit-il en riant.

Ils s'arrêtèrent devant le majestueux bâtiment pseudo-Renaissance qui abritait maintenant une banque mais n'aurait pas détonné à Venise.

« Je me disais aussi que ça doit être un autre monde, cette caserne. En même temps un peu comme une deuxième maison pour toi.

– On dort pas beaucoup là-bas, quand on fait la nuit. »

Ils tournèrent l'angle côte à côte, en évitant la queue débordant de la sandwicherie.

« Quand tu dors à la caserne, est-ce que ça t'arrive de ne pas savoir où tu es au réveil ?

– Je sais toujours où je suis. »

Elle le contempla comme s'il était un magicien qui lui aurait raconté un tour extraordinaire – elle ne doutait pas qu'il en soit capable. « Tu as un endroit préféré où dormir là-bas ?

– Le séchoir. C'est là qu'on suspend les mannequins. Ils sont remplis de sable, pèsent des poids différents. Bon sang, ces cocos-là, il y en a certains, c'est du lourd ! On les mouille et on doit les sauver.

– Est-ce qu'ils se balancent un peu ? Les mannequins ? J'imagine que oui. »

Ils attendaient que les fourgons amenant les prisonniers s'engagent dans le passage sous le tribunal.

« Non, ils ne bougent pas. J'aime lire dans cette pièce. C'est paisible.

– Qu'est-ce que tu lis ? »

Il hésita. « Des poèmes.

– Des poèmes de qui ? dit-elle, piquée de curiosité et quelque peu surprise.

– De Keats surtout. J'aime Keats. »

Un jour, elle l'avait remarqué en train de lire un roman policier – le genre qu'on achète dans les aéroports, avec sur la couverture une demoiselle en péril s'agrippant à un héros qui dégainait. On ne pouvait guère faire plus éloigné de Keats. Mais elle n'était pas juste avec lui. Rafe l'avait rendue trop méfiante. Elle-même lisait aussi bien des romans policiers que de la poésie, et cela ne faisait pas d'elle une tueuse en série. Pourquoi Robert n'aurait-il pas le droit lui aussi d'avoir des lectures variées ?

Elle pensa à Henry. Henry n'aimait pas le Romantisme. Pour lui, la poésie devait traiter des problèmes politiques, sociaux et économiques du moment. Il écrivait sur la moins-value, la pollution et les montagnes de beurre excédentaire. Il faisait des jeux de mots malins. Il l'impressionnait, mais elle n'aimait pas ses poèmes. Ils étaient d'une ambition insatiable, comme lui.

« Moi aussi j'aime Keats, dit-elle. Alors c'est un cabinet de lecture tout autant qu'un séchoir.

– Et un salon, dit-il en souriant. Les pompiers aiment parler. Quand il y a un petit nouveau, qu'il voit son premier mort, alors il faut l'aider en parlant avec lui.

– En effet, c'est important. C'est l'un de ces moments précieux qui peuvent faire la différence. »

Il haussa les épaules. « Le séchoir est la pièce la plus chaude de la caserne. L'hiver, on y boit le thé. Ça m'arrive d'y aller seul. Ou bien j'y emmène l'un des petits jeunots et je lui apprends à faire des nœuds. Un pompier doit savoir faire des nœuds sans regarder, vite, sans réfléchir. » Il remua les doigts avec précision, comme s'il tenait une corde.

Les fourgons s'étaient engouffrés depuis longtemps dans le parking souterrain. Ils reprirent leur chemin, tous les deux le visage rouge. Ils arrivèrent devant les portes à tambour, passèrent la sécurité, mirent leurs affaires dans les casiers et montèrent l'escalier menant à la salle d'audience n° 12. Les choses sérieuses commençaient.

Lorsque Clarissa et Robert s'assirent dans le box du jury, Mr Morden les suivit du regard quelques instants, avant de se tourner vers son témoin. C'était une femme fine et délicate avec de longs cheveux noirs.

Trois mois avant le kidnapping de Lottie, alors que Clarissa pleurait encore l'échec de sa troisième FIV, Polly Horton, elle, était enceinte. Si Clarissa l'avait rencontrée, le ventre rond et le visage serein et content de soi, elle aurait détourné le regard.

Polly revenait du marché lorsque Thomas Godfrey l'avait abordée. « Quand j'ai vu que c'était Godfrey, j'ai eu très peur. Elias – mon copain – leur devait du fric. Godfrey a dit, "Toi, tu viens à Londres avec moi".

– Vous aviez envie d'aller à Londres avec cet homme ?

– Non. Godfrey a passé le bras autour de mon ventre, pour ne pas que je m'éloigne. » Elle dessina un cercle avec le bras. « Comme ça. »

Godfrey secoua la tête d'un geste de déni sinistre ; il donnait l'impression de la menacer à distance à travers l'écran bleu. Se tournant, Mr Harker lui adressa un regard sévère.

« J'ai commencé à pleurer. Un passant m'a demandé si ça allait. Godfrey a dit, "Occupe-toi de tes oignons", mais il s'est enfui. Si ce type n'était pas intervenu... » Elle essuya une larme. « Je suis sûre que Godfrey m'aurait forcée à aller avec lui. »

Ce que Clarissa retint surtout, c'est que Polly était allée trouver la police mais que Godfrey n'avait pas été interrogé, encore moins inculpé. Ce qu'elle en conclut, c'est qu'il était impossible de prouver une tentative de kidnapping ; même avec un témoin. Ce procès faisait-il son éducation ou bien la paralysait-il ? Les deux peut-être.

Mr Harker se leva pour défendre Godfrey. « Expliquez au tribunal, je vous prie, pourquoi vous êtes sous le coup d'une inculpation de détention d'héroïne et de crack, qui vous a valu un an de prison avec sursis.

– La drogue ne m'appartenait pas, chuchota Polly. Je ne voulais pas qu'Elias aille en prison.

– Vous avez couvert votre petit ami. Vous iriez n'importe où pour le protéger et détourner l'attention que lui valent ses délits liés à la drogue. Y compris calomnier un innocent. Mr Godfrey n'avait aucune raison de vous kidnapper. Et de toute façon, on aurait du mal à croire qu'il essayerait de le faire au beau milieu d'un marché en plein jour, vous ne croyez pas ? »

Annie et Clarissa inspectèrent le vestiaire pour s'assurer qu'il était vide.

Les mots jaillirent de la bouche d'Annie presque malgré elle. « Je déteste les nanas obsédées par leur mec. » Elle était maquillée, chose inhabituelle chez elle. Elle portait une jupe crayon bleue et un chemisier noir décolleté qu'elle avait dissimulé aux regards des accusés sous un gilet qu'elle venait de retirer et de fourrer dans son sac.

« Tu es toute belle ! » dit Clarissa.

Faisant peu cas du compliment, Annie haussa les épaules, fit la grimace et secoua ses cheveux. « J'ai trente-cinq ans, Clarissa. Je suis comptable, donc fade. J'ai le look comptable.

– Il n'y a rien de fade à être comptable. On connaît les secrets de tout le monde. Et les comptables ne se ressemblent pas tous. Tu es magnifique – en plus, le look comptable, ça n'existe pas.

– La nouvelle copine de mon mari a vingt-cinq ans, elle est prof de fitness et a tout à fait le look. » Annie émit un petit grognement qui ressemblait à un rire. « Il est trop ébloui pour se rendre compte que depuis son départ l'index de notre petite fille de six ans est toujours collé à sa lèvre supérieure, qu'elle se gratte les fesses toutes les cinq secondes et qu'elle s'est mise à tendre le cou comme une dinde.

– Moi aussi j'avais ce tic, enfant. Je m'en suis débarrassée en grandissant. Enfin, plus ou moins. » Annie réussit à sourire. « Elle va s'en sortir, avec ton aide.

J'en suis sûre. Tu feras ton possible. Ça m'a tout l'air d'être temporaire, et ça a commencé pour une raison bien précise. Ça n'a rien de pathologique. »

Avec un petit signe de tête, Annie poussa délicatement Clarissa vers l'un des lavabos. « Allez, vite, lave-toi les mains. Il faut qu'on arrête de s'éclipser ensemble de la salle d'audience. »

Elles se secouèrent les mains sans prendre la peine d'essayer les séchoirs éternellement en panne, puis se dirigèrent vers la sortie. Pas de Robert en vue, constata Clarissa. Elle se demanda ce qui le pressait tant.

Elles s'arrêtèrent quelques instants devant les portes à tambour. Clarissa jeta un coup d'œil dans la rue, espérant quand même voir Robert – et redoutant de découvrir Rafe. Ni l'un ni l'autre n'était visible, et elle se trouva plus déçue de l'absence de Robert que soulagée de celle de Rafe.

« Il faut que je file, dit Annie. Mon mari – je ne sais pas trop comment l'appeler – doit me déposer Lucy. On se retrouve à un fast-food juste à côté. *Happy families !* »

Clarissa retira une poussière des cheveux d'Annie. « Un jour il se rendra compte de ce qu'il manque. »

Les yeux d'Annie s'emplirent de larmes. « Merci. » Elle serra le bras de Clarissa. « T'es une drôle de cocotte », dit-elle avec tendresse. Puis elle s'éloigna rapidement. Clarissa attendit qu'elle soit hors de vue pour partir à son tour.

Mercredi 18 février, 17 h 45

Au moins tu n'es pas là à m'attendre quand j'arrive chez moi. Par contre, il y a une enveloppe sur l'étagère blanche que reflète le miroir accroché en hauteur. Elle contient une petite carte de couleur crème sur laquelle tu as écrit cinq mots. *Toujours, je rêve de toi.*

J'essaie de ne pas imaginer ce que tu me fais subir dans tes rêves. Je me demande comment j'y suis entrée. Pourrai-je en sortir, si j'arrive à comprendre ce qui s'est passé ? Est-ce cela, la clef ? Je voudrais avoir le pouvoir de remonter le temps, de le rembobiner jusqu'aux secondes précédent le moment où tout a basculé, afin de lui faire prendre une direction plus favorable. Mais comment comprendre où se situe l'instant crucial ?

Hélas, le recul me montre simplement qu'il n'était pas en mon pouvoir de t'arrêter. Rien de ce que j'aurais pu faire ne t'aurait arrêté, quand bien même je comprends en regardant en arrière où tu comptais en venir.

Jeudi

Jeudi 19 février, 8 h 13

Tu te tiens entre les deux battants verts de la porte de la gare. Si je veux entrer, je suis obligée de passer à quelques centimètres de toi. Voilà pourquoi tu as choisi cette position. Je pivote sur moi-même pour essayer les autres entrées, mais découvre qu'elles sont toutes les deux condamnées.

Quand je reviens quelques secondes plus tard, tu m'accueilles avec un sourire narquois et me regardes passer alors que je me fais toute petite pour ne pas te frôler. Je me colle à l'encadrement de la porte au point de me cogner violemment le coude. Tu me suis jusqu'à la queue, sans me quitter d'une semelle. Je voudrais faire comme si tu n'étais qu'une ombre que je ne peux ni voir ni entendre, mais la douleur fulgurante ne rend pas la chose facile. J'ai une irrépressible envie de secouer mon bras mais je n'y cède pas, pour ne pas risquer de te toucher.

Tu restes muet jusqu'à ce que j'arrive au portillon. Là, tu agis. Tandis que je fais vite rentrer mon ticket dans la machine en comptant les secondes avant de pouvoir passer, tu murmures : « Tu es tellement belle quand tu dors, Clarissa. » Ça, c'est ton mode gentil. Le ticket ressort de la machine, le tourniquet cède, et je passe.

Tu n'es pas là pour me voir m'effondrer sur mes genoux dans le passage souterrain. Je me relève à toute vitesse, gravis péniblement l'escalier, entre dans le train et m'affale sur un siège avec l'impression que mon corps se défait. C'est toi qui le défais. Qui me défais. Membre après membre.

L'homme assis à côté de moi me regarde, me demande si ça va, et comme je ne me crois pas capable de parler j'avale ma salive et lui fais signe que oui. Il a un moment d'hésitation, puis se replonge dans son journal.

J'ai troué mon bas, qui colle à mon genou éraflé, mais la plaie est superficielle. Les bouts de mes doigts picotent, comme s'ils se réchauffaient après des engelures, mais je sais que ce n'est dû ni au froid ni au coup que j'ai pris sur le coude.

Je m'apprête à téléphoner à la secrétaire de mon médecin pendant la pause-déjeuner, pour voir si elle peut lui demander de me prescrire des anxiolytiques. Finalement, me souvenant que Lottie en avait pris, je me ravise. Je marche déjà suffisamment sur ses traces en matière de somnifères. Et je sais que prendre davantage de médicaments ne te fera pas partir. Il faut traiter le problème plutôt que le symptôme : le cliché est on ne peut plus vrai. Je sais qu'il serait idiot de vouloir neutraliser mon angoisse. Celle-ci m'avertit quand il y a du danger ; je ne peux pas me permettre de l'ignorer.

La journée fut un défilé des horreurs, avec des témoins qui jetaient des regards terrifiés en direction de l'écran bleu comme pour vérifier qu'il n'était pas brusquement devenu transparent. L'une après l'autre, ces épaves tremblantes expliquaient que leur cerveau était tellement bousillé par la drogue qu'elles ne se souvenaient plus avoir dit, fait ou vu quoi que ce soit. Jurant, marmonnant, hochant la tête et sifflant entre ses dents, Annie donnait l'impression d'être prête à tuer tout ce petit monde.

Ils avaient repris le chemin de la gare, côte à côte mais sans se toucher. Il tombait de la neige fondue.

Robert tenait un parapluie au-dessus de leurs têtes. Clarissa était aux anges, et s'efforçait de paraître cohérente. Chaque jour qui passait la confortait dans l'idée que Robert était un anti-Rafe d'une efficacité imparable : Rafe ne s'approchait pas d'elle quand elle se trouvait en sa compagnie. Elle comprenait par la même occasion que si Rafe l'avait laissée tranquille jusqu'au départ d'Henry, ce n'était pas un hasard.

Une voiture ralentit à leur niveau. La peur lui déchira le ventre. Mais le visage levé vers eux n'était pas celui de Rafe. Une vague de soulagement la submergea. Robert adressa un hochement de tête au conducteur, et Mr Tourville lui rendit son salut puis s'éloigna.

« Il est ridicule, tu ne trouves pas ? dit-elle. Ou alors c'est une impression ?

– C'est une impression. »

L'air faussement sérieux, elle réfléchit à sa réponse pendant quelques secondes. Puis elle secoua la tête, manière de signaler qu'elle s'en remettait à lui. « Tu crois qu'on va nous foutre à la porte en apprenant qu'on se balade ensemble ? Nous partageons le même parapluie. Mr Tourville pourrait nous dénoncer au juge.

– Je n'ai pas trouvé de règle qui l'interdit.

– Tu as cherché ?

– On n'est sans doute pas les seuls. »

Son téléphone se mit à sonner, mais il ne décrocha pas.

« Tu es populaire.

– J'ai décidé d'ignorer cet appel.

– Si tes doigts sont fatigués, je peux écrire un message à ta place.

– Tu es bien serviable. Mais je crois que Jack a été suffisamment émoustillé ces derniers temps.

– J'espère qu'il t'a réservé un accueil chaleureux au pub la semaine dernière.

– Il m'a fait un bon gros bisou, Clarissa. Ça a changé notre relation à tout jamais. Maintenant, il m'appelle sa petite chérie, et tout ça grâce à toi.

– Comme c'est mignon. J'œuvre au rapprochement des gens dès que j'en ai l'occasion.

– Trop gentil de ta part. »

La neige avait cessé. Clarissa aurait été incapable de dire quand les automobilistes avaient arrêté leurs essuie-glaces. Tout ce qu'elle savait, c'est qu'elle éprouva des regrets en le voyant fermer son parapluie.

Jeudi 19 février, 21 heures

Je suis dans mon atelier de couture, en train de faire l'ourlet d'une jupe. Je la porterai demain avec des bottes et un pull en cachemire moulant. C'est une jupe trapèze marron, en faux daim, qui s'arrête au-dessus du genou. Elle se ferme au milieu par une rangée de boutons argentés. J'espère en secret qu'elle plaira à Robert – j'ai surpris ses yeux posés sur moi, quand il croyait que je ne regardais pas.

Juste au moment où j'ai fini, le détecteur de fumée se met à hurler. Je me précipite dans la cuisine. La soupe aux lentilles que je préparais s'est transformée en une immonde bouillie épaisse. Ce genre d'incident m'arrive souvent. J'éteins le gaz et allume le ventilateur pour faire sortir la fumée.

Je grimpe sur une chaise pour atteindre le bouton rouge du détecteur de fumée. J'arrive enfin à appuyer dessus. Même dans le silence, mes tympans continuent de vibrer.

Sur le plan de travail se trouvent les lettres que j'ai récupérées avant de monter. Je les ai jetées là d'un geste nerveux, décidant de les lire une fois que j'aurais terminé ma jupe.

L'enveloppe que je découvre au milieu de la pile n'a rien de remarquable, mais au premier regard je sais qu'elle vient de toi. Maintenant, je suis dotée d'une sorte d'instinct pour ça. Je sors la feuille A4, la déplie, la lis.

Tu connais *Les Mille et Une Nuits*, Clarissa. Tu connais le sort que le roi Shahryar réserve à sa première épouse infidèle et à son amant. Tu sais ce qu'il fait après la nuit de noces, Clarissa, à celles qui lui succèdent, pour s'assurer qu'elles n'auront pas l'occasion de le trahir.

Ma respiration se bloque. Serait-ce une crise cardiaque ? Mes jambes se transforment en tiges molles incapables de supporter mon poids. Je m'effondre sur le carrelage en ardoise bleu nuit. Je ne sais pas trop combien de temps je reste là, recroquevillée, à sangloter et à essayer de rejouer le film de ma vie. Combien d'images en as-tu prises ? Tu me surveilles ouvertement. Et à la dérobée.

Et à son amant.

Robert n'est pas mon amant, mais tu imagines que j'aimerais qu'il le soit, et tu veux me faire savoir que tu le surveilles lui aussi. Je suis furieuse de l'avoir placé dans cette situation. Impossible désormais de croire qu'il est trop grand et trop fort pour que tu t'en prennes à lui.

Je me remets debout en agrippant le haut du four pour me soulever. Ma main gauche saisit la casserole en fonte toujours brûlante. Je pousse un cri, titube jusqu'à l'évier, passe ma peau sous un jet d'eau glacée. Déjà, des marques rouge vif apparaissent sur l'annulaire et le majeur.

Je laisse la cuisine en plan, abandonne la lettre là où je l'ai lâchée. Je la mettrai au fond du placard du salon avec tes autres envois.

J'enveloppe mes doigts dans un gant mouillé. Les vagues de douleur sont féroces. J'avale un antidouleur qui contient un somnifère que j'ai acheté lors de mon séjour à New York avec Henry il y a deux ans. La douleur défait les serrures derrière lesquelles j'enferme normalement les souvenirs de notre bonheur, si bien que maintenant mon cœur brûle aussi.

C'est toi qui as fait ça. C'est de ta faute. Comme si tu t'étais armé d'un fer à repasser et l'avais appliqué toi-même sur mes doigts.

Vendredi

Vendredi 20 février, 8 h 03

En sortant de chez moi pour rejoindre le taxi, je constate que le sac plastique noir que j'ai déposé devant la maison n'est plus là et que la poubelle de recyclage est vide, alors que les autres poubelles de la rue n'ont pas été touchées. Peu importe. Tu ne trouveras rien d'intéressant.

Tu es posté devant la gare quand le taxi me dépose. Tu me regardes comme si j'étais un cobaye dont tu guettes les réactions.

Sans un mot, tu m'emboîtes le pas. Je tente de me comporter comme si tu n'étais pas là malgré mon souffle court, mes tremblements et mon visage rougissant. Serais-tu heureux d'apprendre que c'est à toi que je dois les pansements sur mes doigts ? Je ne te dis rien. Je ne te regarde pas.

En essayant de sortir mon ticket avec ma main droite, je fais tomber ma carte de transport que je tiens maladroitement dans la main gauche. Je me penche pour la ramasser, le visage de plus en plus cramoisi à mesure que la queue s'allonge derrière moi. Je réussis enfin à faire passer mon ticket dans la machine. Tu ne me quittes pas des yeux. Je sens ton regard sur moi. Un regard sérieux, attentif, focalisé sur moi. Cette fois-ci, tu mets ton ticket dans la machine et me suis. Tu avances dans le passage souterrain à côté de moi.

Mes oreilles bourdonnent. Je vois les bouches des gens autour de moi bouger, mais leurs voix semblent venir de très loin. Comme si j'étais dans un film surréaliste.

« Qu'est-ce que tu as à la main, Clarissa ? »

Ou bien dans un dessin animé bizarre. Les gens paraissent immenses et foncent vers moi en m'évitant au dernier moment.

« Ça te dit, un peu de compagnie pendant ton trajet, Clarissa ? »

Le passage s'assombrit. Je cligne des yeux pour essayer de me débarrasser du voile qui s'y forme.

« Tu as lu des contes de fées intéressants récemment, Clarissa ? »

Je respire avec difficulté, en haletant.

« Rares sont les gens qui les comprennent aussi bien que nous, Clarissa. »

J'étouffe.

« Clarissa ? Clarissa. Clarissa. » Ton visage est au-dessus du mien, ta langue sort de ta bouche pour lécher tes lèvres, vive comme celle d'un reptile. « C'est moi qui ai la pièce manquante, Clarissa. » Tes mains sont sous mes bras. Je glisse au sol.

J'ouvre les yeux. Le passage souterrain est illuminé. Je suis allongée sur le côté gauche. Le froid du béton sous la surface couverte de neige fondue transperce mes vêtements jusqu'à ma peau. Ma tête repose sur un manteau que je ne connais pas.

Un agent de la compagnie ferroviaire et une dame grassouillette d'âge moyen sont accroupis à côté de moi. La femme tire sur ma jupe. Je m'apprête à lui taper sur la main quand je m'aperçois que mon corps est exposé. La jupe est remontée au point qu'on voit la peau au-dessus de mes bas. La femme est en train d'essayer de me couvrir.

Les passants ralentissent pour voir : je suis l'événement du jour.

Je me relève tant bien que mal en passant par la position assise. Puis, remise sur pied, je m'appuie sur l'un des énormes panneaux publicitaires lumineux ornant les murs du tunnel. Celui-ci annonce le *Cendrillon* que j'ai refusé d'aller voir avec toi. Je parcours le tunnel du regard, mais je ne te vois pas. L'agent et la femme me disent que je me suis évanouie et que je devrais faire des examens ; ils veulent appeler une ambulance, ou au moins un taxi qui me ramènera chez moi.

Comme la femme ramasse son manteau, je remarque les taches de neige sale dessus. Je m'excuse, la remercie une fois de plus pour sa gentillesse, propose de l'argent pour payer le pressing, mais elle refuse.

« C'est un homme qui vous a rattrapée, dit-elle. Sans lui, vous seriez tombée de tout votre poids et vous vous seriez fait mal. Il s'est montré très attentionné, très doux avec vous. Mais il devait prendre son train. »

Tu t'es débrouillé pour avoir l'image d'un héros, d'un sauveteur. Cette pensée me force à m'appuyer contre le panneau d'affichage. Mes genoux flanchent à nouveau. J'ai peur d'être sur le point de m'affaisser contre le mur du tunnel – boum boum boum avec mon dos qui glisse le long de la paroi – et de finir en petit tas. Si jamais tu as besoin de témoins, ces derniers attesteront que tu es un vrai chevalier servant.

L'agent me tend mon sac tout neuf, que je mets en bandoulière sur mon épaule en promettant que je vais bien, maintenant, très bien, grâce à eux, mais que je dois aller à Bristol. L'homme, grisonnant, galant, insiste pour m'escorter jusqu'au train.

Elle était installée avec Robert à l'une des affreuses tables en plastique. Elle gardait sa main bandée sur ses genoux, hors de la vue de son compagnon. Sa peau brûlée la démangeait. Ses doigts étaient déjà couverts d'ampoules. Heureusement ce n'était pas la main avec laquelle elle écrivait, et elle pourrait continuer à prendre des notes. Elle avait avalé trois ibuprofènes l'estomac vide avant de sortir de chez elle. Elle imagina sa mère la gronder pour ce surdosage. Son malaise était peut-être en partie dû à cela. Au moins les médicaments faisaient de l'effet, et sa migraine avait cessé.

Ce n'était pas grand-chose, ces brûlures aux doigts. Rien à côté de ce que Robert devait voir tous les jours. Pourtant, elle avait l'impression d'être complètement à vif, comme sa peau. Elle avait sans doute l'air normal, mais elle se sentait, à sa grande honte, proche de la crise de larmes.

Robert la regarda du coin de l'œil. « Tu as l'air triste. »

Elle aurait aimé pouvoir sourire pour nier, mais ne parvint qu'à se mordre la lèvre ; honteuse d'avoir attiré l'attention de Rafe sur lui, mais ne trouvant pas le courage de le lui dire. Quel homme sensé accepterait d'avoir une relation avec elle, vu sa situation épouvantable ? En plus, parler de tout cela à Robert supposait un degré d'intimité, d'obligation réciproque, qu'elle n'était pas sûre d'avoir. Elle ne pouvait pas le charger de ce fardeau.

Mais elle était bien consciente qu'elle ne pouvait pas ne rien faire. Elle essaya de trouver un moyen de l'avertir et, se trouvant incapable de toute nuance, lâcha :

« Tu sais te défendre, non ?

– Je fais un mètre quatre-vingt-dix. Quand j'étais enfant, je faisais de la boxe et de l'escrime tous les week-ends. Aujourd'hui j'entraîne des gamins. Alors ne t'inquiète pas pour moi.

– Je vois, dit-elle.

– Un jour, j'ai dû mettre K.-O. un type qui voulait nous empêcher de sauver sa femme. »

Elle parvint à rire, sans grande conviction. « Je me disais que ça doit vraiment être dur. Par exemple de ne pas pouvoir sauver les gens. D'être obligé de les voir souffrir. Peut-être que le vrai courage, c'est de pouvoir vivre avec ça.

– On s'y habitue. Il n'y a aucun courage là-dedans.

– Il y a quelque chose que je voulais te demander.
– Pas de te présenter Jack, tout de même ?
– C'est un peu tôt. Dans une ou deux semaines peut-être.
– C'est plus sage. » Il reprit un ton sérieux. « Tu voulais me demander quoi ?
– Est-ce que c'est très dur quand c'est un enfant qui meurt ?
– C'est un corps de plus, Clarissa, voilà tout. » Il se pencha au-dessus de la table pour toucher son bras. « Désolé. Je t'ai choquée, je vois. Oui, dans un sens, c'est pire avec un enfant – j'ai eu tort de penser qu'un mensonge serait plus facile à accepter pour toi que la vérité. Dis-moi, tu es fragile aujourd'hui.
– Oui, sans doute un peu.
– Toute mort est triste. Celles auxquelles nous sommes confrontés ne sont pas nécessaires. Elles sont prématurées. Mais il m'arrive d'oublier ce que ça peut représenter pour d'autres. On s'habitue à toutes ces morts. Il le faut bien, pour continuer. En général, on n'en discute pas, sauf avec d'autres pompiers, alors je manque de pratique pour en parler. Avec toi, je ne fais pas assez attention à la façon dont je m'exprime. »

Elle lissa sa jupe avant de pénétrer dans la salle d'audience. Quand elle tendit les doigts, elle eut l'impression que la peau allait éclater.

L'absence d'écran bleu laissait un vide. Tous les témoins qu'ils avaient vus jusque-là avaient été cachés derrière. La porte s'ouvrit. Un homme au torse puissant doté de bras épais comme des troncs entra d'un pas pesant. Sa tête blonde était inclinée. Il était accompagné d'un gardien de prison.

« Je ne suis pas ici de gaîté de cœur. Je suis en prison. Il pourrait y avoir – Charlie Barton s'arrêta quelques secondes pour ménager ses effets – des répercussions. Si je suis ici, c'est uniquement au nom de la justice, pour parler du viol. Ce qui lui est arrivé, à cette pauvre fille, c'était atroce. Je l'aimais bien, cette nana. »

Mr Morden hocha la tête, apparemment admiratif de cet exemple unique de bravoure. « Vous êtes visiblement un homme robuste, fort, et je dis cela avec tout le respect que je vous dois. Pourtant, Mr Azarola vous a passé à tabac ?

– Oui. J'avais peur de lui. Je me suis enfui.

– Je n'ai pas d'autre question à poser.

– Attendez, je suis là pour aider cette fille. Je ne vois pas comment ça va l'aider, ce que je viens de dire. Vous ne m'avez rien demandé sur elle. »

Il était presque 16 h 40. Clarissa comptait se dépêcher pour attraper le train de 17 heures. Ses doigts lui faisaient atrocement mal, et la peau était tellement brûlante et tendue qu'elle eut peur qu'elle n'éclate même sans le moindre mouvement. Elle avait l'intention de reprendre quelques cachets et se mettre au lit pour se perdre dans le sommeil. Il avait posé les mains sur elle ce matin. Elle ne pouvait pas se permettre de s'évanouir à nouveau, de se retrouver ne serait-ce qu'une seconde sans défense, vulnérable, soumise à son pouvoir. Par contre, la nuit, elle pouvait perdre conscience sans danger, et une bonne dose d'oubli, c'était ce qu'il lui fallait.

Elle récupéra rapidement ses affaires et sortit de la pièce en compagnie de Wendy, en se demandant si Robert était devant elle, en train de courir pour prendre le train. Et Rafe. Allait-il de nouveau se montrer, pour qu'elle le remarque, pour savourer ses réactions comme ce matin ? Ou bien se tapir dans l'ombre jusqu'à Bath ? Dans quels endroits pouvait-il se cacher ?

Elle se rendit compte qu'elle commençait à s'habituer à la nécessité de composer avec ses agissements quotidiens, comme si elle acceptait de devoir le faire entrer dans sa vie aussi discrètement que possible. Elle consacrait tellement de son espace mental à la manière de minimiser ses effets sur tout le reste et surtout à la façon de le maintenir loin de Robert. Elle ne devait pas se résoudre à cela, songea-t-elle, furieuse contre elle-même. Elle devait penser plus efficacement à des tactiques pour le combattre.

En bas de l'escalier, elle vit le témoin, les poignets menottés devant lui et entouré de gardiens de prison qui paraissaient tout petits à côté de ce géant. Il posa un regard empreint de respect sur Wendy et elle. Elle imagina Charlie Barton en train de tabasser Rafe. Barton inclina gravement la tête, signe qu'il les avait reconnues, puis s'engouffra, suivi de ses petits gardiens, dans une porte qu'elle n'avait pas remarquée jusque-là.

Vendredi 20 février, 17 h 40

Tu vois que Robert n'est pas avec moi. C'est sans doute pour cela que tu décides de le faire à ce moment-là. Juste après le pont, au milieu de la foule d'hommes d'affaires pressés, tu me rentres dedans si violemment que je ne peux m'empêcher de te regarder.

« Tu ne vas pas me remercier de t'avoir rattrapée, Clarissa ? »

« Tes cheveux sentent bon ce matin, Clarissa. »

« Ta joue est si douce, comme tout en toi, Clarissa. »

« Tu te souviens de la fois où je t'ai dit que tu étais si jolie dans ton sommeil, Clarissa ? » Tu me dépasses d'un pas vif, tends le bras au-dessus de ta tête, et ta main gantée lâche une photo qui tombe en voletant sur le trottoir derrière toi.

Elle atterrit face au ciel. Tu te retournes au moment où je m'agenouille pour tenter de la saisir. Mes mains tremblent tellement que je la fais tomber deux fois et suis obligée de gratter le trottoir sale pour la prendre et la cacher dans mon sac. Alors tu souris, satisfait, et t'éloignes.

Même dissimulée dans mon sac l'image éclate devant mes yeux comme si elle était projetée sur un grand écran. Allongée sur le dos, endormie dans mon propre lit, le corps étiré en ligne droite. Je porte un slip bleu lavande et rien d'autre. Mes bas et mon soutien-gorge sont à côté de moi. Mes bras sont tendus au-dessus de ma tête, mes doigts frôlant la tête de lit. Mes yeux sont fermés.

Je me rends compte que depuis ta nuit chez moi je n'ai pas retrouvé ce slip. C'est cette nuit-là que tu as pris la photo, ça ne fait aucun doute. Et le dégoût qui me noue l'estomac me dit que tu ne t'es pas arrêté là.

Une semaine était passée depuis sa première tentative. Il fallait qu'elle essaye à nouveau. À peine rentrée chez elle, elle composa le numéro de James Betterton.

Cette fois, ce fut une femme qui décrocha.

Clarissa s'efforça de parler sur un ton anodin, comme si l'appel n'avait rien d'extraordinaire. « Bonjour. Est-ce que Laura est là ? »

La femme inspira, puis se mit à parler comme si elle avait essayé de retenir la question mais n'avait pas pu s'empêcher de la poser. « Vous avez des nouvelles ?

– Non, désolée. J'essaye de trouver...

– Ne cherchez plus à nous joindre. »

La femme raccrocha.

Clarissa garda le combiné en main quelques instants à écouter la tonalité de la ligne coupée, le cœur cognant dans sa poitrine. Les allusions qu'avait faites Rafe aux contes de fées se mêlaient à ses craintes au sujet de Laura Betterton. Elle aurait aimé pouvoir se dire qu'elle était folle ; mieux valait cela qu'avoir raison. Mais chaque minute qui passait la confortait dans sa conviction que les références qu'il faisait à ces histoires n'étaient pas de simples menaces, ni des allusions taquines à ses fantasmes ; mais plutôt des indices sur ce qu'il avait déjà fait.

Elle imagina les corps coupés en morceaux des jeunes femmes dans « Le Fiancé brigand ». La vasque emplie de jeunes filles mortes dans « L'Oisel emplumé ». Les instruments de torture et le sol couvert de sang dans le cabinet secret de Barbe-Bleue. La cohorte des reines châtiées du roi Shahryar, chacune comprenant lors de sa nuit de noces qu'elle sentira la lame d'une épée sur son cou en lieu et place des lèvres du roi.

La maison de Rafe se situait dans un village éloigné de Bath. Avait-il son propre cabinet des horreurs empli de cadavres ? Un charnier dans son jardin ? Une baignoire remplie d'acide ?

Elle voulut se convaincre qu'elle avait une imagination morbide. C'étaient les médicaments qu'elle avait pris contre ses brûlures aux doigts, sa peur irrationnelle, et la laideur du procès. Plus que tout, c'était l'image mortifiante qu'il lui avait donnée d'elle-même.

Deux heures plus tard, installée sur le canapé du salon après avoir décidé de s'acheter un nouveau lit parce qu'elle ne pouvait pas dormir là où il avait volé cette image d'elle, elle sombra dans le sommeil. Sa chemise de nuit – démodée, mignonne, rassurante et faite par sa mère – était remontée sur ses cuisses. De sa main valide, elle tira sur le coton bleu ciel tout doux. Elle coinça sous ses épaules la couverture qu'elle avait remontée sur elle. Elle essaya de chasser la photo de son esprit mais l'image était comme peinte à l'intérieur de ses paupières. Elle ne constituait pas une preuve contre lui, mais une preuve contre elle. Une preuve qu'elle l'avait invité. Une preuve d'intimité – ou du moins l'illusion d'une telle intimité – qu'elle ne voulait pas que quiconque voie. Et ça, il le savait pertinemment.

SEMAINE 4

La potion d’oubli

Lundi

Lundi 23 février, 8 heures

C'est ton rituel quotidien. Tu es planté devant chez moi, pas dans l'allée cette fois-ci mais au beau milieu de l'herbe, près du pommier dénudé de Miss Norton. Je me hâte vers le taxi.

« Tu as perdu mon respect, Clarissa », dis-tu depuis ton poste à quelques mètres de moi.

Je regarde droit devant moi.

« Je t'ai prévenue, Clarissa. Je t'ai prévenue plusieurs fois. Mais tu as continué. Tu l'auras voulu. »

Tu n'essaies pas de t'approcher de moi. Tu ne t'éloignes pas de ton poste. Tu regardes calmement le taxi qui m'emmène.

Vas-tu agrandir la photo pour en faire un poster que tu afficheras dans un lieu public, un endroit où Robert le verra ? Tu sais où mes parents vivent. Comptes-tu leur envoyer la photo ?

Quand je pense à mes parents, mon estomac se retourne et mon cœur bat encore plus fort, mais je sais qu'ils sont à l'abri de toi, du moins physiquement. Je sais que tu n'iras pas jusqu'à Brighton. Brighton est trop loin de moi. Brighton, là où ils doivent rester. Brighton, là où, du moins pour l'instant, je ne peux pas aller.

Elle entendit avec soulagement la porte de la salle de réunion du jury se fermer derrière elle. Ce week-end, elle n'avait pas fait le ragoût de bœuf de sa mère, pas bu une goutte de ce vin rouge. Elle n'avait pas quitté son appartement. Elle n'avait même pas regardé par la fenêtre, par peur de le voir, lui.

Elle ne pouvait tout de même pas passer tous ses week-ends claquemurée. Laura s'était-elle enfermée quelque part ? L'idée semblait plus probable que le film d'horreur avec corps coupés en morceaux qu'elle s'était fait.

Quelque chose que Lottie avait dit la hantait. *Je me suis dit que si j'ignorais le problème, si j'essayais d'éviter Sparkle, tout s'arrangerait.* Elle avait envie d'y croire, bien sûr, tout en sachant qu'elle ne pouvait pas se le permettre.

Elle l'avait rejeté. C'était peut-être ça l'élément déclencheur. De toute évidence, Laura aussi l'avait rejeté. Le rejet – sans doute la clef de toute cette histoire. Personne n'aimait être rejeté, mais la vaste majorité des gens trouvaient moyen de faire face sans se mettre dans une position qui les amenait à se faire rejeter plusieurs fois par jour. Elle l'avait toujours vu comme un sadique, mais il lui vint à l'esprit qu'il était aussi masochiste. Elle l'imagina sans manteau, à demi gelé, et se demanda s'il se faisait souffrir de la sorte pour avoir un reproche de plus à lui faire.

En essayant de démêler ces questions, elle comprit que tenter de voir dans son attitude le produit d'une maladie ou d'une blessure grave pouvait peut-être être éclairant. S'il se sentait éconduit, encore et toujours, alors il éprouvait sans doute un sentiment d'impuissance ; il essayait d'affirmer son pouvoir sadique sur elle afin de contrer ce qu'il considérait comme un rejet cruel et répété. Tout ce qu'elle lui disait, par ses paroles, ses gestes, sa façon de le tenir à l'écart, c'était non ; elle ne pouvait rien lui dire d'autre ; le pouvoir de dire non était le seul qu'elle avait ; et à chaque non, ses actions à lui se faisaient plus brutales, plus dangereuses. Pas simplement pour elle, mais pour lui également.

Mais ça ne marchait pas : elle ne pouvait plus se forcer à le voir comme un être humain blessé et angoissé qu'il fallait essayer de comprendre. En fait, elle se réjouissait de le voir échapper à sa compréhension ; elle ne supportait pas de lui accorder plus de place dans son esprit que celle qu'il lui volait déjà. Ses parents lui avaient appris à ne pas croire au mal, mais elle n'était pas sûre qu'ils aient eu raison. Ils l'avaient élevée dans l'idée que tout le monde méritait le pardon, mais avec lui, elle n'y arrivait pas. Ils lui avaient appris à accepter le point de vue des autres, même si c'était difficile. Peut-être quelqu'un sur cette terre acceptait-il son point de vue à lui. Mais ce ne serait certainement pas elle. Il était son ennemi, tout simplement. Comme pour le lui rappeler, la sensation de brûlure dans ses doigts s'accentua pendant quelques secondes.

Elle était tombée sur tant de définitions et de conseils qu'elle avait du mal y voir clair. Mais elle n'avait pas trouvé ce qu'elle cherchait et qui aurait pu lui permettre de se sentir moins seule : nulle part il n'était dit que la victime d'un harceleur hésitait à témoigner à cause de ce que cela révélait de son propre comportement passé.

C'est de votre faute, avaient-ils dit à Lottie sous un nombre incalculable de formes. Diraient-ils la même chose à Clarissa ? Qu'elle n'avait pas le droit de porter plainte, parce qu'elle avait eu avec lui des relations sexuelles consenties et avait ensuite passé toute la nuit à côté de lui ? Ce que la photo montrait en apparence. Et qu'elle était trop saoule pour se souvenir.

La perspective que Robert puisse être mis au courant la rendit malade. Chaque fois qu'elle se disait qu'il n'était pas juste de lui cacher la vérité, elle se forçait à oublier l'idée.

Lorsque l'huissier vint leur demander de se tenir prêts, elle était toujours en train de rejouer l'histoire dans sa tête et d'essayer de trouver une solution. L'idée que quelqu'un voie cette photo lui était insupportable. Mais si elle allait porter plainte sans montrer la photo, alors ce serait lui qui l'utiliserait pour se défendre, ce qui donnerait d'elle une mauvaise image. Elle perdrait toute crédibilité.

L'écran bleu avait été remis pour le témoin suivant. Alex Wyerley prêta serment, puis embrassa la Bible. Avant même que Mr Morden pose sa première question, Mr Williams se leva pour faire une objection et le jury sortit une fois de plus de la salle d'audience.

Quelques minutes plus tard, les douze jurés buvaient du café, installés en un cercle plus ou moins rond autour de trois tables bringuebalantes qu'ils avaient rassemblées dans la salle d'attente. La discussion juridique pouvait prendre une demi-heure, leur avait dit l'huissier.

En plaçant par habitude sa main gauche sur sa main droite, dans laquelle elle tenait sa tasse, Clarissa grimaça de douleur.

« Laisse-moi regarder. »

La voix de Robert lui fit comprendre qu'elle avait oublié de cacher ses doigts. Elle tendit le bras en adressant un petit sourire penaud à Wendy, assise entre eux deux, et le posa sur la table la plus proche de Robert. « Ce n'est rien, dit-elle. Ça tire un peu quand je les bouge. »

Wendy posa une main légère sur l'épaule de Clarissa. « Ma pauvre. »

Robert souleva délicatement sa main pour l'examiner. « Tu t'es fait ça quand ? »

Elle fit semblant de réfléchir quelques secondes. « Il y a trois jours à peu près. Jeudi soir, je crois.

– Comment c'est arrivé ? »
Il tenait toujours sa main et scrutait son visage.
« Par maladresse. Je les ai posés sur une casserole brûlante.
– Ça doit vous faire hyper mal quand vous prenez votre douche », dit l'un des témoins.
Robert replaça sa main avec douceur. « Par maladresse ? Ça me surprend de ta part.
– Pourtant, ça m'arrive. »
Elle éclata d'un rire qui lui parut faux.
« On dit que si la brûlure fait plus de cinq centimètres, il faut consulter. Tu n'en es pas loin.
– Il y a un dispensaire dans la rue juste à côté, dit Wendy. Tu devrais y aller pendant la pause-déjeuner. Pour la faire examiner. »

Malgré la douleur qui l'empêchait de se concentrer, elle se força à être attentive lorsque Mr Belford se leva pour défendre Tomlinson. Il adressa l'un de ses regards perçants à Alex Wyerley. « Dans quels termes décririez-vous vos relations avec Carlotta Lockyer ?
– On était des amis. On faisait tous les deux partie du milieu des drogués de Bath. Dieu soit loué, je suis clean maintenant.
– Avez-vous couché avec elle ?
– Ça ne vous regarde pas, dit Wyerley.
– Votre délicatesse vous fait honneur, dit le juge, mais vous êtes obligé de répondre. »
Wyerley prit une longue inspiration, puis souffla. « J'ai couché avec elle, oui, dit-il.
– Qui est-ce qu'on juge ici ? chuchota Annie. Miss Lockyer ou ces types dans le box des accusés ? »

Ce soir-là, sur le chemin de la gare, Clarissa et Robert passèrent sur le pont. Elle sentit des frissons sur sa nuque, mais décida de ne pas y penser, de ne pas chercher Rafe du regard, de profiter de ces quelques instants en compagnie de son pompier.

Son pompier, songea-t-elle en souriant intérieurement. Impossible de renoncer à lui. Elle refusait de laisser Rafe l'en priver. Elle devait se persuader que Rafe présentait aussi peu de danger pour Robert qu'un pigeon pour un aigle.

Robert avait fait de la boxe : il assommerait Rafe de la même manière qu'il avait mis K.-O. le type qui avait voulu l'empêcher de sauver sa femme. Robert faisait du jogging tous les jours ; il avait de l'endurance. Robert savait se battre à l'épée. Il était observateur, fort, fin tacticien. Il réagirait immédiatement, arrêterait l'arme levée pour l'abattre, atteindrait sa cible avec la sienne. Robert était gaucher ; Rafe se laisserait surprendre par la frappe. Robert dépassait Rafe d'une bonne tête, et était bien plus mince. Robert était calme, sensé – deux adjectifs que Rafe était loin de mériter.

Robert posa un regard approbateur sur les nouveaux pansements sur ses doigts.

« Tu avais raison, dit-elle en lui montrant sa main gauche. Les cloques ont éclaté ce matin. Tout ce que tu disais sur les brûlures, l'infirmière m'a dit pareil. »

Il fit le modeste. « Tes doigts te font mal, non ? » Il la fixait, l'air sérieux, si bien qu'elle fut obligée d'avouer d'un signe de tête que oui. Il accrocha son regard un court instant et sourit. « Elle a beaucoup d'amis, Lottie, tu ne trouves pas ? dit-il.

– En effet. Vraiment beaucoup. Elle a une vie sociale très active. »

Ils éclatèrent de rire.

« Je l'aime bien », dit Clarissa. Elle entendait les cris des mouettes au-dessus de leurs têtes.

« Mr Wyerley aussi l'aime bien, dit Robert. Et Mr Barton aussi. »

Clarissa se demanda s'il y avait une règle officielle interdisant à des jurés de coucher ensemble. « Je serai triste », dit-elle en observant un cygne glisser sur l'eau à leurs pieds. Elle avait parlé tellement bas que ses mots furent presque entièrement emportés par le vent. Mais il les avait entendus, elle le savait.

« Pardon ? répéta-t-il.

– Ça a été un plaisir de faire ta connaissance. » Elle sentit son regard la fixer. « Je serai triste de ne plus te voir, quand tout ça sera fini.

– Mon petit doigt me dit qu'on en a encore pour un bon bout de temps avec ce procès », dit-il.

Lundi 23 février, 18 h 15

Tu m'attends dans ta voiture bleue quelconque. Je suis pétrifiée de terreur en te voyant dans ma rue. Je finis par trouver quelques pièces que je lâche dans les mains tendues du chauffeur de taxi.

Je me dis que j'ai de la chance de ne pas avoir de voiture à moi. À coup sûr tu y cacherais un dispositif de pistage. Elle deviendrait un nouvel endroit où me piéger.

Je me penche en avant en me demandant si je ne devrais pas dire au chauffeur d'attendre que je sois en sécurité chez moi. Impatient de charger son prochain client, il marmonne dans son système de communication, démentant la théorie de ma mère selon laquelle les chauffeurs de taxi se considéreraient tous comme des gardes du corps.

« C'est bon ? » demande-t-il. Autrement dit, on va pas rester là des plombes.

J'ouvre la fermeture Éclair de mon sac anti-harceleur – pour me tenir prête. « Une seconde. » Je n'ai pas besoin que le chauffeur m'attende et me protège. Pour me protéger, le mieux, c'est de te combattre.

Je sors mon nouveau portable de la poche que j'ai faite spécialement pour lui. Je le mets en mode caméra. Je me suis entraînée à exécuter la manœuvre rapidement, au cas où. Me souvenant que Lottie n'a pas réussi à utiliser son portable resté dans sa poche pour envoyer en douce un appel au secours à son copain, je me suis informée sur les trucs à faire. Dès que j'ai fermé la portière, le taxi file.

Tu es garé à deux rues de la mienne. L'avant de ta voiture me fait face et tu me regardes avancer au milieu de la route silencieuse. Tu hoches lentement la tête. Au moins tu ne sors pas pour laisser tomber sur le trottoir d'autres photos sinistres. Tu veux simplement que je sache que tu es là à m'observer. Parce que tu le peux.

Je pense à Lottie qui découvre cette camionnette dans sa rue. Lottie était seule contre quatre. J'ai plus de chance qu'elle de m'en sortir. Un contre un. Moi contre toi.

Ma main agrippe le téléphone et je zoome sans même avoir besoin de regarder, exactement comme quand j'ai répété le geste. Ma rue est bien éclairée. Le téléphone a un flash automatique. Tu n'es pas le seul à pouvoir prendre des photos.

Mes douleurs aux doigts disparues, je lève le bras et vise.

Clic : ta voiture dans ma rue. Je zoome encore plus. Clic : de plus près, ta plaque numérologique, tout juste lisible. Puis je zoome à fond. Clic : d'encore plus près, ton visage. Peut-être qu'on ne le verra pas derrière la vitre, mais ça vaut le coup d'essayer.

Trois photos, prises si vite que tu t'es laissé surprendre, forcément ; si bien que c'est avec un temps de retard que tu te rends compte de ce que j'ai fait.

Tu ouvres ta portière pour me courir après. Ce n'est pas ce que tu avais prévu de faire ce soir. Je suis déjà en train de m'enfuir, même si je ne peux m'empêcher de me retourner pour vérifier vite fait qu'il reste suffisamment de distance entre nous. Mais tu es corpulent – pas le genre d'homme qui peut bondir d'une voiture agilement. J'aperçois ta bouche aux lèvres minces déformées par la colère, alors j'accélère et descends l'allée menant à ma maison si vite que tu ne peux pas m'attraper, j'en suis sûre. J'ai sorti mes clefs – d'une autre poche utile de mon sac, que j'ai conçu selon des plans bien précis. Le métal glisse à l'intérieur de la serrure, le bois lourd cède à ma poussée, et je sais que tu as laissé tomber. Pour une fois, je suis dans un cauchemar où tout finit bien.

Je ne sais pas exactement combien de temps je reste adossée contre la porte à attendre que ma respiration ralentisse. Suffisamment longtemps pour que Miss Norton émerge de son appartement.

« Je suis vraiment contente de tomber sur vous, Clarissa, dit-elle. Ça fait plaisir de voir un peu de rose sur vos joues, pour une fois, dit-elle. Ça vous dit, de vous joindre à moi pour le thé ? »

Une tasse de thé, c'est précisément ce qu'il me faut. Ainsi que la compagnie de la charmante et très fine Miss Norton.

« Ça sera une joie, Miss Norton. » Elle a l'air si contente que je me sens brusquement coupable de ne pas accepter ses invitations plus souvent, et de ne pas lui rendre la pareille. Je la suis, après avoir pris le dernier numéro de mon magazine de couture qu'elle a laissé pour moi sur l'étagère.

Miss Norton me fait signe de m'installer sur le canapé en chintz. Le dossier est protégé par des têtières en dentelle dont la couleur crème a été brunie par le temps. « Détendez-vous, reposez-vous, mon petit », m'ordonne-t-elle. « Lisez votre magazine. Laissez-moi m'occuper de vous, pour une fois. Vous le méritez, vu ce que vous faites. Je suis sûre que c'est terriblement épuisant et bouleversant. » Elle trottine jusqu'à sa cuisine.

Je regarde le salon de Miss Norton, un sourire aux lèvres. Tous ses meubles sont des pièces imposantes en bois sombre qui appartenaient à ses parents, lesquels possédaient toute la maison avant que Miss Norton ne la divise en appartements pour les vendre ; Miss Norton est née dans cette maison.

Je tourne les yeux sur mon magazine. Je le sors de l'enveloppe en me disant que ça me fera vraiment du bien, d'oublier ces dernières minutes, de te chasser entièrement de mon esprit. Sauf que tu n'es pas prêt à laisser cela se produire, pas vrai ?

J'expire comme si tu m'avais donné un coup de poing dans le ventre. Ce n'est pas un nouveau modèle de petite robe printanière que le mannequin blond porte en couverture.

Ce qu'elle porte, ce sont des ceintures et des chaînes et des fils électriques autour de ses bras, de ses jambes, de son torse et de ses hanches. Elle est fermement attachée à une sorte de table d'opération modifiée avec des extensions réglables pour les membres. Sa peau pâle est en bonne partie exposée. Ses jambes écartées sont pliées aux genoux, ses chevilles placées en hauteur. Toutes les parties de son corps sont immobilisées. Même ses mains, ses pieds, ses doigts et ses orteils, maintenus en place avec une sorte de scotch chirurgical. Des anneaux métalliques percent ses mamelons, des cordes entrecroisées lui écrasent les seins. Un bâillon en cuir couvre sa bouche. Un bras masculin musclé ganté de cuir brandit un instrument luisant. Le propriétaire de ce bras est hors cadre. Le cou et le front de la femme sont eux aussi attachés à la table par des colliers de chien, si bien qu'elle ne peut pas tourner la tête, mais ses yeux grands ouverts regardent désespérément sur le côté en direction de l'homme invisible.

« Vous préférez le thé pas trop infusé, sans lait, c'est bien ça, ma petite Clarissa ? » me demande Miss Norton.

S'agit-il d'une photo posée ? Je veux me persuader que oui. Impossible que ce soit réellement une femme qu'on a capturée. Cette table, impossible qu'elle soit réelle. Sauf que la terreur de cette femme me paraît bien réelle, elle.

C'est ça que tu aimes bien regarder.

« Clarissa ? me demande Miss Norton. Ça vous va, comme ça ?

– Très bien, Miss Norton », bredouillé-je sans savoir de quoi il s'agit.

Les titres du sommaire me sautent au visage.

L'esclave tremblante avoue : la peur me fait mouiller.

C'est ça que tu aimes lire.

« Des biscuits ? » demande Miss Norton.

Séduction à la camisole de force : mettez-la à votre merci.

C'est ça que tu aimes faire.

Je me souviens de cette fois au parc où tu m'as coincé le bras derrière le dos. Serré le cou pour m'empêcher de bouger. Les choses atroces que j'ai été obligée de te laisser dire comme si je mourais d'envie de les entendre, le plaisir que tu as ressenti en entendant mes réponses – tous ces oui – pendant que ta main gantée se baladait sur moi. Oui, oui, oui.

« Je les ai faits ce matin, dit Miss Norton. J'espérais vraiment tomber sur vous. Je voulais vous faire une petite gâterie. C'était tellement gentil de votre part de m'acheter ces délicieux chocolats. Vous avez choisi mes préférés. »

Lavements jouissifs et autres petites opérations maison.

« Clarissa ? Vous m'avez entendue ? »

Le monde de la torture : à la découverte des cabinets interdits de nos lecteurs.

As-tu toi aussi ce genre de cabinet ?

« Ça m'a l'air délicieux, tout ça, Miss Norton, dis-je mécaniquement.

– Je suis ravie de vous l'entendre dire, Clarissa. Vous êtes beaucoup trop maigre, mon petit. »

Des beautés ligotées, écartelées, électrifiées à en mourir.

Je repense à cette nuit de novembre. Et aux marques sur mon corps le lendemain matin.

Cette photo. Je devrais peut-être me féliciter qu'elle ne soit rien en comparaison de ce que ce magazine contient ?

« Clarissa ? » Miss Norton apparaît dans l'encadrement de la porte.

Paniquée, je fourre le magazine dans son enveloppe, mais mes doigts raides emmaillotés dans les pansements du dispensaire ne m'obéissent pas et je déchire le papier kraft.

J'ai suffisamment regardé ce torchon. Même invisibles, les autres titres s'imposent à mon esprit. Ils sont très mauvais. Annie s'en moquerait avec dédain. Elle me dirait que tout cela, c'est du pipeau. Elle te frapperait, giflerait ton affreux visage. Mais je suis incapable de rire. Car ce n'est pas drôle. Pour toi, tout cela est très sérieux. La couverture du magazine est la chose la plus terrifiante, la plus laide, la plus grotesque que j'aie jamais vue.

À double tour : ficelée serré, montée à cru.

Je traverse la pièce pour vite débarrasser Miss Norton de la jolie assiette en vieille porcelaine. Elle est jaunie, toute craquelée. Les biscuits sont dorés. « Ils ont l'air délicieux », dis-je, bien que pour moi, pour l'instant, il n'y ait rien au monde de délicieux. J'essaie de poser l'assiette sur la table basse, mais mes doigts n'arrivent pas à la tenir correctement et elle tombe sur le parquet. À ma grande surprise elle n'est pas fracassée.

Positions animales : troussage de la bête.

« Vous voulez bien me débarrasser du plateau ? » demande Miss Norton, inconsciente de ma spectaculaire maladresse. Par chance, Miss Norton, qui normalement remarque toujours tout, est complètement accaparée par son rôle d'hôtesse.

Je débarque dans la cuisine, un univers marron et beige tout droit sorti des années 1970.

Punitions exemplaires et souffrances exquises.

Je vais te punir. Voilà ce que tu as dit dans le parc. C'était de ce genre de punition que tu parlais ?

« Je ne trouve pas la passoire à thé, mon petit », dit Miss Norton.

Je fouille à l'aveugle dans les tiroirs bourrés à craquer de Miss Norton.

L'école de la soumission : attache-moi, fouette-moi.

Je repense à ta façon d'expliquer pourquoi Barbe-Bleue a tué sa première épouse. La pire forme de désobéissance, as-tu dit. Je me souviens d'avoir senti le danger en t'entendant utiliser le terme. La désobéissance. Alors même que ton vin s'infiltrait dans mes veines j'arrivais encore à voir que c'était là un vocabulaire très laid, un aspect très laid de ta vision des relations entre un homme et une femme.

Tu dois faire ce que je te dis de faire. Ça aussi, tu l'as dit dans le parc.

Ces titres affreux sont variés, mais se résument tous à la même chose.

« Qu'est-ce qui vous arrive, Clarissa ? » Miss Norton rit avec tendresse. « Elle est juste là, près de vous. » Elle prend la passoire à thé et la pose à côté de son service à thé décoré de roses. Des volutes de vapeur s'échappent du bec de la théière. En prenant le plateau, je manque de me brûler les autres doigts. Marchant d'un pas incertain, je l'emporte dans le salon et le pose sur la table dans un bruit de porcelaine entrechoquée.

Comment remplir chaque trou : une leçon qu'elle n'est pas près d'oublier.

« Asseyez-vous, Clarissa », dit Miss Norton.

Je m'assois.

Exercices de supplice et tortures interdites : elle ne résistera pas.

« Prenez un biscuit, Clarissa. »

Je prends un biscuit, en croque un tout petit bout et essaie de mâcher. Je suis convaincue que je risque de m'étouffer. Je me force à avaler, et pendant que Miss Norton se concentre pour verser le thé glisse ce qui reste du biscuit dans mon sac.

Workout Equipment for All Parts : Forcing her into the Shapes and Zizes your Crave. Elle papote gaiement, tout heureuse de m'avoir sur son territoire, mais je comprends à peine ce qu'elle dit. « C'est un vrai bonheur, de vous avoir ici. Vous devez venir me voir plus souvent, Clarissa », dit-elle, et je le lui promets.

Mes mains tremblent. En prenant ma tasse, je verse du thé sur le tapis ancien de Miss Norton. Je me lève en m'excusant pour aller chercher un torchon, mais je perds l'équilibre et me cogne violemment contre la table basse, en plein sur l'os du tibia. Poussant un cri, je verse encore du thé sur les roses de son tapis. Miss Norton me fait signe de m'asseoir et me dit de ne pas m'en faire ; elle voit bien que je suis fatiguée – tout le monde le serait après une journée éprouvante dans une cour d'assises. Elle va y aller elle-même ; je dois me reposer, ne pas lever le petit doigt.

Shamed Slave suspended and Flogged in Dungeon of Discipline.

Pendant qu'elle s'absente, j'examine l'enveloppe. Aucune référence d'abonnement, aucun détail révélateur. Il y a un timbre. Une étiquette avec mon nom et mon adresse tapés à la machine. C'est tout. As-tu acheté le magazine dans l'arrière-salle d'un sex-shop, là où seuls leurs clients particuliers sont invités ? L'as-tu commandé en ligne sur un site impossible à trouver avec un moteur de recherche normal ? Peut-être fais-tu partie d'un club masculin secret qui permet d'obtenir ce genre de chose. L'hypothèse la pire, c'est que tu l'as fait toi-même. Mais la police devrait pouvoir découvrir qui l'a envoyé, et remonter la piste jusqu'à toi.

Je jette un coup d'œil rapide à la couverture du magazine. Le mannequin n'a pas été maquillé ; personne en post-prod pour poser des questions gênantes. Son mascara a coulé à cause de ce qui ressemble à de vraies larmes ; ils n'ont pas eu recours à une maquilleuse qui aurait pu témoigner. Le mannequin, est-ce Laura Betterton ? L'éclairage est mauvais, et la couverture semble avoir été faite dans un garage aveugle et insonorisé ; ils n'ont pas utilisé un studio où on aurait pu voir le mannequin entrer, puis sortir librement.

Je range ton magazine pour la seconde et dernière fois, sachant que jamais plus je ne le sortirai de l'enveloppe en papier kraft. Son côté amateur a quelque chose qui le rend encore plus sinistre et réel. Quelque chose qui m'incite à m'interroger sur la limite entre réalité et pose. Je ne peux m'empêcher de me demander qui est cette femme en couverture du numéro de mars, comment elle s'est retrouvée photographiée comme cela, qui a pu imaginer de telles horreurs, et où elle se trouve maintenant. Je ne me demande pas si tu as fait des choses pareilles toi-même. J'en suis certaine.

Mardi

Le témoin était affalé dans sa chaise, les yeux mi-clos. Dorcas Wykes. Celle dont la vieille maman distinguée ne disait pas de gros mots. Dorcas ne se cachait plus derrière les rideaux de sa chambre ; un gardien de prison était assis non loin d'elle.

Se rendant compte qu'elle se tenait mal aussi, Clarissa se força à se redresser.

« Je sais que ça fait presque deux ans, mais j'ai besoin de parler de quelque chose de très perturbant qui vous est arrivé à l'époque. » Mr Morden parlait d'une voix douce. Dorcas le fusilla du regard.

« Vous souvenez-vous avoir fait le trajet Bath-Londres en voiture le samedi 5 mai ? demanda Mr Morden. Des gens que vous connaissiez vous y ont conduite. »

Dorcas se tordit le cou pour regarder derrière elle. Tourna lentement la tête de droite à gauche, le regard furieux, insistant. « Non », dit-elle. Elle secoua violemment la tête. « Non. » Elle serra les bras autour de sa poitrine, commença à se balancer. Elle fit tomber ses cheveux sur son visage pâle de prisonnière, comme un rideau derrière lequel se cacher. Elle fondit en larmes. Se mit à respirer péniblement.

« Je suis obligé de demander au jury de sortir quelques instants, dit le juge, pour permettre à Miss Wykes de se reprendre. »

Avant même que la porte entre la salle d'audience et la salle d'attente soit fermée, le jeune juré avec les mèches violettes prit la parole. « Une folle. Jolie, j'avoue. »

Il avait un air de lutin, chose étonnante pour un apprenti serrurier. Clarissa l'avait remarqué parce qu'il semblait éternellement branché sur ses écouteurs, de la même couleur violette que ses cheveux. Un jour, il était entré avec dans le box du jury, et Robert lui avait donné un coup de coude discret pour qu'il les enlève avant que le juge ne le remarque.

« Chut ! » dirent immédiatement plusieurs des jurés.

Annie le poussa carrément du coude en lui disant de la boucler. Puis elle leva les yeux au ciel. « Elle me fait perdre mon temps, celle-là. Je n'aime pas les gens qui me font perdre mon temps. Comment ose-t-elle ?

– J'ai pitié d'elle, dit Clarissa, décontenancée. Ce procès, c'est un concours. Le concours de celui qui sera le plus triste. »

Elle chercha dans la grande poche de son sac anti-harcèlement du baume pour les lèvres, fouilla au fond en remuant le contenu et fut bien étonnée de sentir sous ses doigts quelque chose de soyeux. Elle sortit l'objet pour l'examiner. Puis le roula immédiatement en boule dans son poing serré.

Mardi 24 février, 11 h 45

J'essaie de retrouver un visage calme, mais je tiens toujours dans mon poing l'objet trouvé dans mon sac.

Il s'agit d'un morceau de jersey lavande tailladé. Le slip que je portais la nuit que j'ai passée avec toi en novembre. Tu as dû le glisser dans mon sac au moment où je me suis évanouie dans le passage souterrain.

Tu l'as modifié après avoir pris la photo. Tu l'as fendu au niveau des hanches, aux coutures. Tu as découpé l'entrejambe, qui ne se trouve pas dans mon sac. Quand as-tu fait ça ? Est-ce que je portais toujours le slip à ce moment-là ? Les ciseaux ont-ils touché ma peau en mordant le tissu ? Je vois la photo aussi clairement que si je la tenais devant mes yeux. Tes paroles tournoient dans ma tête. La pièce manquante. *J'ai la pièce manquante*, Clarissa.

Clarissa avait retrouvé sa place dans le box. Les bouches s'agitaient, mais aucun mot n'en sortait. Mr Morden paraissait loin, et bien plus petit, comme s'il se tenait à l'autre bout d'un long tunnel et qu'elle le regardait en utilisant des jumelles dans le mauvais sens. Au bout de quelques minutes, les sons commencèrent à revenir, et Mr Morden grandit jusqu'à reprendre sa taille normale, comme Alice après avoir bu la potion qui fait grandir. Elle ignorait ce qu'elle avait manqué, mais au moins elle ne s'était pas évanouie, et même Annie n'avait rien remarqué. Clarissa se piqua exprès la base du pouce avec la pointe de son crayon. Concentre-toi, se dit-elle.

« Vous vous êtes rendue de votre plein gré au commissariat le lundi 7 mai. Vous y avez passé deux jours, Miss Wykes, en tant que témoin.

– Me souviens pas être allée là-bas. »

Annie secoua la tête de droite à gauche dans un geste de dégoût. Ça pourrait être moi, songea Clarissa. Elle comprenait la terreur et le sentiment de honte de cette femme obligée de parler en public de ce qui lui était arrivé. Elle-même pourrait bien un jour devenir le genre de personne qu'Annie et ses semblables trouvaient écœurante.

À l'heure du déjeuner, Clarissa, hébétée, sortit des toilettes femmes où elle avait vomi, acheta une bouteille d'eau pétillante dans un café, s'installa dans un coin tranquille avec un livre qu'elle ne lut pas.

De retour dans la salle d'audience, elle se piqua encore avec la pointe de son crayon, se rendant compte de son geste uniquement lorsque Annie se pencha pour lui arracher le crayon de la main en faisant non de la tête avec un air horrifié devant la minuscule perle de sang.

Les oreilles de Clarissa bourdonnaient. Elle ne comprenait rien à la voix de Mr Morden. Elle pressa les mains sur ses tempes, baissa les yeux vers ses notes. Sa propre écriture lui sembla aussi indéchiffrable que des hiéroglyphes. Tout ce qu'elle voyait, c'était des chaînes, des ceintures, des cordes. Les yeux terrifiés de la jeune femme bâillonnée. La main gantée, l'instrument luisant. Les titres affreux décrivant le contenu du magazine.

Mr Morden ajusta sa montre, aligna sa pile de documents, se balança d'avant en arrière, visiblement gêné pour formuler sa question suivante. « Vous êtes-vous rendue dans un parc londonien le dimanche 6 mai, juste avant de rentrer chez vous ? »

Dorcas allait se lever d'un bond, mais après un regard vers l'écran bleu elle resta assise, toujours cachée, et de plus en plus agitée. « Non. »

Quand elle était petite, les parcs étaient pour Clarissa des lieux enchanteurs. Elle et ses parents y savouraient les généreux sandwiches préparés et soigneusement emballés par sa mère. Son père l'aidait à faire des châteaux et des sirènes avec le sable humide. Les parcs n'étaient pas des endroits dangereux.

Elle songea au parc de son quartier, cet endroit autrefois tant aimé. Maintenant, ce parc, c'étaient deux mains gantées qui agrippaient son poignet, du cuir pressé entre ses jambes, des mots pour l'humilier, une voiture vers laquelle elle ne devait pas se laisser traîner. Maintenant, ce parc, elle le détestait. Elle ne voulait plus jamais y retourner, tout en étant consciente de l'avoir échappé belle.

Aucun fan d'informatique n'était venu à la rescousse de Dorcas dans ce parc londonien. Aucun Bruce à tête noire soyeuse.

Mr Morden changea de tactique. « Miss Wykes, votre mère a témoigné devant ce jury. Elle...

– Le jury, qu'il aille se faire foutre ! »

Le juge prit un air furieux. « Le procès est suspendu jusqu'à demain. »

C'était un cadeau inespéré que de se retrouver avec Robert dans un café près du pont, une lubie qu'il avait eue de vouloir s'arrêter ici pour prendre une boisson chaude avant d'attraper le train suivant.

Elle but une gorgée du thé qu'il lui avait offert. La nausée ne l'avait pas quittée depuis qu'elle avait touché ce magazine ; elle s'était aggravée après la découverte du slip ; c'était devenu une sorte de poison alimenté par les allusions à ce que Dorcas avait subi et le spectacle de la jeune femme effondrée dans le box des témoins. Même si le fait de se trouver avec Robert lui procurait un bonheur si fort que son mal au cœur s'atténua, du moins pendant quelques minutes.

« Une fois, dit-il, je n'étais pas de garde, une femme devant une maison en feu criait : “Mes bébés, mes bébés, sauvez mes bébés !” Je t'ai dit qu'on travaillait toujours par deux, non ? »

Elle fit signe que oui tout en s'étonnant de parvenir à lui cacher son malaise.

« Deux pompiers sont allés chercher ses bébés, dit-il. Ils sont morts tous les deux.

– Et ses bébés ?

– Ses bébés ? C'étaient des perruches.

– Toi, tu ne retournerais pas dans une maison en feu, hein ?

– Je ne prends jamais de risques inutiles. » Il croqua un morceau du gâteau au citron qu'il s'était acheté, mâchant et avalant avec un plaisir exagéré, des soupirs de plaisir et le regard d'un petit garçon qui a volé une gâterie interdite. Il poussa l'assiette vers elle. « Sauf quand il s'agit de dessert. » Il y avait une seule fourchette. « Tu partages avec moi ? »

Elle sourit au point de se faire mal aux mâchoires. Elle prit la fourchette et découpa un bout de crème au beurre couverte de zeste de citron, mais n'y goûta que du bout des lèvres.

« Si tu penses que je n'ai pas remarqué que tu n'as mangé que le glaçage, tu te mets le doigt dans l'œil.

– Je fais toujours ça. Maintenant, tu as découvert mon plus terrible secret.

– Et toi, tu connais le mien, dit-il. Je ne parle jamais boulot. Ma femme, elle ne veut jamais... elle ne voulait jamais en entendre parler. J'ai peur d'ennuyer les autres avec ça.

– Je ne vois pas qui pourrait trouver ça ennuyeux. »

Elle avait conscience de le flatter en lui témoignant de l'intérêt, de l'attention et de l'admiration, conscience que ça marchait, mais elle était sincère, à cent pour cent.

Son attirance pour Robert était-elle aussi dangereuse que celle qu'éprouvait Rafe pour elle ? Bien sûr que non. On ne pouvait pas comparer. Elle essaya de ne pas penser au slip découpé dans son sac.

Elle leva la main, la tendit vers lui, la laissa en l'air. Il lui adressa un regard en coin, un regard encourageant mais interrogateur. Elle se pencha vers lui pour retirer une miette jaune collée sur son menton. Le geste les laissa tous les deux figés l'espace de quelques secondes.

Le souvenir d'Henry essuyant du doigt une trace de chocolat qu'elle avait sur les lèvres puis l'embrassant l'envahit par surprise.

Elle secoua la tête pour chasser Henry et le souvenir. « Ils sont tous comme toi, les pompiers ? demanda-t-elle d'un ton léger.

– Ouais. On a des besoins simples. Donnez-nous plein de viande, des patates, et on est heureux. On est tous pareils.

– Je n'y crois pas une seconde. »

Il éclata de rire. « À mon avis, tu n'as pas rencontré beaucoup de pompiers... »

Elle éclata de rire elle aussi. « Tu es mon premier, c'est sûr.

– Pas rencontré beaucoup de gens.

– Je crains que tu n'aies raison. Pour élargir le cercle de mes connaissances je vais demander à Grant de venir prendre un café avec moi demain. Et toi, il faut que tu demandes à Sophie. »

Grant et Sophie étaient les jurés qu'ils appréciaient le moins.

« Il y a une chose dont je suis certain, dit-il.

– Oui ?

– Je n'inviterai pas Sophie à se joindre à moi ici.

– Eh bien moi, j'inviterai quand même Grant », dit-elle.

Mardi 24 février, 19 heures

Cette fois-ci, il n'y a que mon nom sur l'enveloppe marron. Prénom nom de famille. Tapé à la machine. Aucun petit mot. Aucun message. Juste la photo.

LA photo.

Dans ma chambre, pratiquement nue, les bras et les jambes écartelés si bien que mon corps forme un x, mes poignets et mes chevilles attachés aux montants du lit, un bandeau noir sur mes yeux et un foulard noir couvrant ma bouche. Je porte encore le slip, mais tu as découpé l'entrejambe. Les bas et le soutien-gorge sont toujours là, sauf que maintenant, il y a des ciseaux posés à côté d'eux.

Tu as également ajouté un fouet, enroulé près de moi sur le lit.

Tous ces discours hypocrites sur ton amour. La vérité, elle est là, sur cette photo. C'est ainsi que tu me vois, que tu m'imagines, c'est cela que tu veux me faire subir depuis le début. Me piéger, me contrôler, me faire mal. C'est ce que tu me fais tous les jours, littéralement. C'est comme ça que tu me veux. Une poupée gonflable qui ne peut ni parler ni bouger, dont le visage est à peine visible, qui n'est même pas consciente – avec laquelle tu peux faire tout ce que tu veux.

Elle n'a aucun moyen de dire non. Certes, tu aimes beaucoup entendre le mot oui, mais tu peux t'en passer. Ça ne change rien. Tu feras selon ton bon plaisir avec ou sans oui, tant que tu ne risques rien.

Je comprends aussi que tu as recouvert mon visage pour pouvoir utiliser la photo. Ça me fait penser à une rubrique de mon magazine de couture où les lectrices envoient des photos de leurs créations. Les photos sont accompagnées de textes racontant l'occasion pour laquelle elles ont créé le vêtement, comment elles s'y sont prises, les outils spécialisés qu'elles ont utilisés ou bien les objets du quotidien avec lesquels elles se sont débrouillées. Je parie qu'il y a une rubrique semblable dans ton magazine.

Peut-être cette photo est-elle ta contribution à ton groupe de détraqués, accompagnée du récit de tout ce que tu m'as fait subir. Dois-je me féliciter de ne pas être facilement reconnaissable ?

J'essaie de me répéter que ce corps sur mon lit n'est pas moi, que ce n'est que mon enveloppe, mais ça ne marche pas.

Je repense au passage que tu as souligné dans « Le Fiancé brigand ». Les verres de vin et le cœur fendu, l'étalage du corps nu de la jeune fille, le sel dans les blessures. Voilà ce que tu m'as fait. Ce que tu continues de me faire subir.

Combien de temps as-tu passé à m'installer et à prendre tes photos ? Je me souviens de ta mallette bourrée à craquer avec sa serrure. Maintenant je sais exactement quels accessoires tu trimballais avec toi cette nuit-là. Je sais d'où viennent les marques sur mon corps.

Jamais je n'ai douté que nous ayons eu une relation sexuelle. La douleur entre mes jambes le lendemain matin et l'infection de la vessie l'indiquaient clairement. Je sais maintenant que j'étais sans doute attachée quand cela s'est produit. Je me rue dans la salle de bains, juste à temps pour vomir.

Tu détenais cette photo depuis ce soir-là, et j'ignorais tout de cette violation, je n'en avais aucun souvenir. Comment est-ce possible ? Il n'y a qu'une explication. Ça ne fait plus l'ombre d'un doute : tu as mis de la drogue dans mon vin.

J'asperge mon visage d'eau froide et me brosse les dents. Je range ton répugnant trophée au fond de mon armoire. Pas dans le placard avec les autres preuves. Je sais bien que je ne dois pas détruire cette photo, mais tu es suffisamment malin pour savoir que je ne supporterais pas que quelqu'un d'autre la voie. En comparaison, la première paraît inoffensive.

J'allume mon ordinateur portable et commande un nouveau matelas et un nouveau lit. Je voulais le faire depuis un certain temps, mais maintenant je ne peux plus attendre. Ça aide, de faire quelque chose. La tête de lit et le pied sont en bois plein. Pas de lattes. Pas de montant. Je clique sur la case et paie le supplément pour qu'ils enlèvent le vieux lit. Je continuerai à dormir sur le canapé jusqu'à ce que ma commande arrive, dans quatre semaines.

Chaque matin, je ferai une pile des couvertures et des oreillers pour les ranger dans le vieux coffre en cèdre qui faisait partie des cadeaux reçus par mes parents à leur mariage. Le geste me rappellera que tout cela est temporaire, et uniquement pour la nuit. Ma chambre va redevenir ma chambre. Mais je ne pourrai jamais plus dormir dans mon vieux lit, le lit où tu m'as fait subir ces choses-là, le cadre de cauchemars que tu ne veux pas que j'oublie.

Mercredi

Mercredi 25 février, 8 h 07

Tu n'es pas posté devant chez moi, alors je devine que tu es à la gare. Quel plaisir ça va être pour toi de voir comment je réagis à ton dernier cadeau. Tu ne vas pas pouvoir y résister. Tu ne vas pas pouvoir attendre.

J'ai raison. Dès que je sors du taxi tu te matérialises à côté de moi. J'aurais aimé me tromper. J'aurais aimé ne pas te connaître aussi bien.

« Ils te plaisent, ces petits souvenirs de notre nuit ensemble, Clarissa ? »

Je ne te regarde pas, je ne te parle pas. Tu t'y attends. Nous ne nous surprenons plus l'un l'autre.

« On entrera dans les détails un peu plus tard, Clarissa. Comme dans le magazine. Ça donne beaucoup d'inspiration, tu ne trouves pas ? »

Je commets l'erreur de te regarder brièvement. Tes lèvres sont minces et pâles, mais elles luisent, comme si tu venais de les lécher.

Tu portes les gants en cuir que tu avais au parc. Je m'aperçois maintenant qu'ils sont identiques à ceux qui figurent sur la couverture de ton magazine. La peau de mon poignet droit se hérisse au souvenir de la brûlure indienne, même si les marques et la sensibilité sont parties il y a plus d'une semaine.

Tu te penches vers moi. « Ça t'a beaucoup plu, d'être attachée comme ça. J'ai été obligé de te bâillonner, pour ne pas que tes voisins t'entendent. Le bâillon, ça t'a excitée. Le bandeau aussi. »

J'enfonce mon coude dans tes côtes et savoure ta grimace de surprise et de douleur. « Fiche-moi la paix. » Les mots m'échappent comme si j'avais retenu mon souffle trop longtemps et ne pouvais plus tenir.

« Il y a d'autres photos, Clarissa. Il y a eu beaucoup de préliminaires. Je suis très attentionné dans ce domaine. Tu aimerais les voir ? Tu penses que le pompier les aimera ? Je sais où il habite. »

Je passe le portillon sans regarder en arrière, persuadée que tu vas me suivre. Mais tu restes sur place et je t'entends m'appeler depuis l'autre côté de la barrière au moment où je tourne pour prendre le tunnel. « Je plaisantais, Clarissa, c'est tout. Mes souvenirs, je vais les garder pour moi. Tu sais bien que jamais je ne te partagerai. » Tu ris. C'est rare, de t'entendre rire, et ton rire est amer, plein de haine, et je suis convaincue que par ce rire tu me maudis.

Clarissa ferma les yeux très fort, sans pouvoir s'empêcher de se voir elle-même, créature cauchemardesque sortie des pages de ce magazine ou d'un monstrueux film sado-maso. Elle se força à se concentrer et à résister à la tentation de se piquer avec la pointe du crayon. Elle se demanda si les policiers regardaient des magazines comme celui-là pour identifier les criminels et les victimes, pour résoudre des affaires criminelles.

Elle écrivit sur sa fiche : *Betty Lawrence, médecin légiste, 146.* Annie donna une petite pichenette sur sa feuille en secouant la tête d'un air faussement effaré par le nombre de pages de notes accumulées par Clarissa. Robert aussi la taquinait parfois ; il avait pris au plus quatre ou cinq pages de notes.

Mrs Lawrence expliquait comment on analysait une empreinte génétique. Clarissa imagina des enquêteurs autour de son lit en train de faire des prélèvements et des photos d'elle. Il l'avait transformée en objet de curiosité, en chose grotesque. Elle devait tout faire pour ne pas laisser cela recouvrir la vision qu'elle avait d'elle-même.

« J'ai examiné un ensemble de vêtements appartenant à Carlotta Lockyer », dit Mrs Lawrence.

Clarissa essaya de se redresser, d'effacer la photo de son esprit. Elle essaya de ne pas imaginer le dégoût qu'éprouverait Robert à son égard si jamais il la voyait. Elle l'imagina, cette photo, projetée devant un jury sur un écran comme celui qui se trouvait à sa droite, et pria pour que cela ne se produise jamais.

« Cet ensemble comprenait un mini-slip rose trouvé derrière un placard dans la salle de bains de l'appartement où Miss Lockyer affirme avoir été séquestrée. Il y avait une grande quantité de sang sur le sous-vêtement. Le sang était celui de Miss Lockyer. »

Elle imagina son propre slip découpé et composant deux pièces à conviction, l'une trouvée dans son appartement à elle, et l'autre, l'entrejambe, récupérée chez lui – peut-être découverte dans une vitrine. Qu'est-ce qu'un médecin légiste révélerait à travers l'analyse de ce petit souvenir ? Elle s'efforça d'étouffer l'humiliation qui la saisissait à l'idée que quelqu'un puisse étudier les taches sur ce bout de tissu. Son sperme à lui sur une lamelle. Ses sécrétions à elle sous un microscope.

Mercredi 25 février, 13 h 15

Je voudrais ne pas avoir à me cacher. Je ne supporte pas que tu me donnes envie de me cacher. Je fais la queue dans une supérette à l'éclairage criard pour acheter un yaourt.

Quelle bêtise de croire que je peux faire quelque chose d'aussi ordinaire que d'aller dans un magasin du quartier. Quelle bêtise de vouloir à tout prix respirer l'air frais, ne serait-ce que quelques minutes, de faire le trajet aller-retour à pied. Quelle bêtise de refuser de renoncer à des activités normales. Je me sens bien à plaindre, et je sais qu'il faut que ça cesse, cet auto-apitoiement.

Je t'entends avant de te voir. Ta voix est si basse qu'elle ne s'adresse qu'à moi. Ton souffle chauffe mon oreille. « Je n'ai pas réellement utilisé le fouet avec toi, Clarissa. Pas pour de vrai, en fait, même si tu as beaucoup aimé nos petits essais. Ça sera pour la prochaine fois. »

L'escalade. C'est contre ça que toutes les brochures anti-harcèlement nous mettent en garde. C'est ça qui va suivre, disent-elles toutes.

La première fois que j'ai lu ce mot, je n'ai pas osé imaginer pour de bon ce que cela voulait dire, ce que cela signifiait concrètement, chez toi, l'escalade. Je n'ai pas voulu habiter ce mot comme il faut. Tes mains sur moi au parc. Tes photos ignobles.

Je pose le yaourt sur la première étagère venue et fuis le magasin. En général, je cours très mal. Au bout de quelques secondes, je me retrouve à bout de souffle, avec un point de côté. Je zigzague dans la foule sous les regards étonnés, poursuis ma course ridicule et échevelée à travers les allées du marché pour retrouver le refuge de la salle d'attente du jury. Tout en priant pour que Robert ne se trouve pas parmi la foule, pour qu'il ne me voie pas. À l'angle, je vérifie derrière moi avant de déboucher dans la rue du tribunal, haletante. Je trébuche, me rattrape de justesse. Mais tu ne me suis pas. Tu as dû comprendre que si tu déboulais juste derrière moi, tout le monde devinerait que tu me poursuis.

Cela devait résulter de l'intensification de cette terreur maladive qui l'accompagnait tout le temps, à présent. C'était sans doute cela qui lui avait fait repenser aux Betterton. Elle trouva un coin tranquille et composa le numéro. Une voix féminine répondit.

C'était quitte ou double ; elle avait peu de temps. « J'ai besoin de savoir ce qui est arrivé à Laura, dit-elle.

– Nous aussi. » La femme raccrocha.

Elle réessaya. « S'il vous plaît, dites-moi quelque chose. S'il vous plaît.

– Laissez-nous tranquille. » La femme raccrocha à nouveau.

Elle essaya une troisième fois. Pas de réponse.

S'ils ne voulaient pas qu'on leur téléphone et qu'on leur pose des questions sur Laura, pourquoi ne se mettaient-ils pas sur liste rouge ? Pourquoi avait-il été si facile de les trouver ? Elle n'avait pas bloqué l'identification de son numéro, dans l'espoir qu'ils seraient moins méfiants à son égard, voire qu'ils la rappelleraient, même si au fond d'elle-même elle savait qu'ils n'en feraient rien. Alors pourquoi continuaient-ils à répondre ?

À la fin de la journée, alors qu'ils attendaient dans l'annexe que l'huissier les escorte en bas, son taux d'adrénaline n'avait toujours pas baissé. Elle avait essayé de rassurer Annie, qui se demandait pourquoi ses yeux donnaient l'impression d'avoir été passés à l'eau de Javel.

La voix tonitruante de Grant fit heureusement diversion.

« Pourquoi il y a si peu de sperme de Tomlinson ? C'est pas logique. S'il a vraiment éjaculé sur son visage et qu'elle s'est nettoyée avec la chemise et le jean comme elle a dit, alors y en aurait plus.

– La quantité de sperme varie selon les hommes. La norme, c'est de un à cinq millilitres. » La voix de Clarissa semblait calme. Contrairement à elle. « Le fait que les experts médicolégaux n'aient trouvé que de petites quantités ne veut pas dire que Miss Lockyer mentait. » En croisant le regard de Grant, elle sentit le rouge lui monter aux joues. « Peut-être qu'il n'en produit pas beaucoup. »

Clarissa et Robert avaient pris l'habitude de s'attarder à la fin de la journée d'audience, puis de sortir ensemble. Elle appréciait réellement sa compagnie, pour ce qu'elle était ; le fait qu'il la protégeait contre Rafe, qu'il lui permettait de marcher jusqu'à la gare en toute sécurité, n'était qu'un plus.

Pour faire comme si elle ne l'attendait pas à la sortie du vestiaire, elle lut consciencieusement, comme s'il était urgent de les mémoriser avant de s'en aller, les sévères recommandations affichées au-dessus du bureau de la greffière. Pas de tentative de corruption, pas de photos, pas de discussion sur ce qui se passait dans la salle de délibération parce que c'était un délit passible d'une amende, voire de prison – une règle valable à vie.

Lorsque Robert apparut, elle lui répéta solennellement ces préceptes importants. Il hocha la tête d'un air faussement approbateur.

« Tu as vu la tête de Grant quand tu as commencé à parler de sperme ?

– Je me suis retenue de regarder exprès. »

Ce gros mensonge les fit sourire tous les deux.

« Ils auraient tort, mais la plupart des hommes se sentiraient mal à l'aise en entendant ce genre de chose », dit-il.

Elle n'était pas sûre de pouvoir le croire.

« C'était important de dire ça. Comment le savais-tu ?

– Je suis calée en biologie.

– Je n'en doute pas. Mais je pense qu'il n'y a pas que cela.

– Trop de fécondations in vitro ratées. Ce qu'on appelle un facteur d'infertilité masculine sévère.

– Aïe », dit-il.

Cette fois-ci, elle parla en le regardant bien droit dans les yeux. « J'aurais aimé ne pas en savoir autant sur le sperme. »

Il rit, avant de retrouver rapidement son sérieux. « Ça n'a pas marché ?

– Non. Aucun bébé. » Elle s'efforça de ne pas avoir l'air triste, sans vraiment être convaincue. « Henry m'a fait jurer de ne jamais dire à quiconque pourquoi il nous fallait un traitement, mais je crois que la clause de confidentialité a expiré. »

Ce n'était pas une trahison : Robert ne rencontrerait jamais Henry. La vérité, c'est qu'elle ne voulait pas que Robert la croie infertile.

« Mais de toute façon, ce n'est pas l'idée d'avoir des enfants qui nous a attirés l'un vers l'autre. Il n'était pas le genre à devenir gâteux devant un bébé. Il avait accepté pour moi, parce qu'il savait à quel point je voulais un enfant.

– Tu serais restée avec lui s'il n'avait pas accepté ?

– Je voulais à tout prix être avec lui, alors oui, dit-elle lentement. Mais Henry m'a promis très vite qu'on essayerait d'avoir un bébé. Je ne suis pas sûre que notre relation aurait survécu s'il avait rompu sa promesse. Finalement, elle n'a pas survécu au fait qu'il a tenu sa promesse. La perspective d'un bébé qui le dérangerait dans son écriture le terrifiait.

– On peut comprendre, dit Robert.

– Oui. Il était secrètement soulagé chaque fois que la tentative de fécondation échouait. On n'en parlait jamais, mais je savais que c'était ce qu'il ressentait. »

Elle se souvint d'un message que Rafe avait envoyé juste avant le procès et qu'elle avait rangé avec les autres objets qui, elle l'espérait, ne seraient jamais examinés par Mrs Lawrence. *Je pourrais te donner un bébé, Clarissa. Si tu voulais bien.*

« Ça a dû être dur pour toi, dit Robert.

– Je ne suis pas sûre de mériter ta compassion. Je n'ai pas voulu réfléchir, pas voulu comprendre réellement à quel point Henry était ambivalent. J'avais trop peur, peur que cela empêche la réalisation de mon désir. Je me suis dit qu'il aimerait le bébé une fois qu'il serait là, et qu'il serait heureux. Je suis devenue complètement obsédée. J'avais même acheté des couches et des patrons pour faire des vêtements d'enfants. »

Gênée, elle leva les yeux au ciel.

« Il devait beaucoup t'aimer, dit-il, pour faire cela pour toi, s'il est vraiment comme tu le décris.

– Il est – il était compliqué. Mais il n'a plus voulu essayer. Tous ces échecs, c'était trop pour lui. Pour nous deux, en fait, même si je ne voulais pas le reconnaître à l'époque. Me voir prendre tous ces médicaments, voir ce que les médecins me faisaient subir alors que c'était sa faute à lui, ça le mettait mal à l'aise, en colère – si tant est qu'Henry puisse exprimer un tel sentiment. Tout ça pour quelque chose qu'il ne désirait même pas. » Elle tenta une blague maladroite. « En matière d'injections, je fais concurrence à Lottie. »

Il ne rit pas. « Tu étais triste.

– Oui. » Elle baissa les yeux vers le trottoir. « Très triste. Je voulais tellement avoir un enfant, être mère. Je n'ai plus fait attention à Henry. Je n'ai pas été juste avec lui. »

L'idée d'avoir dit à Robert quelque chose de vrai sur elle-même la soulageait. Elle était curieuse de voir ce qu'il en ferait.

« Ça te dérange si je te demande pourquoi vous ne vous êtes jamais mariés ? »

Ça la dérangeait, mais uniquement parce qu'elle n'aimait pas y penser. « Sa femme était catholique. Elle ne voulait pas divorcer. Elle disait qu'ils étaient mariés pour toujours aux yeux du Seigneur. Henry se sentait trop coupable pour insister. Moi aussi.

– Ils resteront certainement mariés jusqu'à la mort.

– Cela fait cinq ans qu'ils sont séparés et il n'a toujours pas divorcé.

– Alors il était prêt à avoir un bébé avec toi et à te voir subir toutes ces traitements médicaux, mais pas prêt à t'épouser.

– C'est ce que ma mère disait.

– Ravi d'apprendre que je te rappelle ta mère.

– Ma mère est formidable. » Ils sourirent. « Je me suis toujours dit que si je tombais enceinte, ça changerait tout. Que ça serait une raison tellement impérieuse qu'il insisterait pour obtenir le divorce.

– Peut-être. »

Robert ne semblait pas convaincu.

« Je me dis que peut-être il avait peur de se remarier. Il avait déjà un échec derrière lui. Et puis, il pensait que le plus important, c'était d'être ensemble. Et qu'on n'avait pas besoin d'un bout de papier. Ce qui n'est pas complètement faux. »

Les sourcils froncés, Robert regardait droit devant lui, en direction du trottoir d'en face. Rafe, elle l'aurait parié. Elle glissa sur du verglas fondu. Robert la rattrapa.

Elle devait sauter sur l'occasion pour l'alerter. « Tu as vu quelque chose ? » demanda-t-elle. S'il avait eu l'impression que quelque chose ne tournait pas rond, il fallait le conforter dans cette idée, s'assurer qu'il était prêt à se protéger.

Il haussa les épaules. « C'est rien. »

Elle ne sut pas trop si elle avait peur de son déni, ou plutôt des conséquences pour elle s'il reconnaissait avoir remarqué Rafe. Elle se força à insister. « Je croyais que tu avais vu quelque chose d'inquiétant.

– Comme je t'ai déjà dit, je ne m'inquiète jamais.

– Pourtant tu devrais. Tout le monde devrait s'inquiéter, à un moment ou un autre.

– Ne t'inquiète pas pour moi. Ce n'est pas à toi de le faire. » Elle eut sans doute l'air blessé – il se força à sourire. « Je pense que tu es trop dure avec toi-même par rapport à Henry, dit-il, changeant de sujet. Et par rapport à sa femme aussi. Les gens ne choisissent pas toujours la personne dont ils tombent amoureux. »

Elle était trop angoissée pour relever ce qu'il venait de dire. Plus tard, elle se rejouerait la scène. Mais sur le coup, elle se demanda uniquement si elle pouvait trouver un autre moyen de l'alerter ; mais devant ce nouvel échec, elle laissa tomber.

« Tu veux bien me parler de ce qui est arrivé à ta femme ? » En la questionnant sur Henry, elle sentait qu'il l'avait autorisée à inverser les rôles, à lui poser des questions difficiles et personnelles.

« C'était un accident de voiture. En fin de matinée. Un autre conducteur, dans un virage, s'est retrouvé du mauvais côté de la chaussée et l'a percutée de plein fouet. Elle est sans doute morte sur le coup. Je venais de faire la nuit et j'étais allé me coucher directement. Je ne sais pas où elle allait. J'ignorais qu'elle était partie. »

Il paraissait détaché. Il parlait en regardant le trottoir. Elle ne l'avait jamais vu agir ainsi. Se révéler, tout en se cachant.

Jeudi

C'était la première fois que Robert et elle passaient l'heure du déjeuner ensemble. Ils se promenèrent dans les allées tranquilles d'un parc voisin où, dès leur arrivée, ils eurent l'impression que les bruits de la circulation de Bristol avaient disparu. Sans Robert, elle ne se serait jamais aventurée là. Les promenades au parc lui manquaient.

Robert s'assit sur un banc en bois sous un arbre. Elle fit de même, les jambes repliées sous elle. La raideur qui avait brusquement pris Robert la veille avait semblait-il disparu.

« Lottie ne fait pas grand-chose pour sauver sa peau, tu ne trouves pas ? » dit-il.

Elle fit tristement oui de la tête, espérant qu'on ne pourrait jamais en dire autant d'elle. « Raconte-moi ce que tu as fait de pire dans ta vie. » Elle s'étonna elle-même de poser cette question.

Il réfléchit quelques secondes. « J'ai rencontré ma femme lors d'un rendez-vous arrangé. Elle… » Il s'interrompit. « Une autre fois. Ce n'est pas le moment. » Mais il sourit, un sourire courageux et philosophe destiné à adoucir son refus, et elle en conclut que le sujet était trop douloureux pour lui. Elle ne voulut pas le forcer à parler de sa femme morte, surtout après avoir vu la veille comment il réagissait quand le sujet était abordé.

« Tu aurais tout à fait le droit de ne pas répondre, dit-il, mais toi, tu veux bien me raconter ce que tu as fait de pire ? »

Elle observait un rouge-gorge qui sautillait sur l'herbe sans rien trouver visiblement. Elle se força à lever la tête et à le regarder. « Coucher avec quelqu'un que je n'aimais pas, dit-elle d'une voix très douce.

– Il n'y a rien d'horrible à ça. Ni de rare.

– Si, c'est – c'était – vraiment horrible. »

Des choses horribles, elle aurait pu lui en raconter d'autres.

Le téléphone sonnant quelques mois après qu'Henry quitte le domicile conjugal et s'installe chez elle. Sa femme hurlant à l'autre bout du fil – la crise de la quarantaine, les femmes plus jeunes et autres clichés. Clarissa, disait-elle, était loin d'être la première avec laquelle Henry avait une aventure. Il était stérile, disait-elle. De toute façon, Henry ne voulait pas d'enfant, alors le fait de ne pas pouvoir en avoir lui convenait parfaitement. Henry allait priver Clarissa de la possibilité d'avoir un bébé et elle ne s'en rendrait compte que quand il serait trop tard. Elle-même ne savait que trop bien comment on vivait ça.

Henry avait arraché le combiné des mains de Clarissa et essayé de calmer sa femme, mais Clarissa entendit les derniers mots qu'elle hurla avant de raccrocher : Clarissa était une sale voleuse de mari qui n'aurait que ce qu'elle méritait. Cette malédiction, Clarissa commençait à croire qu'elle se réalisait.

Plus tard, Henry avait serré Clarissa dans ses bras et l'avait consolée en lui promettant qu'il ferait tout son possible pour lui faire un enfant si elle en désirait un, tout en expliquant que ça ne serait pas possible par les voies naturelles. Mais Clarissa n'avait pas cessé de penser à la pauvre femme qui ne se trouvait pas dans les bras d'Henry et qui aurait voulu l'être ; la femme qui n'avait pas eu d'enfant alors qu'elle en désirait ardemment. Son comportement n'était pas celui d'une femme qui – Henry le lui avait juré – n'aimait plus son mari.

Robert fixait Clarissa avec intensité, comme s'il essayait de regarder à l'intérieur de son crâne – précisément l'endroit qu'elle ne voulait surtout pas qu'il voie. « Raconte-moi un autre incendie », dit-elle. Elle claquait des dents.

« Tu as trop froid ici.

– Pas du tout. » Elle ne voulait pas partir.

Il retira son écharpe et, passant le bras derrière ses épaules, la lui enroula autour du cou. « Ça te va beaucoup mieux qu'à moi », dit-il.

Elle glissa sur le banc pour se rapprocher de lui. « Raconte-moi. S'il te plaît.

– Je vois qu'il est inutile de te résister. » Il reprit vite son air sérieux. « Il faut sentir comment le feu évolue, dit-il, comment il va se comporter. Il faut utiliser tous tes sens, pas simplement ton intelligence. Le feu, tu le vois respirer, palpiter. Les rouleaux de feu, c'est mortel. Tu as l'impression de regarder un plafond constellé d'étoiles. Il ne faut surtout pas se laisser hypnotiser.

– C'est comme les sirènes », dit-elle.

Il hocha la tête. « Exactement comme les sirènes, oui. Quand tu les vois, tu dois absolument sortir avant l'embrasement généralisé. Il ne restera rien de toi si tu ne sors pas immédiatement. »

Mr Belford se leva posément, lut ses notes quelques secondes, puis se pencha en avant pour murmurer quelque chose à l'oreille de son associé. Sa tactique habituelle pour déstabiliser les témoins. La femme venue témoigner coinça d'un geste nerveux ses cheveux derrière ses oreilles quand enfin il s'adressa à elle.

« Quand vous avez examiné Miss Lockyer, vous étiez médecin légiste pour la police depuis seulement deux mois. La vérité, c'est que vous n'aviez pas beaucoup d'expérience dans ce domaine, n'est-ce pas ? »

Le docteur Godard se tortilla sur sa chaise. « Je suis diplômée en médecine depuis vingt ans. »

Il baissa ses lunettes pour l'étudier. « Vous avez noté que Miss Lockyer avait la poitrine sensible et une respiration douloureuse. Il s'agit là de quelque chose qu'on vous rapporte, de la manière subjective dont la patiente décrit ses symptômes. Vous n'aviez aucun moyen de vérifier si oui ou non elle disait la vérité. »

Jeudi 26 février, 20 h 40

Un coup léger frappé à la porte de mon appartement me fait sursauter. Je me sens comme si je m'étais arrêtée brusquement après un marathon. Je me jette sur mon téléphone, prête à composer le 999 si c'est toi – si tu te trouves dans la maison, alors nous sommes dans une vraie situation d'urgence. Mais c'est seulement la voix de Miss Norton qui répond quand je demande, angoissée, « Qui est-ce ? » Je pense à l'apprenti serrurier qui, ses écouteurs violets toujours sur les oreilles, nous disait, à Annie et moi, qu'on devrait faire mettre un judas à nos portes. Je me promets de faire venir un spécialiste de la sécurité pour faire les travaux ce week-end, après cette petite fausse alarme.

Miss Norton porte sa robe de chambre bleu pastel en molleton épais. Elle sent le talc pour bébé. Une fine couche se voit sur ses poignets et ses mains, dans lesquelles elle tient une grande boîte blanche oblongue. Je la suis jusqu'à mon salon comme si c'était son appartement à elle et que j'étais l'invitée. Elle s'assied sur mon canapé et tapote le coussin à côté d'elle. « Venez vous asseoir à côté de moi, mon petit », dit-elle. Mais elle a perdu son habituelle expression bienveillante : elle fronce les sourcils, la boîte posée sur ses minuscules cuisses. « Il n'y avait pas de carte ni de nom, Clarissa. »

Je n'ai pas besoin de carte ni de nom pour deviner que c'est toi qui as envoyé la boîte.

« C'est pour cela que je l'ai ouverte », dit Miss Norton.

Je sais que le contenu de cette boîte est forcément une mauvaise surprise. Si j'avais un chat ou un chien, je m'attendrais à y trouver son cadavre.

Miss Norton soulève le couvercle, et je me force à regarder à l'intérieur sans hésiter, sans me comporter comme si j'avais peur, même si je dois penser à respirer régulièrement.

Pas de monstre qui saute de la boîte. Pas de bombe qui explose. Pas d'odeur de mort. Rien qu'un parfum de roses.

Des roses noires. Je ne crois pas avoir déjà vu des roses noires, et je me demande s'il s'agit d'un hybride unique, d'une espèce rare. J'imagine quelqu'un les peignant comme les fleurs dans *Alice au pays des merveilles*. Je ne peux m'empêcher de les trouver belles. Si elles ne venaient pas de toi, je m'autoriserais à les aimer. Mêlées à des coquelicots rouges et des anémones cramoisies, ces roses sont à couper le souffle.

En attendant que Miss Norton prenne la parole, je me dis que ce n'est peut-être pas un cadeau aussi terrible, même si je suis consciente que ma notion de ce qui est terrible subit en ce moment le plus extrême des relativismes.

« Ce sont des fleurs de la mort, Clarissa, toutes, dit Miss Norton. C'est une gerbe mortuaire. Je suis suffisamment vieille pour en avoir vu un certain nombre. On les pose sur le cercueil lors des funérailles. Je sais bien que je n'en ai plus pour très longtemps, mais je suis à peu près certaine qu'elles ne me sont pas destinées. »

Je serre la main de Miss Norton. J'ai la bouche sèche. J'imagine tes ciseaux tailladant mon slip, tes ciseaux entre mes jambes, tes ciseaux coupant ces fleurs. Une douleur fulgurante me transperce le bas-ventre, près du pubis, une sorte de convulsion. Je sais que la sensation physique est bien réelle et pas du tout imaginaire ; mes règles devraient commencer demain ; ce spasme brusque n'y est sans doute pas étranger.

« Vous pensez que je suis une adorable vieille dame, Clarissa, une vieille fille totalement ignorante qui ne sait rien de la vie » – je secoue la tête en signe de protestation – « mais je vois bien que quelque chose ne va pas. Vos parents seraient extrêmement inquiets. Et si je leur téléphonais ? Ils écrivent toujours leur numéro de téléphone et leur adresse sur leurs cartes de vœux, au cas où. Tellement gentil de leur part...

– J'ai soif. »

Je me lève d'un coup et me dirige d'un pas incertain vers la cuisine, suivie des yeux par Miss Norton. J'engloutis deux verres d'eau, en en répandant une bonne partie sur ma poitrine. Je passe ma manche sur mes yeux et ma bouche pour les sécher. Je m'appuie contre le frigo, presse mon front sur le métal froid comme pour rafraîchir mon cerveau.

Je retourne dans le salon, reprends ma place à côté de Miss Norton et dépose un baiser sur sa joue. « S'il vous plaît, Miss Norton, n'appelez pas mes parents. » Je touche la boîte. « Vous permettez ? » Elle fait signe que oui. Je la lui prends des mains et l'examine. Aucune trace du fleuriste. « Ils s'inquiètent déjà suffisamment pour moi. » Je cherche sous la gerbe, froisse le papier de soie sur lequel elle est posée. Miss Norton a raison. Tu n'as laissé aucun indice. « Je ne veux pas qu'ils se fassent du souci. » Il y aura d'autres moyens d'apprendre comment tu as obtenu ce bouquet ; sans doute une commande spéciale.

« Je trouve ça vraiment désagréable, menaçant, d'envoyer ce genre de chose à une jeune femme, dit Miss Norton. J'ai réfléchi, ma petite Clarissa, depuis ce jour de la Saint-Valentin qui vous a tant bouleversée. Et il y a eu cet homme qui vous a mise dans tous vos états. Je ne l'ai pas revu depuis, mais je pense que vous, si. Vous devez demander de l'aide, mon petit. Porter plainte. »

Je suis plus calme, soulagée de voir qu'il n'y a pas d'autre photo. Cet extrême relativisme me prend à nouveau. Tes leçons sont efficaces. Tu m'as bien fait comprendre à quel point tu aimes donner des leçons.

Je ferme la boîte, traverse la pièce et sors du placard un autre lé de tissu pour faire de la place. « J'ai bien l'intention de porter plainte, dis-je. Je vous le promets. Simplement, il y a quelques petits détails que je voudrais régler d'abord, pour être sûre que ça marchera. Je veux que la plainte soit suivie d'effets. »

À l'instar de toute bonne fée qui se respecte, Miss Norton mène son monde à la baguette. Elle se lève pour partir, décline ma proposition de l'accompagner en bas, et s'en va, non sans m'avoir donné un dernier ordre. « N'attendez pas trop longtemps, mon petit. »

Vendredi

Les jurés de la salle d'audience n° 12 avaient pris l'habitude de jouer au poker. Assis autour de deux tables branlantes qu'ils rapprochaient, ils criaient, tapaient des mains, hurlaient de rire, retenaient leur souffle, qui incrédule, qui faussement fâché. Les membres d'autres jurys convoqués pour les neuf jours habituels allaient et venaient, s'arrêtant pour observer d'un regard parfois envieux cette étrange camaraderie et cet air de propriétaires de la salle d'attente que leur conférait l'obligation de travailler ensemble pour un si long procès.

Clarissa ne connaissait pas les règles du jeu, mais de temps en temps elle s'installait silencieusement à côté des joueurs avec un livre ou un café. Il arrivait à Robert de jouer, même si Clarissa pensait secrètement que ce n'était pas par réelle envie, mais plutôt pour montrer sa bonne volonté. Un pompier était forcément doué pour le travail d'équipe, se disait-elle ; il devait être hypersensible à la manière dont un groupe fonctionnait, et à la façon de le faire opérer. Les autres jurés acceptaient toujours avec joie la participation de Robert, du moins les hommes. Elle était prête à parier qu'il serait élu président du jury.

En général, les parties de poker se déroulaient pendant la pause-déjeuner, mais le vendredi matin de leur quatrième semaine, l'huissier vint s'excuser : il y aurait, pour une raison mystérieuse, un retard d'au moins une heure. Alors les jurés de la salle n° 12 se rassemblèrent autour de leur jeu de cartes. Clarissa s'étonna de voir Robert s'installer à part, à une table à l'autre bout de la pièce. Il était près de la fenêtre, si bien que la lumière tombait sur ce qui était – elle en était sûre – un carnet de croquis.

Il travaillait, l'air absorbé. Elle l'observa pendant quelques secondes, s'approcha discrètement pour ne pas détourner son attention, pour ne pas qu'il remarque qu'elle le regardait. Mais il leva la tête et surprit son regard posé sur le dessin qu'il faisait. Il s'agissait d'une caricature de Mr Morden. Robert l'avait saisi à la perfection, et malgré le côté comique du portrait, avait réussi à capturer l'air sérieux et intelligent de l'avocat, son expression bienveillante.

« Alors comme ça tu dessines ? dit-elle. En plus de lire de la poésie et de sauver la vie des gens ? »

Il s'était composé un visage impénétrable pour elle. « J'aime bien gribouiller.

– C'est super bien fait. »

Il lui adressa un grand sourire, comme s'il avait décidé que c'était la chose à faire, et elle vit à quel point il était timide et gêné d'être pris sur le fait, mais aussi secrètement fier, sans vouloir l'admettre. « Ça fait rire les gars au boulot, les caricatures que je fais d'eux.

– Tu as une mémoire visuelle extraordinaire, pour arriver à ce résultat. Comme avec le briquet. Tu devrais le donner à Mr Morden, ce dessin. »

Le sourire se transforma en quelque chose de plus profond, qu'il semblait incapable de contrôler. « Le juge risque de me foutre en prison si Mr Morden le lui montre. Mépris avéré de la cour. » Il referma son carnet. « Je pourrais dessiner des choses plus jolies. Ailleurs qu'ici. »

La nuit précédente, elle avait enfin commencé à découper dans le tissu mauve la chemise de nuit vue dans le catalogue japonais. Elle ne laisserait pas Rafe, ses fleurs sinistres et ses photos répugnantes dominer son univers. Elle s'imagina mettant la chemise de nuit pour Robert. Être avec Robert effacerait toutes les traces que Rafe avait laissées sur elle. Être avec Robert annulerait ces photos comme par magie, et ce que Rafe avait fait perdrait tout pouvoir.

Mr Belford reprit sa dissection des conclusions du médecin légiste. « Allons, docteur, un viol avec violence commis par deux hommes costauds, et aucune lésion vaginale visible ?

– Les victimes de viol ne portent pas toutes des traces de traumatisme au niveau du vagin. Beaucoup se soumettent, par peur, et renoncent à toute forme de résistance physique. »

Elle se rappela la colère stupéfaite de Rafe au parc. *Tu faisais semblant.* Elle ne saurait jamais avec certitude ce à quoi sa prétendue soumission lui avait permis d'échapper ; mais il ne faisait aucun doute qu'elle lui avait fait gagner du temps.

« Le corps médical s'accorde sur ce point, poursuivit le docteur Goddard. Mais il convient de signaler également que des relations sexuelles consenties peuvent provoquer des traumatismes vaginaux. La présence ou l'absence de déchirures au niveau du vagin ne prouvent rien.

– Pourquoi avez-vous interrogé Miss Lockyer sur sa vie sexuelle et ses cycles menstruels ?

– Cela peut avoir une incidence par rapport aux violences présumées. Quand vous relevez des saignements vaginaux, la question que vous vous posez, c'est s'agit-il de saignements menstruels ou de saignements post-coïtaux ? »

C'était ça qu'elle avait eu après la nuit avec Rafe : un seul jour de saignements. Ses règles étaient arrivées une semaine plus tard. Elle savait toujours à quel moment de son cycle elle en était. Cette habitude, elle l'avait prise quand Henry et elle avaient commencé les traitements pour avoir un bébé. Les choses avaient été facilitées par le fait que ses cycles duraient toujours vingt-sept ou vingt-huit jours, même en grosses périodes de stress.

Malgré sa peur d'être tombée enceinte de Rafe, elle avait su que c'était fort peu probable.

« Le sang trouvé par les experts sur les vêtements de Miss Lockyer pourrait être du sang menstruel », dit Mr Belford. Un dictionnaire médical aux pages cornées était posé sur ses classeurs à leviers. « Impossible de distinguer le sang menstruel du sang provenant de blessures vaginales.

– Exact. Mais le viol présumé s'est déroulé le cinquième jour de son cycle. En général, une femme ne saigne plus à ce stade-là – ou alors quelques gouttes. »

Vendredi 27 février, 18 h 30

Tout le long du chemin jusqu'à la maison je ne pense pas du tout à toi. Je ne pense pas aux photos. Je ne pense pas à ton magazine.

J'ai oublié mon parapluie. Robert tient le sien au-dessus de nos têtes. Dans le train, il s'assoit à côté de moi et en sentant le contact de son bras contre le mien, mon visage s'échauffe. Il attend avec moi à la station de taxis devant la gare, et nous parlons sans nous arrêter jusqu'à ce que mon tour arrive, et alors il m'ouvre la portière avec prudence puis la referme et regarde le taxi m'emporter, sa bouche fermée esquissant un sourire.

Dans le taxi qui grimpe la route sinueuse jusqu'en haut de la colline, je ne pense qu'à Robert ; j'imagine comment ça serait, de coucher avec lui.

Dès que j'entre et vois ton enveloppe, tu refais intrusion dans mon esprit, là où tu veux être. Avant même d'ouvrir l'enveloppe je sais qu'il s'agit d'une autre photo.

Nous sommes passés à l'étape suivante. Le bandeau, le bâillon et les liens sont exactement les mêmes, mais tu m'as retiré mon slip. Tu l'as déposé à côté de moi, découpé aux hanches pour pouvoir l'enlever sans me détacher les chevilles. Tu as déroulé le fouet, disposé le bout de la lanière sur mon ventre.

Je me force à penser rationnellement. Le fouet fait juste partie de tes objets d'exposition. Tu ne l'as pas utilisé sur moi pour de vrai. J'en suis certaine. J'aurais remarqué les traces. C'était aux chevilles et aux poignets que j'avais des douleurs et des marques de frottement. En fait, leur présence est un soulagement. Elles laissent penser que même inconsciente, j'ai tiré sur les liens pour essayer de me libérer, voulu te résister. Même si tu as pris ton pied en me voyant me débattre, je me félicite de cette preuve que je ne te désirais pas. J'avais des marques rouges à l'intérieur des cuisses, sans doute faites par tes mains, qui se sont transformées en bleus. Elles sont devenues visibles après que tu as pris tes photos. Il ne s'agissait pas de zébrures ensanglantées qui auraient pu être causées par ton fouet.

Je range ta photo dans mon placard avec les autres. Je regarde mon lit, les draps propres qui n'ont jamais été utilisés, sous le nouvel édredon que j'ai fait moi-même. Je pense à Lottie recroquevillée sur un coin du matelas défoncé dans cet appartement londonien. Je n'ai pas mangé, ne me suis ni douchée ni brossé les dents. J'ai très très froid.

Je vais dans le salon, me blottis sur le canapé sous des couvertures. Peu à peu, j'ai transporté ici ce dont j'ai besoin la nuit. Je me tourne vers mes somnifères posés sur la petite table et avale deux cachets, consciente que ma mère me reprocherait d'être en train de devenir accro. Je me pelotonne sur le côté, essaie de réfléchir et de planifier de la manière la plus calme possible ce que je vais faire demain, convaincue que je ne dormirai pas, mais surprise de me sentir dériver, portée par la force

des médicaments, aussi efficaces qu'un sort jeté par une sorcière. Tu m'attendras aussi dans mes rêves, j'en ai peur.

Reposant dans un cercueil doré, elle tenait dans ses mains les fleurs de la mort, et Rafe les lui arrachait, la sortait du cercueil tendu de soie blanche, la jetait sur un sol en béton rêche comme du papier de verre. Étendue par terre, nue, elle essayait de se cacher sous un édredon. Les accusés, en cercle autour d'elle, lui arrachaient l'édredon, lui donnaient des coups de pied, la frappaient avec un balai. Le balai se transformait en fouet. Ils la soulevaient très haut et la remettaient de force dans le cercueil exposé sur une table. Ils la maintenaient en place pour qu'elle ne puisse pas bouger, acclamaient Rafe depuis les coulisses tandis qu'il grimpait sur elle, le poids de son corps enfonçant les épines des roses noires dans ses seins nus, l'empêchant de respirer. Robert observait la scène en silence, des ciseaux dans sa main gantée. Elle essayait de l'appeler, mais les mots ne produisaient aucun son.

Samedi

Le réveil la tira du sommeil à 5 heures. Elle avait retiré ses vêtements pendant la nuit et grelottait sous les couvertures entortillées et trempées par la sueur de ses cauchemars. Elle chercha le téléphone à tâtons, composa le numéro de la compagnie de taxis qu'elle utilisait toujours, et leur demanda de venir la chercher juste avant 6 heures. Elle avait tout préparé point par point. Elle prendrait le premier train du matin. Le timing était des plus serrés, mais c'était fait exprès ; pas question de lui laisser la moindre chance de la trouver à la gare.

Elle ne faisait plus rien le week-end. Tout tournait exclusivement autour du procès. Mais aujourd'hui, les choses seraient différentes.

Sous la douche, elle se savonna énergiquement pour se débarrasser de la couche aigre de ses mauvais rêves, et au bout de quelques minutes sous le jet d'eau bouillante, sentit le froid quitter ses os. Elle se sécha les cheveux, les entortilla pour en faire une sorte de chignon, puis choisit des vêtements qui conserveraient la chaleur de sa peau. Des bottes, des collants épais, une robe en laine bleu marine, son manteau habituel et une écharpe tricotée par sa mère. Elle mit des mitaines, un bonnet et un parapluie dans son sac puis, se souvenant de son guide de Londres, le fourra avec le reste. Au dernier moment, elle prit son passeport.

D'abord, elle allait retourner sa tactique contre lui. Lorsque le chauffeur de taxi sonna, elle lui dit qu'elle descendait dans une minute. Elle composa vite son numéro – il le lui avait donné un nombre incalculable de fois –, prenant soin de composer le 141 en premier afin qu'il ne puisse pas voir qui l'appelait. Il répondit, réveillé en sursaut. Au son de sa voix, elle eut un haut-le-cœur – se forcer à l'entendre alors que rien ne l'y obligeait, voilà qui allait contre son instinct. Elle raccrocha sans un mot, rassurée de savoir qu'il se trouvait à huit kilomètres de là et ne pouvait pas suivre sa trace. Puis elle sortit en courant.

Elle prenait un risque. Il se pouvait fort bien qu'ils ne soient pas chez eux. Ou bien qu'ils ne la laissent pas entrer. Le fait de les prévenir de sa venue n'aurait servi à rien. Mais il ne fallait pas qu'elle y pense. D'abord, arriver là-bas.

À 8 heures 30, postée devant une coquette petite maison londonienne de style edwardien, elle tentait de rassembler son courage pour frapper à la porte. Mais avant qu'elle puisse le faire, celle-ci s'ouvrit de quelques centimètres et une femme d'environ soixante-cinq ans à l'allure soignée et au visage vif glissa un œil soupçonneux dans l'entrebâillement et voulut savoir pourquoi elle traînait devant chez eux depuis cinq minutes.

Pas de temps pour les préliminaires ou les formules de politesse. « C'est à cause de Rafe Solmes. »

La main de la femme se mit à trembler légèrement. Ses lèvres se serrèrent. « Vous êtes une amie à lui ?

– Non, surtout pas. Tout le contraire.

– Forcément. Vous n'alliez pas dire oui. »

La femme commença à refermer la porte.

« Je vous en prie, dit Clarissa en coinçant la porte avec son pied. Il me rend la vie impossible.

– Laissez-moi fermer ma porte. »

Clarissa entendit quelqu'un descendre l'escalier rapidement, bruyamment, des pas masculins sans doute, mais elle ne retira pas son pied. « Je vous en prie, répéta-t-elle, il faut que je sache ce qui est arrivé à Laura. Vous êtes sa mère, c'est cela ?

– Charlotte ? » dit une voix masculine.

La femme poussa la porte de toutes ses forces. Clarissa crut que les os de son pied allaient se briser malgré l'épaisseur de sa botte. « Comment osez-vous ! » dit la femme.

Horrifiée de sa propre audace, Clarissa recula. La porte se referma d'un coup sec.

Ne sachant pas quoi faire, elle resta sur place, hésitant à marteler leur porte jusqu'à ce qu'ils ouvrent. Elle avait complètement gâché sa chance. Elle s'assit sur le muret qui longeait l'allée, se pencha en avant, les coudes sur les cuisses et la tête dans les mains. Combien de temps resta-t-elle là à marmonner ? Ce précieux intermède de vide était un soulagement.

Au bout d'un moment, elle se rendit compte qu'une discussion animée avait lieu de l'autre côté de la porte. À sa grande surprise, la fente de la boîte aux lettres s'ouvrit. « Attendez », dit la femme d'un ton revêche.

Dix minutes plus tard, la porte s'ouvrit à nouveau, cette fois-ci en grand. L'homme se tenait sur le seuil, à peine plus grand que Clarissa. Il portait un pantalon gris foncé et un pull noir. Il sentait le gel douche. Il devait avoir près de soixante-dix ans, mais avait conservé un corps sec et vigoureux.

« C'est vous qui nous appelez depuis quelque temps », dit-il. Clarissa fit oui de la tête. « Je vois que vous n'êtes pas du genre à laisser tomber.

– Je ne pouvais pas me le permettre. Je ne peux pas. »

Sans un mot de plus, il s'effaça et lui fit signe d'entrer. L'odeur de pain grillé et de café, loin de lui mettre l'eau à la bouche, lui donna la nausée. Elle se rendit compte en suivant l'homme d'un pas incertain que personne ne savait où elle se trouvait. Elle était en train d'entrer chez des inconnus, et personne ne le savait. Les règles qui dirigeaient sa vie, les règles que sa mère lui avait inculquées, volaient chaque jour un peu plus en éclats.

Les murs du couloir qui traversait la maison étaient couverts de photos de famille. Avec chaque fois au milieu une jeune fille. Laura, sans nul doute.

Un paquet rose emmailloté dans les bras d'une version jeune et souriante de Mrs Betterton, qui baissait les yeux sur son bébé. Un bambin qui faisait ses premiers pas vers Mr Betterton – ses cheveux châtain foncé, presque noirs à l'époque – qui tendait les bras, accroupi. Une lycéenne debout entre ses deux parents à sa fête de promo. Une demoiselle d'honneur d'une vingtaine d'années posant lors d'un mariage avec les autres invités.

Elle était reconnaissable à tous les âges, mince, le teint pâle, les traits fins, extrêmement jolie. Mais – Clarissa s'aperçut avec un élancement au cœur – elle se figeait à environ trente ans. Trente ans, elle n'était pas allée plus loin. L'âge qu'elle avait, d'après Barry, à l'époque de sa relation avec Rafe il y a dix ans.

Clarissa pensa à la jeune femme sur la couverture de magazine. Se pouvait-il que ce soit Laura ? Elles avaient le même teint, mais avec cet éclairage cru et la partie inférieure du visage de la femme plongée dans l'ombre, il aurait été pratiquement impossible de s'en assurer, du moins si on n'était pas un expert. La Laura des photos était heureuse, libre. Tout le contraire de la femme figurant sur la couverture du magazine.

Debout dans sa cuisine irréprochable, Mrs Betterton était soigneusement vêtue dans les tons olive et brun : jupe en tweed, tricot, chaussures plates. Elle ressemblait à sa fille, encore belle avec ses cheveux d'un blond argenté coupés net au niveau du menton, les mèches docilement coincées derrière les oreilles.

« Mon mari ne dispose que de quelques minutes », dit-elle avec raideur sans proposer à Clarissa d'enlever son manteau, sans lui offrir de s'asseoir à la table de la cuisine. « Il a un rendez-vous d'affaires. »

Bien sûr, songea Clarissa. Un rendez-vous d'affaires un samedi. Elle décela une pointe d'accent américain dans le mensonge lourd de sous-entendus.

Mr Betterton dit qu'il pouvait arriver en retard, s'attirant le regard courroucé de son épouse. Il indiqua une chaise, puis versa du café dans une tasse en terre cuite bleue décorée d'un colibri. Il posa la tasse fumante sur la table en face de Clarissa. Elle le remercia doucement et but une gorgée sans savoir quoi dire ni quoi demander. Comment leur formuler ses questions crues, à ces pauvres gens ?

« Comment pouvons-nous être sûrs que vous n'êtes pas son amie à lui ? demanda Mrs Betterton.

– Il n'a aucun ami, Charlotte, dit Mr Betterton. Il n'est pas assez normal pour avoir des amis.

– Comment pouvons-nous savoir que ce n'est pas lui qui vous envoie ? Est-ce qu'il vous paie ? Il a déjà fait ça. Mais pas depuis plusieurs années, c'est vrai. Par contre, il est tout à fait capable de nous narguer, même aujourd'hui. »

La main de Clarissa tremblait tellement qu'elle renversa du café sur la table en bois décapé. Elle voulut éponger le liquide avec la manche de son manteau mais la laine n'absorbait rien, chose que normalement elle aurait pu prédire.

« Ne vous inquiétez pas pour ça. » Mr Betterton nettoya les dégâts avec un torchon, sous le regard furieux de sa femme. « De toute évidence elle n'est pas avec lui, Charlotte », dit-il en serrant tendrement l'épaule de Mrs Betterton. Il passa une boîte de Kleenex à Clarissa et fit semblant de ne pas la voir s'essuyer les yeux et se moucher. Puis il se tourna de nouveau vers sa femme. « Tu veux que ses parents vivent la même chose que nous ? »

Mrs Betterton avala sa salive. « Nous ne savons rien d'elle, James. Elle ne nous a même pas dit comment elle s'appelait. »

Clarissa s'excusa et donna son nom, à quoi Mrs Betterton exigea immédiatement une preuve de son identité. Clarissa sortit son passeport et attendit pendant que les Betterton l'examinaient ensemble.

« Je comprends pourquoi il vous a ciblée », dit Mrs Betterton en laissant tomber le passeport à l'autre bout de la table, si bien que Clarissa dut se pencher complètement afin de le récupérer pour le ranger. « Vous ressemblez à Laura. »

Combien de fois Clarissa s'était demandé pourquoi il l'avait choisie, elle, ce qu'elle avait fait pour l'attirer. Elle avait pensé qu'il l'avait poursuivie peut-être à cause de l'admiration mêlée de jalousie qu'il vouait à Henry, à ses succès de poète, à son charisme et son pouvoir. Comme si le fait de prendre ce qu'Henry avait possédé – elle en l'occurrence – lui donnerait les qualités d'Henry, sa vie et sa réussite.

Mais elle voyait à présent qu'au fond il ne s'agissait pas de cela. Elle correspondait à un type, exactement comme une victime de tueur en série. La chose lui échappait entièrement. Son teint, ses traits, ses cheveux, son corps et peut-être même sa voix et ses gestes lui rappelaient ceux de quelqu'un d'autre. Même sa profession était identique à celle de Laura.

« Nous ne pouvons rien faire pour vous, dit Mr Betterton, en tout cas pas tant que vous ne nous en aurez pas dit davantage sur vos relations avec cet homme.

– Il ne s'agit pas de relations », dit-elle.

Elle leur raconta tout ce qu'elle pouvait aussi vite et franchement que possible. Elle ne mentionna pas les trois photos.

« Vous pensez qu'il aurait pu vous suivre jusqu'ici ? » dit Mrs Betterton.

Elle expliqua qu'elle lui avait téléphoné tôt le matin, que la gare et le train étaient pratiquement vides. Elle était sûre de ne pas avoir été suivie. Elle avait bien regardé derrière elle, chose pour laquelle elle commençait à exceller.

« Il sait où nous habitons, dit Mr Betterton. Nous ne pouvons pas déménager, au cas où... » Il s'interrompit. « Mieux vaut pour vous qu'il ne découvre pas nos liens.

– Quelle raison aurions-nous de vous aider ? demanda Mrs Betterton. Qu'est-ce que ça va apporter à notre fille maintenant ? »

C'était sans espoir. Elle les envahissait sans raison valable et Mrs Betterton ne le supportait pas. Clarissa se leva. « Je suis désolée de vous avoir dérangés. Je n'aurais pas dû venir. »

Mr Betterton lança un regard sévère à sa femme, puis se tourna vers Clarissa. « Asseyez-vous, Clarissa. Vous êtes déterminée, et c'est bien. Ce n'est pas le moment de laisser tomber. Si vous avez affaire à cet homme, alors il ne faut surtout pas laisser tomber. Vous devez savoir contre quoi vous vous battez. Sur ce point, vous avez raison. »

Elle vit qu'ils détestaient dire son nom. Exactement comme elle.

Mrs Betterton leur tourna le dos et se mit à remplir le lave-vaisselle, signe paradoxal de satisfaction et de protestation. Mais elle ne tenta pas d'interrompre Mr Betterton lorsqu'il commença à raconter les débuts de la relation de Laura avec Rafe.

Alors elle le coupa d'une voix amère, le dos toujours tourné vers eux : « Ce qui paraissait une grande passion – tous ces gestes romantiques qu'il faisait – était en réalité de l'obsession. » Clarissa s'étonna de l'entendre prendre la parole si volontiers.

« Vite, trop vite, poursuivit Mr Betterton, Laura s'installa chez lui. »

Laura comprit presque immédiatement à quel point il était possessif, et combien il était impossible de lui échapper. Elle ne pouvait pas prendre un bain, donner un coup de fil, recevoir une lettre, sans qu'il ne vienne voir ou écouter.

« Ses exigences sexuelles commencèrent à l'inquiéter. Il voulait essayer le bondage et elle refusait. » Clarissa avait-elle eu ce problème avec lui ?

À présent, Mr Betterton s'éclaircissait la gorge entre chaque phrase. Ce qu'il ne faisait pas au début ; elle était certaine que c'était à cause de la nature de ce qu'il évoquait.

Elle répondit à sa question par un petit signe négatif de la tête, honteuse de son mensonge.

Mr Betterton scruta son visage d'un air peu convaincu. « C'est étonnant », dit-il.

Non, cela ne servait à rien de leur cacher des choses. Le pire, ils le savaient déjà. « Je m'excuse. Pour moi, c'est très difficile d'en parler, dit-elle. Oui, j'ai eu le même problème avec lui. »

Mr Betterton hocha la tête d'un air sévère, mais sans l'inciter à donner des détails.

Visiblement, Rafe refusait de comprendre que Laura puisse vouloir rompre ou s'en aller. Il semblait n'avoir aucune famille, aucun passé. Laura prit peur devant l'absence totale d'autres personnes qu'elle-même dans sa vie. Il y eut de violentes disputes, suivies à chaque fois de la promesse qu'il changerait, qu'il n'essayerait plus de la contrôler autant.

Heureusement pour Laura, il avait obtenu un poste en dehors de Londres. Après quelques vacations dans des universités londoniennes, son ambition dévorante était d'être nommé à un poste définitif dans le département d'anglais d'une université réputée. Sachant que rien ne pourrait le dissuader d'aller s'installer à Bath, elle décida de disparaître à ce moment-là. Le jour où il alla visiter son nouveau département, elle fit ses valises et s'en alla sans même le signaler à son employeur.

Au début, elle retourna chez ses parents, mais Rafe ne tarda pas à la retrouver et à lui tourner autour, à la suivre et à la surveiller chaque fois qu'il le pouvait. Certaines nuits. Tous les week-ends. Des coups de fil incessants. Chaque fois qu'elle changeait de numéro, il se débrouillait pour trouver le nouveau. Refusait d'accepter que leur relation était terminée. Continuait de s'adresser à Laura et aux Betterton comme si elle était toujours sa petite amie.

Elle déménagea plusieurs fois, mais il la retrouvait toujours, sans doute en suivant ses parents. Il se mit à lui envoyer des photos compromettantes, prises quand ils vivaient ensemble alors qu'elle était endormie et inconsciente, sans doute après qu'il l'avait droguée. Les parents de Laura commencèrent à faire preuve de plus de prudence quand ils allaient la voir. Une fois, il s'introduisit chez eux par effraction pour trouver la nouvelle adresse et le nouveau numéro de téléphone de Laura, mais hélas ils ne purent rien prouver contre lui. Son installation à Bath l'empêchait de surveiller Laura tous les jours de la semaine, mais il lui faisait sans arrêt parvenir des cadeaux et des photos horribles qu'il avait accumulées – des photos tellement affreuses qu'elles donnaient la nausée à Laura.

Il lui avait volé sa vie. Elle n'avait plus de vie privée. Elle maigrissait, ne mangeait plus, doutait d'elle-même, n'était plus elle-même. Elle avait perdu ses amis. Elle s'en était fait d'autres – elle avait tellement de charme – mais elle ne pouvait pas dire à ses vieilles connaissances où elle habitait maintenant, de peur qu'il ne la trouve par leur biais.

La police refusa de faire quoi que ce soit. Pour eux, il s'agissait simplement d'une rupture sentimentale. Il ne l'avait jamais attaquée physiquement, il était trop malin. Même les photos donnaient l'impression qu'il s'agissait simplement de jeux érotiques. Il n'y avait aucun moyen de prouver qu'il n'y avait pas eu consentement – on trouve dans les magasins et sur Internet des quantités d'accessoires parfaitement légaux pour s'adonner à des jeux sadomaso tout aussi légaux.

Mrs Betterton était restée debout mais en se rapprochant d'eux. « La police est plus efficace aujourd'hui, dit-elle, appuyée contre le plan de travail. Les améliorations sont toutes récentes. Mais c'est trop tard pour notre fille. »

Dans les deux ans qui suivirent la rupture, Laura déménagea cinq fois, dans cinq villes différentes. Chaque fois, il la retrouvait. Elle passait quelques mois libérée de sa présence. Et puis un jour elle se retournait et il était là, de nouveau. Mr et Mrs Betterton commencèrent à redouter qu'il ne lui fasse du mal.

Clarissa posa enfin la question qu'elle brûlait de leur poser depuis qu'elle était entrée chez eux. « Où est Laura maintenant ?

– Une voiture lui est rentrée dedans », dit Mr Betterton d'une voix creuse. Il passa la main sur ses cheveux d'un blanc saisissant. Des cheveux qui avaient perdu leur couleur du jour au lendemain, à cause du choc et de la douleur, Clarissa en était convaincue. « Il l'avait à nouveau retrouvée. Elle était sur le point de traverser la rue quand elle l'a entendu dire "Bonjour Laura. Tu m'as manqué". Elle s'est jetée sous les roues de la voiture sans penser à sa propre sécurité, pour fuir. »

Cramponnée à la tasse au colibri maintenant vide et froide, Clarissa sanglota en silence.

« Elle a eu les deux jambes cassées et une commotion cérébrale. Quand elle s'est réveillée à l'hôpital, il était à son chevet et lui tenait la main. Il s'était présenté aux médecins et aux infirmières comme son fiancé. Elle a piqué une crise. Alors ils ont demandé à cet homme de partir. Elle a dit à l'hôpital de nous appeler. Quand nous sommes arrivés, il avait déguerpi. Il savait bien qu'il valait mieux pour lui que nous ne tombions pas sur lui. Il commettait plus d'erreurs, plus d'imprudences, parce qu'il devenait fou, et il était de plus en plus dangereux. Quand il est contrarié, le masque du type sympa tombe. Il est incapable de cacher sa malveillance. Et là, il faut faire très attention.

« Charlotte est née en Amérique. Elle a de la famille là-bas. Nous avons compris que Laura ne pouvait pas rester en Angleterre si elle voulait vivre normalement. Une fois remise de ses blessures – physiquement du moins – elle a émigré. Nous avons organisé son départ avec la plus grande prudence.

« Mais maintenant, nous nous rendons compte que nous ne l'avons pas protégée. Nous n'avons fait que la rendre plus vulnérable. » La voix de Mrs Betterton sortait de ses entrailles, brisée par un spasme de douleur. « Toutes ces précautions que nous prenions pour la contacter ! Et à la maison, nous faisions attention à ce que nous laissions traîner. Une année après son installation là-bas – elle vivait en Californie, sous mon nom de jeune fille – elle a disparu. »

Clarissa se souvint du sweat-shirt UCLA et de cette intuition forte qu'elle avait eue en le voyant qu'il avait une signification particulière pour lui, que c'était une sorte de trophée.

« Cet été-là, le contact a été rompu, dit Mrs Betterton. Aucun de ses voisins ne la connaissait, ou n'a remarqué son absence soudaine, tellement elle avait été discrète. Au travail non plus, ils n'ont quasiment pas réagi – il s'agissait d'un emploi de bureau par intérim – ils étaient habitués à voir les gens abandonner leur poste. »

Elle comprit à quel point Laura avait dû se sentir horriblement seule à vivre comme cela, et à quel point ses parents avaient dû lui manquer. Elle-même serait incapable de faire preuve du même courage.

« Elle n'était qu'une personne disparue parmi tant d'autres, dit Mrs Betterton. Là-bas, la police n'a pas pu trouver la moindre trace de méfait, dans un pays où on n'hésite pas à mettre les portraits des enfants disparus sur les bouteilles de lait. Ils devraient mettre aussi les portraits des adultes disparus. La police britannique a refusé de s'impliquer. Nous avons envoyé des détectives privés. Nous avons tout essayé. »

C'était cette façon qu'ils avaient de dire « nous ». Toujours « nous ». Et cette façon si fluide de se passer le relais, de raconter leur dramatique histoire à tour de rôle, malgré les réactions très différentes qu'avait initialement provoquées chez chacun d'eux l'apparition de Clarissa. C'est ça qui lui fit comprendre à quel point les Betterton étaient soudés, malgré les souffrances qu'ils avaient endurées, malgré celles qu'ils enduraient encore. Cela aurait pu les séparer, mais par un étrange miracle l'effet avait été inverse.

« Nous espérons, toujours, qu'elle l'a fait pour se libérer, dit Mrs Betterton. Peut-être vit-elle en sécurité, heureuse, quelque part. Peut-être qu'un jour le téléphone va sonner et ce sera sa voix à elle. Peut-être n'est-ce pas ce que nous craignons, peut-être n'est-ce pas lui.

– Mais nous savons que c'était lui, dit Mr Betterton. Même si nous nous disons que tant qu'il n'y a pas de corps, l'espoir demeure. Nous en sommes venus à prier pour qu'elle souffre d'une sorte d'amnésie tout en allant très bien, et qu'un jour elle se souviendra de qui elle est et nous contactera. »

Mrs Betterton hocha la tête. « Mais nous la connaissons, Laura. Jamais elle ne nous imposerait ce genre d'épreuve. Elle se débrouillerait toujours pour nous donner des nouvelles dès que possible. »

À présent, Clarissa comprenait pourquoi ses appels et son arrivée soudaine les avaient emplis d'un étrange mélange d'hostilité, de méfiance et d'espoir : ils craignaient qu'elle ne se mette en contact avec eux sur son ordre à lui, tout en ne voulant surtout pas faire fuir quelqu'un qui pouvait avoir des nouvelles, aussi faible en soit la probabilité.

« Il faut que vous vous fassiez aider, Clarissa », dit Mr Betterton.

Mrs Betterton posa la main sur celle de Clarissa. « Il vous faut des preuves, plus convaincantes que les nôtres, des preuves irréfutables, nombreuses, et vous devrez vous battre avec détermination. Si vous ne voulez pas disparaître de votre propre vie, vous allez devoir mettre la police sur le coup. Vous pouvez leur donner notre nom, notre numéro de téléphone si vous voulez. Vous allez devoir les convaincre de vous aider, mieux que ne l'a fait Laura. Parce qu'il n'arrêtera jamais. »

Quand Mrs Betterton se tut, la main de Clarissa était rouge et douloureuse, marquée par la pression de son alliance ; mais Clarissa n'avait pas voulu la retirer.

SEMAINE 5

Les protecteurs

Lundi

Elle avait traîné Henry à trop de films de tueurs en série, et maintenant ils lui revenaient tous en mémoire. Elle imaginait pour Laura des tas de choses tout aussi horrifiantes que ridicules, du moins elle l'espérait. Était-elle enterrée dans une tombe creusée à la hâte au bord d'un champ en Californie ? Enfouie sous des feuilles dans la forêt ? Abandonnée quelque part dans un fossé, ou bien une carrière ? Son corps avait-il été laissé sur une saillie montagneuse, à l'écart des sentiers ? Conservé dans un congélateur au fond d'un bâtiment en ruine ? Allongé dans un cercueil aux côtés d'un cadavre inconnu ou bien brûlé pour qu'on n'en retrouve aucune trace ? Était-ce la chance, ou la ruse, qui faisait qu'elle était introuvable ? Ou bien les deux ?

Pensées terribles, saisissantes, mais l'insoutenable pour Clarissa, c'était d'imaginer les derniers jours, les dernières heures de Laura. L'idée de son corps après sa mort n'était rien en comparaison de ce qu'elle avait vécu quand elle était encore pleinement consciente. Clarissa s'imaginait son visage : une superposition de toutes ces photos d'elle à différents âges. Et ses parents captifs d'une peur et d'une douleur éternelles. À présent, Laura revêtait pour elle une terrible réalité.

Elle avait étudié les statistiques sur les personnes portées disparues. Cela arrivait plus fréquemment qu'on ne le croyait. En Grande-Bretagne, il s'agissait de centaines de milliers de personnes. Et les chiffres devaient être encore plus vertigineux en Amérique.

Elle essaya de chasser ses pensées morbides et de se concentrer sur ce qu'Annie disait, à savoir :

« Tu as une tête de déterrée. »

Elles étaient en train de monter l'escalier vers la salle d'audience. « Merci, dit-elle. Toi par contre, pas du tout.

– Sérieusement. Il faut manger, ma vieille. Dormir. Et sortir. Tu es tellement pâle qu'on dirait un zombie. Attention : le look vampire romantique, ça finit mal. »

Clarissa regarda ses bras. Annie avait raison. Sous les manches transparentes de son haut, ils ressemblaient à des baguettes de bois décoloré. Elle se privait de plus en plus de la faible lumière du soleil hivernal. Sans doute était-il heureux que sa mère ne l'ait pas vue depuis longtemps. Elle aurait su au premier coup d'œil que ça n'allait pas.

« Eh ben dis donc, on est bavarde aujourd'hui, dit Clarissa.

– Tes cheveux ont gardé leur brillant, concéda Annie alors qu'elles prenaient leur place dans la file de jurés. Tu les teins ?

– Annie ! Quelle idée ! » dit Clarissa d'une voix sincèrement choquée.

Annie toucha la barrette émaillée de fleurs que Clarissa avait utilisée pour attacher ses cheveux. « Joli », dit-elle comme pour se faire pardonner.

Une minute plus tard, elles s'installaient dans le box des jurés. Le témoin était une experte en reconnaissance de visage. Tout à fait le type de personne capable de déterminer s'il s'agissait de Laura sur la couverture du magazine.

Tandis que la femme faisait son long exposé d'une voix monocorde, Annie soupira bruyamment, fermant les yeux et penchant la tête en arrière comme si elle souffrait le martyre. Comme toujours, Clarissa s'étonna d'être la seule à l'entendre, sans que les avocats et les autres jurés réagissent. Elle se demandait parfois si elle ne faisait qu'imaginer les réactions d'Annie – qui serait un peu comme sa voix secrète. Elle avait un violent mal de tête. Annie aussi sans doute.

Enfin Mr Morden demanda : « Quelle est votre conclusion définitive ? »

Des éléments probants permettent d'affirmer sans le moindre doute que la femme sur la couverture du magazine et Laura Betterton sont une seule et même personne, répondit l'experte en reconnaissance de visage dans l'imagination de Clarissa.

« Aucun élément probant ne permet d'affirmer de manière ferme et définitive que le suspect apparaissant sur les images de télésurveillance et Mr Godfrey sont une seule et même personne », déclara l'experte en réalité.

Lundi 2 mars, 12 h 40

Pensant à la réaction horrifiée d'Annie devant ma pâleur, je décide d'aller me promener pendant la pause-déjeuner, malgré le froid. Le soleil est jaune citron, mais bas dans le ciel sans nuage.

De plus en plus je table sur le fait que tu n'es pas le seul capable de suivre les autres à la trace. Je ne veux pas revivre ce qui s'est passé dans la supérette. Je sais grâce au planning de la fac que tu donnes un cours. Henry m'a dit un jour que tu détestais enseigner et que tu trouvais ce travail indigne de toi parce qu'il te détournait de tes recherches révolutionnaires sur les concepts.

Sur le chemin du retour, je traverse la rue. Au début, je ne te remarque pas dans la foule qui se bouscule sur la pelouse devant la cathédrale. Mais malgré le planning, c'est bien toi. Je manque de trébucher en te voyant t'approcher et marcher à mes côtés.

« Il te faut de nouveaux bas, Clarissa », dis-tu.

Ça, on peut dire que tu es vraiment doué pour la drague. Il n'y a que toi pour aborder une jeune femme avec ce genre de remarque.

Hélas, ce sarcasme silencieux échoue lamentablement à m'insuffler du courage. Le cœur cognant plus fort que jamais, je me dirige vers le tribunal en t'ignorant. Je vérifie à plusieurs reprises que Robert n'est pas là, soulagée à chaque fois de ne pas le voir se matérialiser.

Des poils fins et blonds poussent sur les articulations de tes doigts. Tes mains autour de la gorge de Laura, autour de la mienne… Je déglutis. Mon cou me fait mal au souvenir de tes doigts l'encerclant dans le parc il y a trois semaines. J'ai l'impression d'étouffer, d'être incapable d'avaler. Pourtant, la sensation ne peut pas être physique. Aujourd'hui, ça ne peut être que dans ma tête.

« J'aime te voir avec des bas, dis-tu. Mais ça, tu le sais. »

Je continue à marcher. Je ne me laisserai ni intimider ni désarmer par ce que j'ai appris de toi. L'effet doit être contraire. Les Betterton me l'ont martelé.

Juste avant le carrefour tu prends de nouveau la parole. « J'ai besoin de faire d'autres photos, Clarissa. D'une séance privée. » Et tu poursuis ton chemin tout droit, me laissant seule tourner à gauche.

Non, il n'y aura pas de séance privée ; ce n'est pas parce que tu as prononcé ces mots qu'ils vont se concrétiser. Tu sais peut-être beaucoup de choses sur moi, mais tu ne soupçonnes pas quels amis je me suis faits samedi. Tu n'es pas le seul à pouvoir dévoiler des secrets. Je suis en train d'apprendre les tiens, moi aussi.

Furieux, le portable collé à l'oreille, Robert faisait les cent pas dans la salle d'attente.

Quelques minutes plus tard, elle patientait avec lui derrière la file de jurés en attendant que l'huissier vienne les compter et les ramener en salle d'audience. Robert sortit son téléphone, vérifia une nouvelle fois qu'il l'avait éteint et lança à l'appareil un regard noir en le fourrant dans sa poche. Il avait pris sa position habituelle, bien planté sur ses pieds, mais il était tendu.

« Quelque chose ne va pas ? » demanda-t-elle. Question idiote visiblement.

Il tenta un sourire mais ce dernier s'évapora comme s'il avait été imprimé sur de l'eau. « Des gosses sans doute. Quelqu'un a versé du décapant sur le capot de ma voiture hier soir. Et crevé les pneus avant. »

Elle s'effondra, se laissant quasiment tomber sur le banc matelassé derrière la file de jurés.

« Tu es pâle. » Il plaça la main sur son front puis, se rendant compte qu'il l'avait touchée devant les autres, la retira. « Tu transpires.

– Ça va, je t'assure. J'avais juste envie de m'asseoir.

– Tu n'as pas l'air en forme. Depuis ce matin d'ailleurs.

– C'est juste que… C'est horrible. »

Elle jeta un coup d'œil au bureau de la greffière, où l'huissier était plongé dans sa conversation.

« Ce n'est pas la fin du monde. C'est juste pas pratique. J'étais furieux. Ça passera.

– Je suis désolée tout de même.

– Ce n'est pas de ta faute. »

Hélas si. Cela ne faisait aucun doute.

Lundi 2 mars, 18 h 15

Je pose un pied sur l'allée, déclenchant l'éclairage extérieur, et tout de suite je la vois. Tu l'as posée contre la porte. L'enveloppe est plus épaisse que la dernière. Je suis engourdie, gelée, morte. Je monte l'escalier sur la pointe des pieds pour faire le moins de bruit possible afin de ne pas susciter l'inquiétude bienveillante de Miss Norton.

Tu les as enveloppées dans une seule feuille blanche. Je suis soulagée. Il ne s'agit pas de ce que je craignais. Celles-ci, tu ne les as pas prises dans ma chambre. Elles datent toutes de la semaine dernière, une fournée par jour, soigneusement classées.

Debout sur le pont avec Robert, mes cheveux ébouriffés sous mon bonnet en laine, mes mitaines frileusement enfoncées dans les poches de mon manteau. Robert glisse un regard sur moi. Nous nous touchons presque, mais pas tout à fait.

Assis au café avant de prendre le train, penchés l'un vers l'autre par-dessus la table et partageant un gâteau, moi les yeux levés vers lui comme vers un cadeau d'anniversaire.

Moi en train de parler de mes FIV ratées et lui de la mort de sa femme. Sur un cliché, Robert a les yeux tournés vers l'autre côté de la rue, vers toi sans doute. Les sourcils froncés, il regarde droit dans ton objectif. Sur un autre cliché, il me tient le bras.

Au parc. Clic, clic, clic. La série de photos est comme un film décomposé : vingt centimètres entre Robert et moi au moment où j'avoue ce que j'ai fait de pire ; dix centimètres au moment où Robert m'enveloppe dans son écharpe ; son flanc contre le mien au moment où il me parle des incendies avec lyrisme.

Sur le chemin de la gare après les témoignages des médecins. Robert tient son parapluie bien au-dessus de ma tête – je n'arrêtais pas de lui dire de bien se protéger lui aussi, mais sur la photo, je constate qu'il se fait tremper tandis que je reste au sec. À la station de taxis avant de nous séparer ce soir-là, tout proches l'un de l'autre mais sans vraiment nous toucher.

Tu n'as rien écrit mais je sais ce que tu es en train de me dire. *Je te surveille nuit et jour et je n'apprécie pas du tout ce que je vois.*

Tu ne sais donc pas que les photos volées sont souvent étonnamment réussies ? Ce n'était pas ton intention, mais tu m'as, à travers ces images furtives de Robert et moi ensemble, donné sans le faire exprès quelque chose de beau.

Laura, elle, était seule en Californie. Moi, je ne le suis pas, malgré tous tes efforts. Comment peux-tu l'oublier, idiot ? J'aime ça, te traiter d'idiot, et bizarrement j'ai l'impression d'être meilleure, plus forte, même si ce n'est qu'un petit plaisir puéril et vain, je le sais bien.

Les mots de Mr Belford tournent dans ma tête. *Préjudice non avéré. Récit subjectif.* Ce ne sont pas là des mots que les avocats pourront utiliser à mon propos. Tu vas bientôt comprendre pourquoi. Moi, je le sais depuis des semaines.

J'ouvre le placard et fourre ma collection de preuves dans un immense sac plastique afin d'être prête demain. En laissant exprès les photos porno au fond du meuble, un spasme de doute me tord le ventre.

Je sors le carnet et, assise en tailleur dans le salon, le feuillette. Je serre ma gomme bien fort dans ma main et la promène au-dessus des notes au crayon noir décrivant ce que tu m'as fait dans ma chambre. J'ignore combien de temps je passe dans cette position.

Effacer tout cela n'en fera pas un mensonge. De toute façon, les mots sont dans mon ordinateur – obéissant docilement aux brochures qui me conseillent de faire des copies de tout, j'ai scanné chaque page. C'est censé me protéger contre le risque de perte, mais aussi fournir la preuve informatique que je n'ai pas falsifié les documents par la suite. Mes doigts s'ouvrent. La gomme tombe avec un son mat et roule sous le canapé. Mr et Mrs Betterton ont été inflexibles : je ne dois surtout rien cacher à la police. Ils avaient deviné l'existence des photos, malgré mon incapacité à en parler.

Je me lève d'un coup, retourne dans ma chambre et les sors du placard d'un geste brusque.

Je repense aux brochures qui disent qu'il faut une moyenne de cent dix épisodes de harcèlement avant qu'une femme n'aille voir la police.

Ces trois photos atroces comptent-elles pour un épisode, parce que tu les as toutes prises la même nuit, ou bien pour trois, parce que tu m'as attaquée à trois occasions bien distinctes à travers elles ? Trois textos en rafale comptent-ils pour un ou pour trois ? Quarante messages téléphoniques vides à l'heure du déjeuner constituent-ils un épisode ou quarante ? Les photos de Robert et moi seront-elles comptées individuellement, ou bien ensemble parce qu'elles sont arrivées en même temps, dans une seule et même enveloppe ? Les chocolats et la carte que tu m'as envoyés pour la Saint-Valentin valent-ils un ou deux épisodes ? Peut-être trois, s'ils comptent la livraison dont tu t'es personnellement chargé.

Je n'ai aucune idée de la manière dont les policiers font leurs calculs. Je sais seulement que, pour moi, des épisodes, il y en a eu beaucoup trop. Je sais seulement que j'ai atteint le point de saturation. Je sais seulement que les chiffres n'ont rien à voir avec tout cela. L'effet que tu produis ne peut être mesuré, quel que soit le degré de raffinement de leurs méthodes de calibrage.

Je sais exactement quelle sera ma prochaine étape. Je compte la franchir demain, au petit matin. Tu es loin d'imaginer avec quel acharnement je vais me battre, avec quelle méticulosité je me suis préparée. À présent, j'ai plus de preuves qu'il n'en faut.

Mardi

Mardi 3 mars, 6 h 30

C'est là qu'est ma place, là que je devrais être, là qu'on m'attend. Je grimpe l'escalier du bâtiment en pierre rectangulaire où Lottie a passé tellement de temps. Derrière moi, une demi-douzaine de voitures et de camionnettes rassurantes avec leurs carreaux jaunes et bleus peints sur les portières attendent tranquillement d'entrer en action. Au-dessus de moi, une pancarte bleu vif, avec le mot Police. Je prends une profonde inspiration, saisis la poignée de la porte à structure métallique et franchis le seuil.

Le commissariat est pratiquement désert à cette heure matinale. En une minute à peine, je comprends pourquoi en découvrant, stupéfaite, la mention des horaires d'ouverture sur la vitre de la réception : de 8 heures du matin à 10 heures du soir. Je me retrouve instantanément vidée, au bord des larmes. Ça y est, je vais piquer une crise dans le commissariat, ils se diront que je suis une folle hystérique et dangereuse et trouveront moyen de me jeter dans une cellule. Comment ai-je pu oublier de vérifier une chose aussi simple que les horaires d'ouverture ?

Je me retourne, cherche la porte, mais je suis désorientée, perdue, prise de vertiges, comme une enfant qui vient de passer une minute à tourner sur elle-même, ce qui est je suppose mon cas. Ils m'inculperont pour ivresse et trouble à l'ordre public. Je repars en chancelant, et tandis que j'essaie de trouver la sortie, un policier qui passait par-là m'observe avec curiosité. Il doit avoir dix ans de moins que moi. Il dit, l'air inquiet : « Je peux faire quelque chose pour vous ? » et je crois bien qu'il est sincère, qu'il ne s'agit pas de cette question purement rhétorique que des milliards de gens débitent mécaniquement un milliard de fois par jour.

Je bafouille une réponse inintelligible en brandissant le gros sac où j'ai mis mes preuves – comme s'il pouvait tout expliquer. Je sais que je vais devoir lui parler de toi, du moins lui donner une version abrégée des faits, pour qu'il m'écoute, pour qu'il ne me demande pas de partir. Mais chaque fois que j'essaie de parler je ne peux pas enchaîner plus de deux mots. Je ne sais pas par où commencer. « Il a… Il a… Il a… » Je ressemble à un disque rayé, à un mauvais comique. J'essaie à nouveau, j'ouvre et referme la bouche, et bien que rien ne sorte le policier me demande si je désire porter plainte. La gorge nouée, je réponds : « Oui. » Il me dit qu'il va m'emmener dans une salle d'interrogatoire. Je bafouille : « Mais vous n'êtes pas fermés ? Je ne viens pas trop tôt ? »

Il dit que ça ne fait rien. Ils sont fermés uniquement pour les affaires de routine, par exemple quand quelqu'un vient déclarer une perte. Il s'adresse à moi avec la tristesse douce d'un chirurgien parlant à un patient atteint d'une affection inopérable. Il dit que c'est le travail de la police d'aider les personnes en détresse ou en situation de panique, celles qui ne peuvent pas attendre. Il dit qu'il va demander à un enquêteur de venir s'entretenir avec moi dans les prochaines minutes. Est-ce que je veux bien le suivre ? Il me guide vers une porte fermée au public, une porte qui me rappelle la porte dérobée qui mène de la salle d'attente du jury à la salle d'audience n° 12. C'est un passage que les gens n'empruntent pas tous les jours, mais uniquement à des moments particuliers de leur vie.

Sans vraiment savoir comment, je me retrouve assise avec un verre d'eau devant moi et une voix me propose une tasse de thé, mais je secoue la tête et articule le mot merci sans qu'aucun son ne sorte. Une main fait glisser dans ma direction une boîte de Kleenex. La main appartient au commissaire adjoint Peter Hughes, un homme très grand, très mince et très voûté qui approche de la cinquantaine et arbore une tignasse couleur acier et les verres de lunettes les plus épais que j'aie jamais vus. Il paraît fatigué après ce qui a dû être une longue nuit de garde. Il boit du café noir. Je prends quelques mouchoirs, m'essuie les yeux, me mouche, puis me racle la gorge sans succès, alors je recommence. Je prends une gorgée d'eau. Le commissaire Hughes dit : « Pas de panique. Restez assise quelques minutes, jusqu'à ce que vous vous sentiez prête. À ce que je vois, ça a été un grand pas pour vous de venir ici. »

Mon malaise doit se lire sur mon visage, s'entendre dans les bredouillements qui s'étranglent dans ma gorge. Tout le monde doit voir que je suis en train de me désintégrer ; je suis à peu près aussi solide qu'un morceau de carton dans une flaque d'eau sale.

Sur le mur, derrière le commissaire Hughes, se trouve une affiche encadrée.

Les victimes seront toutes traitées avec sensibilité, compassion et respect par des agents professionnels et dévoués.

Je le constate déjà. Le commissaire Hughes. Le policier au visage de bébé qui m'a emmenée dans cette pièce et qui, pratiquement invisible, prend des notes. Tous les deux semblent incarner les belles promesses de l'affiche. Mais que dire du terme désignant mon rôle dans cette histoire ? Victime. Un mot que je me suis refusée à utiliser, un mot qui me nargue sans relâche, dans les brochures, dans la salle d'audience. Pas question que je commence à l'utiliser maintenant. Pourtant, c'est de toute évidence celui que le jeune policier et le commissaire Hughes lisent sur mon visage.

Les chaises sur lesquelles nous sommes assis tous les trois sont en plastique imitation bois. La table ronde assortie qui se trouve entre nous constitue l'unique autre meuble. Le sol est en lino, si bien que même la voix calme du commissaire Hughes résonne avec un son métallique quand il me demande si je préfère attendre qu'une femme soit disponible pour m'interroger. Là, je réponds dans un sanglot que je crois que je préfère le faire maintenant si ça ne les dérange pas et il dit oui, bien sûr. Il y a un immense miroir, sans doute un poste d'observation, mais je ne pense pas qu'il soit utilisé pour moi. J'espère qu'il le sera pour toi.

Malgré les nombreuses fois où je sors des rails de ses procédures méthodiques, malgré mon besoin impulsif de tout lâcher d'un coup dans le chaos de mon affolement, le commissaire Hughes parvient habilement à tout me faire reprendre dans un ordre logique. Je lui raconte que j'ai essayé de tout faire comme il faut. Je lui raconte ce que tu ne sais que trop bien : que je ne t'ai pas facilité la tâche. Bien au contraire. Ma détermination à porter ceci à la connaissance du commissaire Hughes le plus vite possible me surprend moi-même.

Je lui dis que je ne suis membre d'aucun site de rencontre, que je n'affiche pas les détails de ma vie intime, que je n'annonce pas les trajets que je vais faire. Je lui raconte comment la piste Internet de Rowena t'a permis de t'immiscer dans la relation déjà tendue que j'avais avec elle, que ma présence sur la Toile n'avait rien à voir là-dedans puisqu'elle est inexistante. Ce genre de visibilité publique est contraire à ma nature, dis-je. Je lui raconte que tu n'as pas mon adresse mail personnelle – peu de gens la connaissent – et que jusqu'à présent, tu ne m'as jamais harcelée sur mon mail professionnel.

Je lui raconte qu'à mon avis, tu n'as pas eu d'autre choix que de me pister à l'ancienne, en traînant autour des endroits où tu sais que je dois me rendre, même si j'en ai limité le nombre au point de quasiment m'emprisonner moi-même. Tout en parlant, je vois pour la première fois ce qui aurait dû me sauter aux yeux dès le départ. Mon existence informatique, aussi réduite soit-elle, ne t'intéresse pas le moins du monde. La seule chose que tu veux, c'est le contact physique.

Je raconte cette nuit de novembre au commissaire Hughes, lui explique que je ne me rappelle pas grand-chose. Je lui dis être convaincue que tu diras que ces rapports étaient consentis, que je te soupçonne d'avoir versé quelque chose dans mon vin. En dépit de son imperturbable amabilité professionnelle, je m'attends à ce qu'il me regarde d'un air moqueur et me dise qu'il ne peut rien faire. Pourtant, ce n'est pas ainsi que les choses se passent.

« Il se pourrait que le terme "consentis" ne s'applique pas dans ce cas précis », dit-il.

Je me souviens des yeux de Lottie s'emplissant de larmes lorsque Mr Harker lui a dit qu'il ne contestait aucun des éléments qu'elle avançait. À présent, cette reconnaissance muette, je la comprends d'une façon qui m'était impossible auparavant. Mes propres yeux s'emplissent de larmes, que je contiens pour ne pas interrompre le commissaire Hughes.

« Mais même en supposant le contraire, juste pour la forme, dit-il, des rapports sexuels consentis, quelle que soit leur nature, ne vous rendent pas coupable de cette situation, pas plus qu'ils ne lui donnent le droit de se comporter comme il le fait depuis. Hélas, au jour d'aujourd'hui, nous ne pouvons rien établir pour ce qui est du vin. Il aurait fallu procéder à des examens médicaux et un test d'urine à l'époque des faits pour établir qu'il a été fait usage de drogues, et de quel type. Mais de toute façon, les tests ne sont pas probants. Ces substances ne sont pas toutes décelables, et souvent le corps les évacue en quelques heures. »

Je devine que le commissaire a suivi d'innombrables stages. Mais il se comporte si naturellement, avec une gentillesse et un tact qui n'ont rien d'étouffant. Il est tellement sincère. Tellement digne de confiance. Je pense que tout cela est authentique. Je ne crois pas qu'il s'agisse uniquement du résultat de toutes ces journées de stages professionnels qui vous apprennent comment vous comporter face à des victimes de crimes sexuels.

Et maintenant, voici le moment que je ne peux plus retarder. Les photos. Je les ai emballées à part ce matin, sans être sûre, même en sortant de chez moi, de pouvoir me résoudre à les remettre à la police. Pourtant, me voilà qui les dépose devant le commissaire Hughes en bredouillant que je n'ai aucun souvenir du moment où tu les as prises, que je redoute que tu veuilles faire passer ça pour un jeu sexuel consenti, et je le préviens la voix tremblante. « Déjà, être là quand vous les regardez, vous voir les regarder... » Je ne finis pas ma phrase.

« Je comprends, dit-il, et je vous trouve très courageuse. »

Je me souviens que Mr Morden a dit exactement la même chose à Lottie. La dernière chose qu'il lui a dite après toutes ces journées passées dans le box des témoins.

J'exprime mes craintes sur le nombre de personnes qui vont être amenées à regarder ces photos.

« Nous faisons très attention avec ce genre de matériel », dit-il. Je relève qu'il évite de me répondre directement, qu'il reste vague.

Le visage du commissaire Hughes est impassible. Il me fait penser à un gynécologue masquant ses pensées et ses réactions pour assurer à la patiente examinée qu'il n'y a pas chez lui le moindre désir ; il fait son boulot, c'est tout. Il étale la pile de photos et jette un bref coup d'œil sur celle du dessus, la première que tu m'as envoyée, la moins affreuse, avant que tu ne m'attaches et ne disposes tous tes accessoires. Sans s'attarder ni sur elle ni sur les autres, il range tes petits souvenirs.

Je m'efforce de rester aussi immobile que possible, rouge de la tête aux pieds face à cet homme en uniforme, cet inconnu. À cause de toi, il m'a vue inconsciente, nue. À cause de toi, il verra pire encore lorsqu'il regardera les autres photos. Il ne veut pas me faire honte en le faisant sous mes yeux.

Je prends une autre gorgée d'eau, et alors il dit : « Là, maintenant, il serait très difficile de prouver que vous n'étiez pas consentante, même si je vous crois quand vous m'affirmez le contraire. De toute manière, à supposer que vous ayez consenti à ce qu'il prenne ces photos, vous ne voulez pas les voir maintenant, et vous l'avez exprimé clairement. C'est cela qui compte. »

Il s'excuse dix minutes, et sort accompagné du jeune policier discret. Pendant leur absence, je téléphone au tribunal pour dire que je serai en retard. Je leur explique que j'ai été retenue par un problème familial. Je leur dis que je me libérerai dès que possible. Je m'attends vaguement à être exclue du jury sur-le-champ, mais ils se montrent extrêmement aimables et compréhensifs.

Le commissaire Hughes revient avec le nécessaire pour classer et ranger les photos, toujours accompagné du jeune policier, lequel prend des notes si silencieusement que j'en oublie presque sa présence. Seule la voix du commissaire Hugues et la mienne sont autorisées à rebondir sur les murs blancs de cette salle d'interrogatoire. Je sais qu'il doit s'agir d'une stratégie mise au point entre eux deux afin que je me sente le plus à l'aise possible dans cette situation des plus gênantes, afin que je ne sois pas plus débordée par l'émotion que je ne le suis déjà.

Chacune de mes pièces à conviction est soigneusement examinée et étiquetée. Tes lettres. Ton livre relié à la main. Les fleurs complètement séchées et le répondeur désactivé. La boîte de chocolats en forme de cœur avec sa carte assortie. Les photos de Robert et moi. La bague. Ton magazine avec l'enveloppe dans laquelle il a été expédié, sur lequel le commissaire Hughes ne s'attarde pas, là encore à mon grand soulagement. Le carnet noir. Les photos de toi dans ma rue, prises avec mon portable, et celle que j'ai prise de mon poignet rouge après le parc.

Déjà, j'ai fourni des preuves attestant de beaucoup plus d'épisodes que le minimum de deux requis dans le cadre de la loi contre le harcèlement. J'ai démontré de manière convaincante le caractère obsessionnel de ton comportement et le fait que les épisodes se sont produits sur une période de temps relativement courte.

Un nombre largement suffisant d'éléments, m'assure le commissaire Hughes, pour justifier la visite qu'il te rendra plus tard dans la journée. Souvent, dit-il, cela suffit.

Je lui parle de la disparition de Laura, lui donne les coordonnées des Betterton, indique que la police n'a pas pu faire quoi que ce soit pour eux, lui demande s'il peut trouver quelqu'un qui comparerait la couverture du magazine avec les photos que ses parents ont faites d'elle. J'ai l'impression que le commissaire Hughes se redresse en entendant cela, malgré son dos voûté, qu'il a l'air carrément inquiet. Il joue avec ses grosses lunettes, les fait glisser sur son nez si bien que je vois la marque rouge qu'elles laissent, puis les remonte – premier signe de nervosité que je perçois chez lui au cours de cette longue matinée. Il attend un long moment avant de prendre la parole, pèse ses mots avec encore plus de prudence. La police prend les cas de harcèlement très au sérieux, dit-il. Il ne peut pas se prononcer sur une autre affaire, dit-il. Mais il va conserver les éléments concernant les Betterton dans mon dossier pour pouvoir y faire référence plus tard, dit-il.

La police va t'adresser une mise en garde verbale et écrite. En langage clair, cela veut dire que si tu persistes dans ce comportement qui me donne le sentiment d'être harcelée, menacée, malmenée, alors tu t'exposes à des poursuites et à une ordonnance restrictive. Et si tu ne la respectes pas, tu risques jusqu'à cinq ans de prison.

Je lui raconte ce que tu as fait à la voiture de Robert, et tout en notant l'information, le commissaire Hughes explique qu'à moins que Robert ne dépose lui-même plainte, la police ne peut rien faire. Je dis qu'à mon avis, Robert n'ira pas à la police, du moins pour l'instant. Je ne dis pas que c'est parce que j'espère toujours que Robert ne sera jamais mis au courant. Pour la première fois, la chose paraît envisageable.

À 11 heures je suis sortie, la carte du commissaire Hugues dans la main. Il a écrit dessus son numéro de portable, ainsi que la référence du dossier. Je cherche dans mon sac le nouveau carnet, identique au précédent, jusqu'à la couverture noire ; je l'ai acheté au cas où, mais en glissant la carte entre les pages vierges j'espère qu'elles le resteront. Puis je serre dans la main l'alarme anti-harcèlement que le commissaire Hughes m'a donnée et dont il m'a expliqué le fonctionnement. Il m'a également remis une carte Aide aux Victimes avec les informations essentielles sur mon harcèlement et les actions et démarches qui vont suivre. Lottie a dû en recevoir une elle aussi. Mon harcèlement. Celui qui m'appartient. Comme si tu m'appartenais. Et de nouveau ce mot. Sur le mur. Sur la carte. Dans les brochures. Au tribunal. *Victime.*

Cinq minutes après avoir salué le commissaire Hughes, je me retrouve sur le quai de la gare. Je me rends compte avec un serrement au cœur que le jeune policier a disparu avant que je puisse le remercier. Le train de 11 h 08 pour Bristol entre presque immédiatement en gare. Je monte. Tu n'es nulle part en vue. Tu dois te demander pourquoi tu ne m'as pas trouvée aujourd'hui. Tous ces postes d'observation, tous ces repères, et rien. Je t'ai échappé.

L'après-midi, Clarissa profita d'une pause inopinée pour étudier un patron de robe vintage, prenant de temps en temps des notes dans sa drôle d'écriture en pattes de mouche. Assise dans une petite flaque de lumière tombant de la fenêtre, elle somnolait dans la chaleur douillette. Depuis combien de temps Robert la regardait-il sans qu'elle s'en aperçoive ?

Elle lui adressa un sourire ; il s'assit. « C'est un patron plutôt original, dit-il.

– Il appartenait à ma grand-mère. Il date des années 1950. Les patrons n'étaient pas multitaille à l'époque. Il a fallu que je le réduise. »

Prudemment, d'une main légère, il toucha la manche jaunie que sa grand-mère avait taillée. « C'est joli. »

Leur huissier entra de son pas régulier. Les autres jurés, qui jouaient tous au poker à l'autre bout de la pièce, cessèrent immédiatement leurs bavardages et se tournèrent vers lui. Il n'eut qu'à hocher la tête pour qu'ils se lèvent sur son commandement. Ils le suivirent sans un mot. Sauf Robert, qui resta près de la table et attendit qu'elle ait replié le patron fragile.

« Il faut être doué, non, pour faire un vêtement comme celui-ci ? » dit-il juste avant qu'ils ne rattrapent les autres. Il s'exprimait d'une voix trop basse pour qu'on l'entende, une voix qui ne s'adressait qu'à elle, une voix d'amant.

Ce soir-là, elle retourna seule à la gare. Robert avait attrapé le train précédent pour pouvoir rentrer à Bath et s'occuper des dégâts sur sa voiture. Elle l'aurait retardé.

Elle essaya de ne pas fouiller les ténèbres à la recherche de Rafe. Elle tenta de l'imaginer en train de recevoir une mise en garde écrite et verbale de la part du commissaire Hughes ; il devait l'avoir, à cette heure ; il allait sans doute finir par comprendre que s'il ne la laissait pas tranquille, il risquait des poursuites judiciaires, des ordonnances restrictives, voire la prison. Choses que quelqu'un de normal ne pouvait pas souhaiter.

Mais Rafe n'était pas normal. Elle redoutait malgré elle qu'il ne fasse aucune distinction entre les différents obstacles qui l'écartaient d'elle. Que ce soit une mise en garde de la police ou un ordre judiciaire, une porte l'empêchant d'entrer ou de sortir, ce serait toujours la même chose à ses yeux : un simple obstacle qu'il lui faudrait lever avec les méthodes dont il disposait, quelles qu'elles soient, quelles qu'en soient les conséquences ; entre-temps, il dirait, ferait ou promettrait tout ce qu'on voulait.

De retour à Bath, elle se força à chasser ces idées de son esprit. Maintenant qu'elle avait mis la police au courant, elle pouvait s'autoriser à croire que tout allait s'arranger.

Elle demanda au taxi de la déposer devant la supérette pour acheter du lait, des fruits et des œufs. Elle déboucha dans l'allée des produits ménagers sans retenir son souffle ; elle était sûre qu'il ne l'y attendrait pas.

Elle parcourut les quelques mètres qui la séparaient de chez elle seule dans le noir. Il ne l'attendrait pas aux carrefours. Il ne se matérialiserait pas à ses côtés. Il ne surgirait pas de derrière un angle. Il ne serait ni dans sa rue, ni dans l'allée menant à la porte, ni près des lavandes de Miss Norton. Il ne serait à aucun des endroits habituels. Elle en était sûre.

Mercredi

Mercredi 4 mars, 9 h 15

Je ne peux pas résister à l'envie d'écrire dans le nouveau carnet. Même hier, une fois rentrée, je n'ai pas pu déroger à mon habitude de gribouiller, puis de coller les pages pleines d'encre sur la plaque en verre brillante de mon scanner. Il y a encore trop de choses inexpliquées pour que je puisse t'exorciser entièrement.

Les éboueurs passent dans deux jours. Bien que la police soit avertie et me soutienne, je ne me sens toujours pas suffisamment en sécurité pour cesser de sélectionner ce que je mets dans les sacs-poubelle noirs que je dépose sur le trottoir devant la maison le vendredi matin. Je pourrais laisser un petit message. *Va te faire foutre – je sais tout.* Mais il est hors de question de te parler, à présent. De te prévenir ou de te donner la moindre information qui pourrait t'être utile. Et surtout, d'encourir la fureur de ma mère en me laissant aller à jurer par ta faute.

Une fois dans la salle d'attente du jury avec la porte verrouillée automatiquement derrière moi, je vais dans les toilettes femmes. Tu ne pourras jamais y pénétrer. Même toi. Je sors le sac que j'ai soigneusement fermé avant de partir ce matin. Son contenu est tout compacté au fond, si bien que mes déchets enveloppés de plastique ont des allures de ballon déformé. Je noue le sac hermétiquement, puis le fourre dans un deuxième sac que je noue également, pour en protéger le contenu et empêcher les mauvaises odeurs.

Je jette le sac dans la poubelle, furieuse de me sentir encore obligée d'agir de la sorte. Furieuse d'avoir été contrainte de prendre cette habitude. Maintenant, mes déchets sont hors de ta portée. Les serviettes hygiéniques couvertes du sang que j'ai perdu ces cinq derniers jours. La boîte de somnifères vide dans laquelle j'ai trop souvent pioché ces derniers temps. Les emballages de la nouvelle crème pour le corps que je viens d'acheter et de la brosse pour les pieds que je viens d'étrenner. Les bandes de cire que j'ai utilisées ce matin, mouchetées des poils que j'ai arrachés. Les détails intimes de ce qui sort de mon corps, de ce qui y entre, de ce que je passe sur ma peau et utilise pour la lisser et la polir. Ils ne te sont pas destinés. Ils ne le seront jamais.

En sortant des toilettes, elle trouva Robert assis à l'une des tables branlantes, en train de boire le café infect du tribunal et de lire le journal.

Il tira une chaise pour elle, lui sourit tandis qu'elle s'installait avec son énorme tasse de café au lait. Elle en avait bien besoin : elle n'avait pas beaucoup dormi. La faute à son état de surexcitation, à son soulagement plus qu'à la peur. Elle s'était forcée à ne pas prendre de somnifère ; elle voulait se sevrer – et croire que la raison pour laquelle elle en avait eu besoin n'était plus valable.

« Ne va pas t'imaginer que je n'ai pas remarqué le regard dédaigneux que tu as posé sur mon café, dit Robert. Ta famille va bien ? »

Elle eut une seconde de perplexité. Puis se rappela le mensonge qu'elle avait raconté à tout le monde hier pour justifier son retard. « Oui, merci. » Elle but une gorgée de café au lait en priant pour qu'il n'ait pas remarqué son hésitation. « Et toi ? Ta voiture ? »

Il haussa les épaules, manière de dire, aucune importance, pas la peine d'en parler. Sa main paraissait immense comparée à la mignonne petite tasse blanche du tribunal.

Cette main. Elle ramassait des morceaux de corps. Découpait des voitures accidentées pour désincarcérer des victimes, mortes ou vivantes. Aidait des vieilles dames terrorisées à enjamber un appui de fenêtre et à descendre d'une échelle. Contrôlait des jets d'eau avec un mélange savant de précision, d'instinct et de force. Tirait des êtres humains de sous des immeubles en feu et des décombres.

Elle se demanda l'effet que cela ferait, d'être touchée par une main comme celle-ci.

Le visage de Robert avait retrouvé son impassibilité coutumière. Mais contrôler ses expressions faisait partie de son travail, lui qui était sans cesse confronté à des personnes agonisant, souffrant, aux abois. Sans doute ce genre de discipline physique et émotionnelle était-elle une aptitude qu'il savait appliquer à tous les domaines de la vie, une aptitude qu'il avait développée sur plusieurs années parce qu'il devait y faire appel quotidiennement. Mais lui arrivait-il de perdre son sang-froid ?

Elle pensa au chevalier dans le tableau de Waterhouse, *La Belle Dame Sans Merci*. Ledit chevalier était en position instable, sur les genoux, penché vers la femme fée, désarmé, l'épée baissée. Il restait robuste, certes, avec son casque, son armure et sa tunique. Sans doute Robert ressemblait-il à cela quand il portait l'équipement requis pour entrer dans des bâtiments en feu.

La porte s'ouvrit brusquement. Annie se dirigea vers eux. Elle était accompagnée du jeune homme aux mèches violettes, branché comme d'habitude sur ses écouteurs assortis. On aurait dit qu'il portait aux poignets des menottes invisibles et qu'Annie le forçait à marcher à ses côtés.

« Ne l'épouse pas, disait Annie. Tu es trop jeune pour te marier. Quand tu auras quarante ans, tu la quitteras pour une femme plus jeune et tu la planteras là, seule avec ses trois gosses et son gros cul. »

L'air terrifié, le jeune homme lança du regard un appel à l'aide à Robert, mais ce dernier ramassa son sac et se leva. « Faut y aller », dit-il.

Tandis qu'il s'éloignait, elle se rendit compte que depuis la première fois où elle lui avait adressé la parole, elle ne s'était jamais autorisée à regarder ses yeux d'un bleu incroyable. Jamais elle n'osait laisser ses yeux s'attarder plus d'une seconde sur les siens. S'il y avait bien une chose que montraient ces peintures et poèmes romantiques, c'était le danger d'un vrai regard direct et décidé.

Mr Morden paraissait inquiet. Clarissa comprit vite pourquoi. « La dernière phase de ce procès concerne les interrogatoires de Mr Sparkle par la police », dit-il. Mais avant que Mr Morden puisse commencer une autre phrase, l'avocat de Sparkle réclamait à cor et à cri une suspension et le jury fut congédié pour le reste de la journée.

Mercredi 4 mars, 18 h 20

Je ne la vois pas en entrant. Je suis bien trop occupée à ôter mon bonnet et à le mettre dans mon sac. Cela explique que je marche sur l'enveloppe en papier kraft et laisse une tache de boue sur un angle. C'est uniquement l'impression d'avoir un papier collé à ma botte qui me fait baisser les yeux et décoller l'enveloppe. Miss Norton faisait sans doute la sieste quand elle a été glissée dans la fente de la boîte aux lettres.

Y figure mon nom tapé à la machine. Je déteste que tu utilises mon nom entier, mais comme je n'ai pas encore compris que c'est toi, je ne suis pas inquiète. Cela viendra dans quelques secondes. Il n'y a rien d'autre sur l'enveloppe. Pas d'adresse, pas de timbre. Mais je ne reconnais pas ta marque distinctive car je me suis déjà forcée à ne plus être à l'affût. J'en avais tellement envie. Cela ne m'a pas demandé trop d'efforts.

Je me dirige d'un air rêveur vers l'escalier en songeant à ma promenade avec Robert et en ouvrant distraitement l'enveloppe dont je sors le contenu. À la seconde même où je reconnais ton écriture, je me donne une claque sur la tête et passe plusieurs fois la main sur mon crâne. Mes cheveux crépitent et grésillent et j'aperçois carrément des étincelles bleues. Lorsque je détache mes doigts mes cheveux se dressent, comme magnétisés.

Je m'affale contre le mur, mon sac pesant sur mon épaule, et lis ta lettre.

Tu es vraiment calée sur « Barbe-Bleue ». Voici un autre conte de fées sur lequel j'aimerais avoir ton opinion.

Tu sais ce que le roi a fait à sa femme impudique dans Les Trois Feuilles du serpent. *Elle et son amant sont placés dans un bateau à la coque percée de trous et poussés vers le large, où les vagues les engloutissent rapidement.*

Penses-tu que c'était idiot de la part de ce roi, de lui accorder ces derniers instants avec son amant ? Ou bien penses-tu qu'il aurait dû les passer lui-même avec elle ?

L'immense espoir que le commissaire Hughes a fait naître hier retombe brutalement. C'est comme si je m'étais mise au lit en essayant de me convaincre que le test de grossesse que je ferais le lendemain serait positif, pour me retrouver ensuite abattue par l'appel de la clinique sur mon portable l'après-midi ou bien par la venue du sang avant même que le laboratoire ait faxé les résultats.

Je plonge la main dans mon sac pour récupérer mon portable et la carte avec le numéro du commissaire. Je ne parviens qu'à bredouiller quelques mots, mais c'est suffisant. Il arrive, me dit-il. Pas besoin de me rendre à la gare, puisqu'il s'agit d'une affaire prioritaire.

Lentement, avec des mouvements prudents et réfléchis visant à me calmer, je monte jusque chez moi et me prépare une tasse de café pour essayer de me réchauffer, de chasser le goût atroce que j'ai dans la bouche. Et l'expression atroce que j'ai dans la tête.

Jusqu'à ce que le commissaire Hughes la prononce, je ne m'étais pas autorisée à imaginer que je puisse être cela. Que c'était cela que tu avais fait de moi. Une affaire prioritaire.

Les derniers instants.

Les passer lui-même avec elle.

Pour la première fois, je vois mon histoire depuis l'extérieur. Même pour la police, c'est sérieux, très sérieux. Même pour la police, qui voit des criminels à longueur de journée, tu sembles extrêmement dangereux. Une affaire prioritaire.

Jeudi

Jeudi 5 mars, 9 h 30

Je suis assise seule dans la salle de réunion du jury et j'essaye d'être invisible, même pour Robert. J'imagine ce qui est en train de t'arriver. Le commissaire Hughes m'a tout expliqué.

Les policiers vont frapper à ta porte. Ils vont t'arrêter, procéder à l'enregistrement de ta déposition. Si tu acceptes de répondre, tu me feras certainement porter le chapeau. Tu diras sans doute que nous avions une relation et que je ne t'ai jamais dit que je ne voulais pas de tes attentions. Éventuellement, tu expliqueras que c'était moi qui te harcelais.

Vont-ils te montrer les photos ? Vas-tu jubiler ? J'essaie de me convaincre qu'ils ne te donneront pas la satisfaction de les regarder au commissariat, de te vanter de ton œuvre. Et s'ils y sont vraiment contraints, que tu ne diras pas grand-chose, que tu ne voudras pas t'attarder sur elles en la présence de tiers – telle est ta possessivité. Quoi qu'ils fassent, quelles que soient tes réactions, cela ne diminuera pas le poids des autres éléments à charge.

Ils demanderont au parquet de se prononcer sur la recevabilité des indices.

Puis, avec un peu de chance, ils t'accuseront de harcèlement et menace à autrui, délits qui tombent sous le coup de la loi « Protection contre le harcèlement ».

Ils te traduiront devant un tribunal auquel ils demanderont de prononcer une ordonnance restrictive, même si, par ailleurs, on t'accordera la mise en liberté sous caution.

Tu seras sans doute sorti avant le week-end. Le commissaire Hughes m'apprendra certainement la nouvelle d'ici à quelques jours. Mais quand tu seras de nouveau libre, la loi t'interdira de t'approcher de moi ou de communiquer avec moi par quelque moyen que ce soit.

Il te sera donc impossible d'aller travailler. Le service du personnel consultera sans doute un juriste. Ils enverront des lettres, essayeront de voir si oui ou non ils peuvent ou devraient ou doivent continuer à t'employer. Tu seras absolument furieux. Si je ne te détestais pas autant, je serais navrée pour toi. Mais je ne peux pas me permettre d'avoir pitié.

Surtout, je dois chasser cette crainte que le travail t'a plutôt réfréné, et qu'à présent cette barrière a été levée. Autre chose joue contre moi. La présence de Robert me procure une certaine sécurité, mais elle t'excite aussi. Avec Laura, il n'y avait pas d'autre homme qui puisse éveiller chez toi une jalousie aussi obsessionnelle. Du moins à la connaissance de ses parents, même si toi qui l'espionnais, tu en savais peut-être plus qu'eux.

J'essaie de me dire que si jamais il m'arrive quelque chose, la police te soupçonnera tout de suite. Voilà une pensée consolatrice. Ça, toi aussi tu le sais. Tu n'avais pas été inquiété, avec Laura. Ils t'avaient laissé libre de faire ce que bon te semblait. Avec moi, ce n'est pas pareil. Mais je ne peux pas m'empêcher de soupçonner la police de faire semblant de s'intéresser à mon cas afin que, si jamais tu en viens à me tuer, ils puissent dire qu'ils avaient fait ce qu'il fallait aux yeux de l'administration ; ils se seraient protégés contre tout reproche. Mêlé à tout cela, il y a ce que je sais depuis le début mais n'ai pas voulu exprimer : il est tout à fait possible que tu en viennes au meurtre. C'est pour cela que je suis une affaire prioritaire.

Elle s'installa dans la salle d'audience en pensant au mystère de ce qui était arrivé à Laura, à l'infinie tristesse de Mr et Mrs Betterton, à la femme sur la couverture de cet atroce magazine. Elle essaya de se concentrer sur Mr Morden, qui était en train de se lever. « L'inspecteur Mallory va lire les questions qu'il a posées à Mr Sparkle, et je lirai les réponses de Mr Sparkle. Ce sont des extraits que vous entendrez. »

Inspecteur : OK, Isaac. Racontez-moi ce qui s'est passé quand vous vous êtes réveillé le dimanche matin.

I.S. : J'ai trouvé Carlotta dans la chambre. Elle était, genre, en boule sur le lit, blottie dans un coin, en fait. Genre, en position fœtale je crois qu'on dit, non ?

Je lui ai fait signe de me suivre dans le salon. Elle était... elle hésitait... elle disait rien. Alors que la veille, elle papotait avec moi et Godfrey et Azarola. Alors je lui demande, y s'est passé quelque chose, et elle dit, oui, j'ai subi des violences, ils m'ont fait subir des violences.

Inspecteur : Vous avez compris qu'elle voulait dire quoi, par violences, Isaac ?

I.S. : J'sais pas. Genre des accusations de viol et tout ce que vous avez dit. Alors j'lui dis, qui a fait ça, et elle m'répond, les deux plus grands, et moi je croyais qu'elle voulait dire Tomlinson et Doleman. Alors après j'dis à Tomlinson, Carlotta dit que tu l'as violentée, et lui, c'était rien, qu'il fait,

`rien du tout. Mais sans me regarder. Il vou-`
`lait pas en parler.`

Au lieu de retourner directement à la gare, ils s'arrêtèrent dans un bistro tout proche qui avait attiré l'œil de Robert. *Juste un petit dîner rapide,* dirent-ils pour minimiser l'événement. *Un petit resto trop charmant et discret pour qu'on passe à côté,* dirent-ils en s'installant tout sourires sur les banquettes en cuir rouge.

Il resta bouche bée en l'entendant commander un sandwich à la viande. « Tu n'es donc pas végétarienne ? Je ne sais pas pourquoi, mais j'en étais convaincu.

– Pas du tout. Mais je sais que ça gêne beaucoup quand je demande ma viande bien cuite. » Henry ne pouvait s'empêcher de faire la grimace dans ces moments-là.

« Il n'y a rien de gênant. Tu as tout à fait le droit de demander la cuisson qui te convient. »

Mille bons points pour toi, songea-t-elle en lui adressant un sourire radieux. « Je suis ravie que tu envisages les choses ainsi. »

Elle s'excusa un instant et se dirigea vers les toilettes tout en cherchant son portable dans son sac. Elle voulait vérifier rapidement, sans que Robert la voie, si elle avait reçu un message du commissaire Hughes. Rien.

Lorsqu'elle retourna à leur table, sa respiration se bloqua. Dans les mains de Robert se trouvait le carnet noir.

« Il est tombé quand tu t'es levée. » Il parlait d'une voix calme, tranquille ; ce n'était pas la voix d'un homme qui a fouillé dans les affaires des autres. Il lui tendit le carnet.

Elle murmura un remerciement et le prit d'un geste lent et prudent. Elle le balança deux ou trois fois par la spirale. Les pages produisirent de petits craquements sinistres des plus appropriés.

Robert lui versa de l'eau pétillante. « Au cas où tu te poserais la question, je n'ai pas regardé dedans.

– Désolée si je t'ai laissé penser que c'est ce que je pensais. On appelle ça des allitérations, non ? dit-elle en levant les yeux au ciel.

– Ça se pourrait », dit-il en éclatant de rire. Mais il n'avait pas laissé tomber le sujet. « C'était juste pour que tu saches. Jamais je ne ferais un truc pareil. »

Elle pensa à Henry, le revit fouillant dans la pile de documents sur sa table de nuit, tombant sur la brochure de la clinique alors qu'elle n'était pas encore prête à lui expliquer qu'elle voulait essayer une FIV ; elle le revit furieux à l'idée qu'elle puisse comploter derrière son dos, puis changeant vite d'avis, acceptant de l'accompagner et de tenir sa promesse. « Je sais que ce n'est pas ton genre.

– Alors tu me fais confiance ?

– Oui.

– Bien. Je comprendrais que tu te poses la question. » Il but une gorgée de sa bière française. « C'est un roman que tu es en train d'écrire ? »

Elle fit non de la tête.

« Tu passes ton temps sur ce carnet. On dirait que tu es complètement accro à ce que tu écris. Je parie que c'est une œuvre d'art.

– Certainement pas !

– Quand tu écris, tu ne vois rien d'autre. Ce matin, tu étais plongée dans ton carnet. Je t'ai fait un signe de la main et tu n'as rien remarqué. Annie s'est trémoussée pour te distraire et tu n'as même pas levé la tête.

– Dire que j'ai raté ça ! Je vais devoir lui demander de refaire son petit numéro.

– Tu ne nous as même pas entendus glousser. »

Elle fusilla le carnet du regard, comme s'il s'était mal conduit en accaparant son attention. Il était à peine plus grand que la main dans laquelle elle le tenait. « C'est un peu petit pour un roman.

– Quoi que ce soit, je suis certain que c'est chouette.

– Chouette, ça non. »

Elle glissa le carnet dans son sac, qu'elle ferma soigneusement en vérifiant à deux reprises qu'on ne pouvait pas l'ouvrir.

La serveuse posa leurs assiettes sur la table.

Elle examina son sandwich. Des oignons caramélisés dépassaient de la baguette imbibée par leur jus brun doré. Elle en croqua prudemment un morceau et émit un grognement de plaisir, consciente que cela ferait sourire Robert, mais secrètement furieuse d'avoir eu l'idée saugrenue de commander un truc impossible à manger proprement. Elle s'essuya la bouche avec sa serviette dès qu'elle eut posé son sandwich, au cas où. « C'est vraiment délicieux. C'est ma mère qui te paie pour s'assurer que je mange ? »

Sourire, signe de dénégation de la tête, petite pause puis, sur un ton amusé et ferme : « Non. »

Impossible d'enfourner l'énorme sandwich. Elle coupa un petit morceau de viande, embrocha quelques lamelles d'oignon avec sa fourchette, puis plongea le tout dans le petit pot de sauce au vin que la serveuse avait placé à côté d'elle. Elle posa la fourchette sans avoir touché au morceau de viande et aux oignons. « Robert, je voulais te dire, à propos du carnet… »

Il avait la bouche pleine de pommes de terre sautées. Il avala presque tout rond. « Ne t'en fais pas pour ça.

– Tu n'es tout de même pas en train de t'étouffer ? »

Il prit une voix exagérément rauque. « Merci de t'inquiéter pour moi. » Il jeta un coup d'œil sur son assiette. « Ta mère risque de ne pas me payer si tu ne manges pas tes patates.

– Je préfère les croustillantes. Ce sont les seules qui valent le coup d'être mangées. »

Il tria ses pommes de terre, mit les croustillantes à part et les fit glisser sur son assiette.

« Ma mère va t'adorer », dit-elle en piquant immédiatement sa fourchette dedans.

Le portable de Robert sonna. « Jack est dans un endroit louche. Sinon, je ne répondrais pas. » Il sortit le téléphone de sa poche et, les sourcils froncés, lut le texto. « Ça m'embête bien, mais il ne faut pas qu'on tarde. Je dois aller le retrouver. Le sortir de ce tunnel sombre avant qu'il ne soit allé trop loin. »

Elle fit signe qu'elle comprenait. « Les amis, c'est important. » Elle pensa à Rowena, se demanda si elle pourrait renouer avec elle, mais aussi si elle en avait envie.

Vendredi

C'était exactement comme cela que Robert aurait fait, pensa-t-elle en regardant Azarola avancer d'un pas sûr vers le box des témoins, le regard calme et droit, avec plus que jamais cette allure de pop star espagnole. Il portait un débardeur en tricot gris sur un tee-shirt à encolure dégagée d'un blanc éblouissant.

« Vous dites ne pas vous souvenir de ce que vous faisiez le week-end où une jeune femme affirme avoir été enlevée, séquestrée et violée. » Décidément, Mr William n'y allait pas de main morte avec son client.

Azarola secoua la tête avec une expression de perplexité et d'impuissance. « Ouais. Parce que je ne la connais pas. Je ne l'ai jamais vue. Je n'étais pas là. » Il n'était pas aussi grand que Robert, mais avait ses hanches étroites et ses longues jambes.

« Alors quelle raison aurait votre meilleur ami, Mr Sparkle, de raconter à la police que vous étiez présent ?

– Il ment. Il est en concurrence avec moi. » Sans doute les pompiers étaient-ils obligés de passer une partie de la journée en salle de sport. Quant aux prisonniers, c'était sans doute un choix, pour les plus malins. « Il veut me mettre hors du circuit. Hors-jeu. »

Robert et Clarissa faisaient leur petit trajet habituel vers la gare. « Je n'ai jamais été pris par un radar, dit-il. Je n'ai même jamais eu de PV.

– Tu as fait les scouts ou quoi ? »

Elle couvrit ses oreilles avec ses cheveux pour les garder au chaud. Elle avait laissé son bonnet dans son sac. Robert l'avait certes déjà vue avec mais, prise d'une timidité soudaine, elle s'était demandé si le bonnet ne faisait pas trop petite fille pour lui.

« Pas du tout.

– Je te taquinais. Encore. Désolée. »

Il n'avait pas l'air de lui en vouloir. « Tu trembles. Tu n'as pas ton bonnet ? Tiens, prends le mien. »

C'était une sorte de chapka de cosaque, avec de grandes oreillettes en laine polaire bleu marine. Elle chercha son bonnet dans son sac, et feignit d'être surprise et contente de le retrouver.

« Joli, dit-il.

– C'est ma mère qui l'a tricoté. Elle aime savoir que je suis bien couverte.

– Elle m'a tout l'air d'une femme avisée. » Visiblement satisfait de la savoir à l'abri des engelures, il reprit leur conversation. « Les garçons ont besoin de cadres structurés pour canaliser leur agressivité. Ils doivent apprendre à l'amadouer. Une brigade de pompiers, c'est parfait pour ça. Si nos amis dans le box des accusés s'étaient engagés à dix-huit ans, ils n'en seraient pas là aujourd'hui.

– Mais tout le monde ne peut pas être pompier. Il faut des qualités particulières. »

L'idée parut le surprendre.

« Quel est le pourcentage des candidats qui sont reçus ? demanda-t-elle.

– Un sur quatre. Il y a des tests d'aptitude, de personnalité. Et là, on ne peut pas tricher.

– Je parie qu'Azarola y serait parvenu. Il aurait été pris rien que pour son charisme. »

Tout en parlant, elle chercha dans son sac son portable qui sonnait. « Et à mon avis, il est plus intelligent que tous les avocats réunis. » Le nom du commissaire Hughes apparut sur l'écran. « Désolée, Robert. » Elle retira son bonnet pour dégager son oreille. « Il faut que je réponde à cet appel.

– J'avance. Rattrape-moi si tu as le temps après ton coup de fil. Sinon, on se voit lundi. »

Elle expliqua brièvement au commissaire Hughes qu'elle se trouvait dans la rue et était accompagnée.

Il parut comprendre immédiatement dans quelle position elle se trouvait. « Pas de problème pour moi si vous ne parlez pas. Je voulais juste vous mettre au courant de ce qui se passe. » Il préférait ne pas la laisser passer un week-end dans l'incertitude, mais il finissait sa garde.

Robert se retourna et elle lui adressa un petit sourire. Elle leva les yeux au ciel, comme si elle regrettait de ne pouvoir abréger l'appel, et il reprit son chemin.

Les informations du commissaire Hughes étaient de première main : il était passé lui-même au tribunal dans l'après-midi. Il voulait prévenir Clarissa que même si la version que Mr Solmes avait donnée de ses agissements correspondait à leurs attentes, elle n'en serait pas moins éprouvante et difficile à entendre.

Mr Solmes avait pris un air humble pendant que son avocat expliquait que l'affaire se résumait, du point de vue de son client, à une triste et terrible méprise, un exemple tragique de défaut de communication qui n'aurait jamais dû tomber dans le domaine judiciaire. Mr Solmes n'avait en aucune manière l'intention d'intimider Miss Bourne ou de lui imposer des attentions non désirées.

Les photos faisaient partie d'un jeu sexuel auquel son client et Miss Bourne s'étaient livrés ensemble en tant qu'adultes consentants, et que Miss Bourne en particulier avait souhaité. D'abord réticent, Mr Solmes avait accepté, parce qu'il voulait lui faire plaisir ; il regrettait sincèrement que Miss Bourne ait ressenti le besoin de faire part à la police de détails aussi personnels.

Clarissa eut l'impression d'étouffer. Elle toussa, produisit une espèce de grognement. Robert se tourna de nouveau vers elle. Ils étaient en train de traverser une rue très fréquentée. Sans doute voulait-il s'assurer qu'elle n'était pas distraite au point de se mettre en danger.

Mr Solmes avait été particulièrement choqué d'apprendre qu'elle considérait les fleurs magnifiques comme une menace de mort. Il craignait qu'elle ne soit dans un état d'épuisement et de tension extrême qui la poussait à imaginer ce genre de chose.

Il avait cru ses sentiments partagés ; ils avaient même choisi ensemble une bague de fiançailles, que Miss Bourne avait acceptée et conservée. Jusqu'à il y a quatre jours, il ne soupçonnait pas qu'elle avait changé d'avis après la nuit de novembre au cours de laquelle elle avait accepté de l'épouser. Il avait été pris de court lorsque la police avait frappé à sa porte lundi ; il lui avait fallu du temps pour assimiler la nouvelle situation.

Malgré ce qu'elle lui faisait subir, la froideur et les angoisses de Miss Bourne inspiraient à Mr Solmes les plus grandes inquiétudes quant à son état général. Sa santé se dégradait de manière très visible et, selon des sources fiables, elle était devenue accro aux somnifères. Il avait persisté à essayer d'entrer en contact avec elle uniquement pour lui proposer une aide nécessaire. Il s'était même allié avec sa meilleure amie pour organiser une intervention, mais là encore, Miss Bourne avait refusé. Elle ne se rendait pas compte qu'elle avait besoin d'aide et c'était la meilleure preuve de la gravité de son état.

De l'avis de Mr Solmes, le traîner au tribunal en récompense de sa gentillesse et de ses égards était une épouvantable injustice. Il cesserait désormais d'avoir des attentions à l'égard de Miss Bourne. Il avait toutefois chargé son avocat de dire que, bien que profondément blessé, il espérait sincèrement que Miss Bourne allait chercher ailleurs l'aide d'amis ou de médecins ; Mr Solmes ne lui voulait que du bien.

D'après le commissaire Hughes, le juge n'en avait pas cru un mot. Il avait accordé la remise en liberté sous caution, mais associée à une ordonnance restrictive.

L'avocat de Mr Solmes avait protesté, affirmant que l'ordonnance empêchait son client d'exercer son métier et signait la fin de sa carrière, étant donné que Miss Bourne et lui travaillaient au même endroit.

Le commissaire Hughes s'empressa d'assurer à Clarissa que le juge n'avait pas changé d'avis. Il avait même expressément indiqué à l'avocat de Mr Solmes que si son client violait l'ordonnance, il risquait gros, très probablement une peine de prison conséquente.

Le commissaire Hughes conseilla à Clarissa de rester vigilante et prudente, mais de garder l'espoir que Mr Solmes allait à présent la laisser tranquille.

Elle eut un choc en comprenant que le comportement extrême de celui qui la harcelait était en fait une chance. Ce n'était finalement pas une mauvaise chose, d'être une affaire prioritaire. Si son harcèlement avait été de nature plus modérée, il n'aurait peut-être pas été pris au sérieux. La police ne l'aurait peut-être pas aidée. Elle n'aurait peut-être pas obtenu cette ordonnance restrictive. Contrainte, au contraire, de vivre jusqu'à sa mort avec en arrière-plan sa présence constante ; chaque minute de son existence lentement rongée par le poison.

Maintenant, tout ce qu'elle voulait, c'était s'emparer de sa propre vie, en reprendre possession, jouir d'en retrouver la maîtrise complète et la complète intimité. Des choses que, contrairement à tant de gens, elle ne tiendrait plus jamais pour définitivement acquises.

Lorsqu'elle remit son portable dans son sac, elle avait retrouvé son calme. Comme elle approchait de la gare, Robert ralentit pour l'attendre.

« Un appel intéressant ? demanda-t-il d'un ton neutre.

– Non. » Elle secoua la tête pour insister, pour se convaincre de ce qu'elle disait. « Un truc très ennuyeux qui est terminé. »

Il réfléchit un instant, muet, puis se mit à parler comme s'il ne pouvait pas se retenir. « Je me demandais si c'était un homme. Peut-être quelqu'un que tu fréquentes...

– Non. Dieu merci, non. » Le visage de Robert se détendit. « Il n'y a personne dans ma vie, Robert », dit-elle d'une voix douce et timide. Elle chercha un moyen de lui dire quelque chose qui s'approcherait de la vérité. « C'était un collègue. Il y avait quelque chose qui m'inquiétait, un truc au boulot, et il m'a annoncé de bonnes nouvelles. Le problème s'est envolé. »

Ils étaient devant les portillons.

« Tant mieux, dit Robert.

– Oui », dit-elle en hochant la tête. Elle mit son ticket dans la machine, passa le portillon. « Vraiment c'est bien. Je ne veux plus y penser. » Ils s'arrêtèrent en haut de l'escalier qui menait aux quais. « Je ne sors avec personne. » Elle le regarda droit dans les yeux, aveuglée par leur couleur bleue. « Il n'y a qu'une seule personne avec laquelle j'aimerais sortir. »

Samedi et dimanche

Elle se mit à l'épreuve pendant le week-end, pour voir si elle pouvait se sentir libre et ne pas regarder par-dessus son épaule. Le samedi, elle se promena en centre-ville, fit tranquillement ses achats au marché, songeant, l'espace d'un instant, que c'était peut-être là que Polly Horton avait été enlevée par Godfrey ; elle fut frappée par le côté rassurant et animé des lieux.

Elle commanda un *latte* au comptoir. En attendant d'être servie, elle envoya un texto à Caroline, au cas peu probable où elle serait disponible pour dîner ; mais peut-être celle-ci lui en voudrait-elle toujours d'avoir décliné son invitation à déjeuner il y a deux semaines. À sa grande surprise, Caroline lui répondit presque instantanément qu'elle serait là à huit heures et qu'elle avait hâte de parler à Clarissa d'un plan top secret pour restructurer la fac.

Son *latte* n'étant pas encore arrivé, elle envoya également un message à Rowena. *Tu me manques. Gros bisous.* Rien de plus. Cette fois-ci, pas de réponse immédiate. Peut-être Rowena découperait-elle en lambeaux la chemise de nuit en soie qu'elle lui avait envoyée par la poste le matin même. Elle chassa l'idée de son esprit, impatiente de retrouver bientôt Caroline.

Elle acheta des tulipes rouge vif, les premières de la saison, des olives, des tomates séchées, des poivrons fourrés à la ricotta, du pain de seigle, du fromage halloumi artisanal et une bouteille de son amarone préféré. Chez le chocolatier français, elle prit des pralines, des truffes et des amandes enrobées de cacao. Elle acheta de quoi cuisiner le ragoût au bœuf de sa mère.

Quand elle rentra chez elle, il n'y avait ni lettre ni cadeau. Seulement une facture de carte de crédit qui lui parut charmante.

Le dimanche, elle fit une longue promenade dans les champs silencieux où, autrefois, Henry et elle allaient observer les renards au crépuscule les soirs de fin d'été. La présence d'un coin de campagne si tranquille à une telle proximité de la ville avait pour elle quelque chose de magique.

Elle se promena dans le vieux cimetière envahi par la végétation à côté de la petite ferme, savourant le contact de la mousse épaisse sous ses pieds. Elle découvrit, émue, des fleurs fraîches et un nounours visiblement tout neuf posés sur la tombe d'un enfant mort quarante ans auparavant. Était-ce la mère qui les y avait laissés ? C'était sans doute une dame âgée à présent, mais Clarissa ne s'étonna pas qu'elle puisse encore pleurer la perte de son enfant après tant d'années. Un enfant ne pouvait jamais être remplacé, mais elle espéra tout de même que cette mère éplorée en avait eu au moins un autre.

Ce fut seulement quand le jour déclina au point de l'obliger à plisser les yeux qu'elle cessa de regarder les dates et les noms sur les anges de pierre et les croix ornées. D'inventer des suites à ces vies fauchées prématurément en s'efforçant de ne pas y inclure celle de Laura.

SEMAINE 6

La clef interdite

Lundi

« Il est intelligent », dit Annie aux autres.

Ils attendaient dans l'annexe que l'huissier les ramène dans la salle pour assister à la dernière tentative de Mr Morden pour pulvériser l'impulvérisable Azarola. Mr Morden avait passé la journée à subir les interventions de Mr William, et le jury à entrer et à sortir pour laisser les avocats se consulter.

Se penchant vers Clarissa, Annie chuchota : « Au fait, jolie bretelle de soutif. Tu crois qu'il aime la soie rose, Azarola ? »

Les murmures d'Annie n'étaient guère discrets. Robert, assis comme à son habitude en face de Clarissa, avait certainement tout entendu, même s'il prit soin de n'en rien laisser paraître.

Clarissa dissimula la bretelle. « J'aurais préféré que tu me le fasses remarquer plus tôt, Annie, dit-elle.

– Tes joues ont la même couleur que le soutif maintenant. C'est quand même mieux que ton habituel look fantôme. »

Assise de l'autre côté de Clarissa, Wendy, qui envoyait en vitesse un texto à son petit copain, leva la tête. « Vous pensez qu'un jour Azarola tirera meilleur profit de ses talents ?

– À mon avis, non. » Annie se renfonça dans son siège. « Et mon petit doigt me dit que c'est nous qui allons libérer son génie maléfique. »

Mr Morden observait Azarola avec un mépris non dissimulé. « Vous avez dit à Mr Williams que vous aviez passé votre portable à l'un de vos acolytes, Aaron, et que c'est la raison pour laquelle l'appareil suit le trajet parcouru par Miss Lockyer et ses kidnappeurs jusqu'à Londres. Si vous n'étiez réellement pas présent, alors dites-nous le véritable nom d'Aaron. »

Brefs signes négatifs de la tête, bref silence, puis, amusé et ferme : « Non. » Clarissa se rendit compte que Robert utilisait parfois la même série de gestes.

« Aaron n'existe pas. » Mr Morden avait l'air tellement furieux que Clarissa se demanda s'il n'allait pas carrément perdre son sang-froid. « Vous le savez pertinemment. Le jury le sait. C'est vous qui vous trouviez dans cette camionnette. »

Lundi 9 mars, 18 h 20

Il n'y a rien d'écrit sur l'enveloppe mais Miss Norton a collé dessus un Post-it. *Ceci est arrivé ce matin, Clarissa. Peut-être pour vous ? Si je me suis trompée, frappez à ma porte.* Avant même de l'ouvrir, je sais que Miss Norton ne se trompe pas. Miss Norton ne se trompe jamais.

À l'intérieur se trouve la suite de ta série de photos, ordonnée de sorte qu'elles défilent plus ou moins comme un film. Tu n'as changé qu'un élément. Tu as déplacé un de mes bas, lui a donné la forme d'un U. Tu en as posé le milieu autour de mon cou. Tu as tiré les deux extrémités et les as nouées à la tête de lit.

Je me rejoue l'examen que j'ai fait de mon corps le lendemain. Il n'y avait pas de marques sur ma gorge, j'en suis certaine. Je les aurais vues.

Le bas est purement décoratif, si tant est qu'on puisse utiliser cet adjectif qui te plairait. Il est également symbolique, même si le message est on ne peut plus clair : tu veux m'étrangler, tu en as les moyens, tu en as eu l'occasion, tu ne l'as pas fait, et la prochaine fois tu ne feras pas preuve de la même mansuétude.

Je me force à examiner soigneusement la photo pour m'assurer que ce nœud coulant improvisé ne m'a pas blessée. L'image est certes horrible, menaçante, mais ton nœud n'est pas serré.

Je lutte pour garder la tête froide. Peu importe que tu aies dit à la police et à ton avocat, comme tu l'avais fait pour Laura, qu'il s'agissait d'un jeu sexuel consenti. Peu importe que cette image soit encore plus répugnante et effrayante que la précédente. Ce qui compte, c'est que le week-end à peine fini, tu n'as pas pu t'empêcher de violer l'ordonnance. Un délit qui d'ici à vingt-quatre heures te vaudra une comparution devant le tribunal et une peine de prison. Au moins dix-huit mois, d'après le commissaire Hughes : le juge t'a prévenu que violer l'ordonnance pouvait avoir de graves conséquences. Ajoutons à cela que tu n'auras plus jamais le droit de t'approcher de moi.

Je vais être débarrassée de toi. Je serai libre, en sécurité. Tu m'as en fait rendu un service en m'envoyant ces photos. Je peux survivre à la honte d'aller les montrer au commissaire Hughes.

J'appelle un taxi et me rends directement au commissariat, où je passe le reste de la soirée à être de nouveau interrogée ; je suis en train de devenir experte en la matière, comme Lottie sans doute.

Après, le jeune policier sur lequel je suis tombée la première fois me ramène chez moi, et je suis heureuse d'avoir l'occasion de le remercier de sa gentillesse, de son efficacité et de son accueil alors que le commissariat n'était pas encore ouvert. Il esquisse un adorable petit sourire tout en se concentrant sur la route et me répond que c'est son boulot, que c'est la raison pour laquelle il est ici et qu'il était ravi de pouvoir m'aider.

En surprenant son regard de côté, je me mets à trembler et à rougir et, brusquement consciente qu'il a vu ces photos, je baisse les yeux. J'essaie d'enterrer cette pensée. De me dire que je n'en ai absolument aucune preuve. J'essaie de me persuader que s'il les a regardées, c'est uniquement par nécessité professionnelle. De me souvenir que je viens de donner à la police la dernière de tes photos, la pire, et qu'elle est sans doute en train d'être étudiée en ce moment même par d'autres policiers ; alors quelle différence cela fait-il si ce jeune homme sait à quoi je ressemble nue et entravée ; grâce à toi, il est loin d'être le seul.

Lorsque le policier gare la voiture dans ma rue et insiste pour venir avec moi jusqu'à l'intérieur, j'ai retrouvé le contrôle des mouvements de mon visage et des tremblements de mes mains. Il vérifie avec moi que tu n'as pas fait d'autres livraisons, puis m'accompagne jusqu'à mon appartement.

Je me vois contrainte d'avoir recours aux cachets pour me calmer, sans pour autant réussir à plonger dans le lourd sommeil hébété dont je suis coutumière – je sais que tu vas de nouveau être arrêté. La chose se produira pendant que je rêve. Et tu n'es pas près de sortir.

Mardi

Clarissa se promenait au marché. Il était déjà en prison, en détention provisoire. Pas de caution cette fois-ci. Elle l'avait appris tôt le matin même par le commissaire Hughes, qui s'apprêtait à prendre deux semaines de vacances et tenait à l'informer avant son départ qu'elle n'avait plus à s'inquiéter ; Mr Solmes serait hors-jeu pendant un bon bout de temps.

Elle portait des chaussettes épaisses dans ses bottes. Elle avait cherché une paire de bas dans son tiroir ce matin, par pure habitude, mais n'avait pas pu se résoudre à les porter. Ses cuisses nues étaient gelées sous son manteau et sa robe. Ça la rendait furieuse.

« C'est décidé : tu es la Dame de Shalott », dit une voix.

En se tournant, elle découvrit Robert à deux mètres d'elle, et sa colère s'envola. « C'est bon signe ?

– Viens prendre un café avec moi. On a le temps. » Il la guida vers le café à l'angle. « Ça ne va pas être joli-joli si Tomlinson se retrouve dans le box des accusés. Prenons des forces. »

Il posa un *latte* et du sucre devant elle, puis brandit un vieux livre.

C'était un mince volume de *La Dame de Shalott* de Tennyson, avec juste le poème éponyme, illustré par des reproductions de scènes variées dépeintes par différents artistes et soigneusement disposées. « C'est une véritable merveille, dit-elle. Comment ai-je pu ne pas le repérer avant ?

– Je l'ai acheté d'occasion », dit-il.

Elle s'arrêta un instant sur le tableau de Waterhouse qui représentait la Dame assise dans sa barque, avec ce qui ressemblait à un petit ventre, grossesse fantôme de son désir pour Lancelot et son enfant, flottant vers Camelot et la mort. Clarissa expliqua sa vision de l'œuvre, puis se rendit compte qu'il risquait de penser qu'elle voyait encore des bébés et des grossesses partout.

Il dit, avec peut-être un amusement dissimulé : « Jamais je n'y aurais vu ça. » Il eut un moment d'hésitation. « J'ai envie de te dessiner. Tu veux bien, quand tout ça sera fini ? »

Elle imagina ce que cela ferait de poser comme il le souhaitait, sur ses indications, de le laisser la regarder. Il ne ferait pas que regarder. Il toucherait. Et elle le toucherait.

Il n'y aurait plus de Rafe pour les espionner.

« Oui », dit-elle d'une toute petite voix. Elle lui tendit le livre. C'était, songea-t-elle, une ancienne édition rare et chère. Elle n'osa pas envisager qu'il l'ait dégotée après leur rencontre malgré les manières désinvoltes qu'il affichait. Venait-il de lire les poèmes et de regarder les reproductions, comme un élève cherchant à impressionner son professeur ? L'idée la toucha.

« Il est à toi, dit-il.

– Je ne peux pas. » Elle posa délicatement le livre sur la table. « C'est un objet trop précieux. »

Il couvrit le livre de sa main. « Il était fait pour toi. »

Elle s'était habituée à refuser les cadeaux, à les considérer tous comme des menaces. Mais celui-là était différent.

Osant à peine croire en sa propre audace, elle posa elle aussi la main sur le livre. Très délicatement, elle pressa le bout de ses doigts sur ceux de Robert : le contact était sans ambiguïté ; impossible pour lui de croire qu'il était accidentel. « Merci », dit-elle timidement.

Antony Tomlinson se dirigea d'un pas pesant vers le box des témoins. Il portait un jean foncé et une chemise blanche à manches longues dont les pans couvraient son gros ventre. Elle fut émue par sa cravate, témoignage pathétique de ses efforts vains pour se pomponner pour l'occasion.

Il raconta sa version de ce qui s'était passé lorsque Doleman et lui étaient rentrés du night-club. « Les autres roupillaient. Carlotta était réveillée sur sa chaise. Elle a demandé si elle pouvait nous payer sa drogue en couchant avec nous. C'était son idée à elle. J'ai dit : "T'es sûre" ? Elle a dit oui. Elle nous a conduits dans la chambre. Je lui ai donné un sachet de crack et un sachet d'héro. Elle a fumé les deux. »

Sally Martin avait dit que Lottie prenait 40 à 80 £ la passe, selon que l'homme voulait juste une pipe ou la totale. À en croire Tomlinson, Lottie avait proposé une partie à trois en échange de 20 £ de drogue. Ça ne collait pas.

Mr Morden se leva, tel un boxeur impatient d'en découdre. « Vous dites que Miss Lockyer aurait pu sortir de cette camionnette quand elle le voulait ?

– Oui.

– Puis-je demander au jury de regarder la page 82 de leur dossier ? »

De nouveau la camionnette blanche. Et quelque chose sur la porte de côté que Clarissa s'étonna de ne pas avoir remarqué auparavant. Elle se pencha pour mieux voir, et en bougeant ses pieds, marcha sur son sac, qu'elle avait placé sous la table avant de s'asseoir.

Mardi 10 mars, 15 h 20

Le bruit est soudain, strident. Tout le monde regarde dans ma direction. Les jurés se bouchent les oreilles.

Je ne comprends pas tout de suite ce qui se passe. Je ne comprends pas tout de suite que c'est à cause de toi. Tu m'as rattrapée.

C'est comme si tout se passait au ralenti, sous l'eau. Robert se tourne vers moi, avec une expression tout à la fois pressante et calme. Ses lèvres bougent sans émettre de son. Elles semblent former le mot « dessous ». Il désigne ma table et tape dessus. Annie plonge puis, se redressant comme pour chercher l'air, laisse tomber mon sac sur la table en face de moi.

Je le soulève. Le niveau de décibels augmente. Dans une sorte de cauchemar déroutant, je commence à fouiller dans le sac sans me préoccuper de ce que j'entasse sur la table devant tout le monde. Mon porte-monnaie, une brosse à cheveux, du baume pour les lèvres, mon téléphone éteint, un patron de couture, un brumisateur, le précieux livre de Robert, des clefs, le carnet.

La sirène ne cesse de hurler, si perçante que j'ai l'impression qu'elle ne va jamais s'arrêter. Enfin je la tiens dans ma main, argentée, pas plus grosse qu'un trousseau de clefs. L'alarme anti-harcèlement que le commissaire Hughes m'a donnée. J'avais oublié qu'elle était là. J'ai dû l'activer en posant mon pied sur le déclencheur à travers le sac.

Les mains tremblantes, je tire sur le cordon, mais rien ne se passe. J'essaie de voir s'il y a un bouton pour l'arrêter, mais ne trouve rien, je n'arrive pas à l'arrêter, je ne me souviens pas des consignes du commissaire. Mes doigts sont guéris, mais les élancements de douleur et les raideurs reviennent, comme si j'avais encore les pansements. Les mains de Robert sont posées sur les miennes. Il prend l'alarme, la tord d'une main ferme, et le silence tombe d'un coup.

« Je suis vraiment désolée. » En parlant, je sens à quel point le son de ma propre voix dans cette pièce est une transgression. Mes oreilles bourdonnent. Mes paroles résonnent. Mon visage est rouge vif, c'est sûr. Je jette un coup d'œil au banc des accusés. Sur les cinq, quatre me regardent, Azarola d'un air impénétrable, Tomlinson et Sparkle avec pitié, Godfrey avec mépris et irritation. Seul Doleman regarde droit devant lui tel un garde devant Buckingham Palace.

Le juge va peut-être me faire passer la nuit en prison pour outrage à la cour. J'ai peur de lever les yeux vers lui, mais je m'y force, une seconde, et je constate que son regard est bienveillant.

Mr Morden et Mr Harker m'adressent des sourires compatissants et encourageants. L'homme assis à ma gauche me tapote maladroitement le bras dans un geste de solidarité, lui qui ne réagit pratiquement jamais. Quelqu'un passe une carafe d'eau à Annie, qui remplit un gobelet en plastique, me le met dans la main, me regarde boire, puis me reprend le gobelet vide avec un air satisfait. Robert se tourne vers moi comme pour vérifier que je suis encore en un seul morceau.

Une journée qui a débuté avec le charme de Robert et de son livre est réduite à cela. Même en prison, tu me rattrapes toujours. Mais la gentillesse dont je suis entourée semble plus forte que toi. Même dans une salle où règnent tant de laideur, de peur, de méchanceté, elle est plus forte.

Sur un signe de tête du juge, Mr Morden poursuivit, mettant ainsi l'interruption résolument derrière eux. « Veuillez s'il vous plaît lire l'avertissement collé sur la porte coulissante de la camionnette, à haute voix pour que la cour entende. »

Tomlinson lut lentement. « *Attention : cette porte ne peut s'ouvrir que de l'extérieur.*

– Ce qui veut dire, pas de l'intérieur, dit Mr Morden. Et il y a un avertissement identique sur la porte de l'autre côté de la camionnette. Vous n'allez tout de même pas me dire que Miss Lockyer pouvait tranquillement ouvrir la porte et sortir ? »

Mardi 10 mars, 16 h 40

Je n'ai rien compris de ce que Mr Morden a dit, même si je sens bien que c'étaient des choses importantes.

Hébétée, les yeux baissés, je sors de la salle d'audience d'un pas incertain. Pour une fois, je ne rêve pas de faire le chemin jusqu'à la gare avec Robert. Je ne m'imagine pas ce que je ressentirais à être assise à côté de lui dans le train. Je ne me demande pas si je vais avoir le courage de faire semblant de le toucher par accident. Je ne suis pas pleine de ces fantasmes et petits calculs qui m'accaparent à la fin de la journée et constituent l'un de mes plaisirs secrets.

« Clarissa. »

Je suis arrivée en bas de l'escalier. Je cligne des yeux.

Désorientée, comme si Robert venait de me réveiller. Je ne me suis même pas rendu compte qu'il était près de moi – une première sans doute.

Une fois de plus tu as submergé tout le reste. Tu m'as submergée. Mais je t'ai laissé faire. Je ne te laisserai plus.

« Ceci t'appartient, je crois. » Robert dépose prudemment l'alarme dans ma main.

« Je la laisserai chez moi demain, je pense. » Je la lâche au fond de mon sac.

« Ça ira mieux demain. »

Je souris, à ma grande surprise. « Ça avait très bien commencé aujourd'hui. »

Je dois me souvenir qu'il s'agissait uniquement d'une fausse alerte. Et me féliciter de ne plus avoir besoin de cette alarme.

Ni du carnet. Je me jure qu'à partir de demain, tu ne seras plus jamais la deuxième personne du présent dans ma vie. Plus jamais. Plus du tout. Ce n'est plus ce que tu es.

Mercredi

Mr Morden eut un frisson, comme quelqu'un qui se prépare à affronter une épreuve déplaisante. « Trouvez-vous Carlotta attirante ?

– Pas besoin de trouver une fille attirante pour coucher avec. J'ai eu l'impression de lui rendre service. »

La main d'Annie tomba à plat sur la table en produisant un bruit sec.

Tomlinson bafouilla face à Mr Morden, lequel le fixait en exagérant sa stupéfaction. « J'avais de la drogue. Elle, elle en voulait. C'était son idée à elle. Elle a dit qu'elle baiserait avec moi en échange de drogue. Ça n'a duré que quelques secondes – je n'ai pas aimé. Je me suis dit que ce n'était pas un rapport sexuel, mais mon avocat m'a expliqué que dès qu'il y a pénétration du vagin par un pénis, c'est un rapport, même s'il est très bref. »

Mr Morden semblait prêt à vomir. « J'en ai fini avec ce témoin », dit-il.

La porte de la salle d'audience se referma derrière eux. « C'est un monstre », dit Robert d'une voix plate en secouant la tête. Les autres hochèrent la tête en signe d'approbation.

« Flûte alors, dit Annie. C'est ça, un rapport sexuel ? Tu mets ton pénis dans mon vagin, et hop, on a un rapport ?

– Oh, de grâce », dit Grant.

Quelques minutes plus tard, Annie, Robert et elle étaient installés dans un bar à vin juste à côté du tribunal. C'était Robert qui avait eu l'idée de s'arrêter prendre un verre. Annie manqua de tomber de sa chaise en voyant Grant à côté de leur table, prêt à se joindre à eux. « On est en sécurité avec toi, Clarissa, dit Grant. Si quelqu'un nous attaque, on aura ton alarme.

– Tu as une raison particulière de te trimballer avec ? » demanda Robert d'un air détaché.

Elle répondit par la stricte vérité. « J'avais oublié que je l'avais. On me l'a donnée il y a quelque temps.

– Sérieusement, Clarissa, dit Grant en s'asseyant. Tu fais quoi ? un mètre soixante ? Quarante-cinq kilos à peine ? Tu as vu la taille de ces types. Ils te soulèveraient sans problème. »

Elle inclina l'énorme verre à vin que Robert lui avait apporté, regarda le liquide tourbillonner, sentit le vin se mêler à son sang.

« Je n'aime pas penser à ce genre de chose », dit Robert.

Il en était déjà à sa troisième bière, mais cela ne se voyait pas, sauf quand elle se tournait vers lui : à chaque fois, elle croisait son regard fixé sur elle, l'étudiant avec une telle attention qu'elle ne pouvait s'y dérober.

Annie faisait tourner sa bière dans son verre à moitié vide. « C'est pour ça que c'est utile, les alarmes personnelles.

– À condition de savoir les utiliser, dit Clarissa. Ce qui n'est de toute évidence pas mon cas. »

Grant étendit les jambes, jusqu'à être pratiquement allongé, et croisa les bras. « Tomlinson est costaud.

Le même genre de gabarit que moi. Elle, c'est ton gabarit, Clarissa. Imagine-le avec ses genoux sur tes épaules comme elle dit que ça s'est passé quand elle l'a sucé. Tu te casserais en deux. »

Elle se redressa. « Sur la photo, on voit que le matelas était posé sur un sommier bas. Dans sa version des faits, Tomlinson dit qu'elle était allongée sur le dos et que lui était debout à côté du lit. Ce n'est pas possible. Sa tête à elle ne serait pas assez haute.

– On n'a qu'à essayer, Clarissa. Essaie de me convaincre, dit Grant. Là, tout de suite. Il y a toute la place qu'il faut derrière la table. »

Elle jeta un coup d'œil à Robert. La bouche crispée, il observait la scène en plissant les yeux.

« Demande à ta femme de t'aider dans ta démonstration. » Elle récupéra son manteau et son sac.

« Ou peut-être à une poupée gonflable ? » Annie aussi se prépara à partir.

« À demain », dit Clarissa. Elle glissa un dernier coup d'œil à Robert. S'il te plaît, viens. Accompagne-moi.

Robert finit sa bière, se leva et prononça exactement les mots qu'elle voulait entendre. « Je t'accompagne, Clarissa.

– Il pourrait devenir ton alarme personnelle, dit Annie.

– Je ne dirais pas non », dit Clarissa à l'intention de Robert et d'Annie.

Elle monta dans le train et s'affala sur un siège côté fenêtre. Il s'installa à côté d'elle. Son souffle était chargé de bière. Elle aurait aimé y goûter. Il plongea ses yeux dans les siens et prononça son nom sur ce ton simple et posé qui lui avait tant plu le jour où ils s'étaient adressé la parole pour la première fois. Il se baissa pour l'embrasser sur les lèvres si rapidement que quand il se redressa, elle se demanda si la chose s'était réellement produite.

Au moment où le train entrait en gare de Bath, elle se pencha sur lui pour récupérer son sac par terre, pleinement consciente qu'il sentirait le parfum de sa chevelure. Ils descendirent du train et il la suivit dans l'escalier, passa le portillon, sortit de la gare avec elle, la main posée sur son bras. Il la fit monter dans un taxi et s'installa à côté d'elle.

Sans trop savoir comment, elle descendit du taxi, vaguement consciente qu'il payait le chauffeur tandis qu'elle cherchait ses clefs, ouvrait la porte de la maison et le présentait même à Miss Norton, sortie de son appartement pour les intercepter. Miss Norton eut un sourire radieux lorsque Robert lui serra la main, mais se libérant rapidement, ils montèrent jusque chez elle.

À peine la porte fermée, ils arrachèrent leurs manteaux et elle s'enroula autour de lui, les mains dans ses cheveux, goûtant enfin à lui, à sa bouche, à sa peau. Elle huma son odeur, la note citronnée de son après-rasage, qu'il n'utilisait que depuis peu, elle en était convaincue, une note agréable et toujours présente, bien qu'à peine perceptible en cette fin de journée. D'une main, il tira sur sa robe, observant l'effet du tissu qui collait à ses seins, sa taille, ses hanches, tout en la caressant à travers le jersey de soie. Puis il fit glisser sa robe par-dessus ses épaules. Avant de la laisser tomber par terre, elle retira ses bottes et ses chaussettes en s'efforçant sans grand succès de cacher leur absence totale de glamour, tout en chassant de son esprit la raison pour laquelle elle ne pouvait se résoudre à mettre des bas, et ne s'y résoudrait sans doute jamais.

Il l'entraîna vers la chambre, dont, pour une raison mystérieuse, il connaissait l'emplacement, et elle se retrouva assise au bord du lit dans lequel elle ne dormait plus depuis deux semaines et demie. Il s'agenouilla par terre, la tête contre son ventre, passa les mains sous ses sous-vêtements, embrassa son ventre, défit son soutien-gorge.

Elle le regarda retirer son pull d'un mouvement rapide. Là non plus, aucune hésitation chez lui. Il avait une cicatrice à l'épaule, une marque de cinq centimètres carrés de la même couleur que ses lèvres, et sur sa poitrine une autre, légèrement plus petite.

« C'est du plomb fondu, dit-il en surprenant son regard. Tombé d'un toit. »

Elle se demanda s'il s'agissait de l'accident évoqué dans l'article qu'elle avait lu sur Internet. Cela l'effraya, l'idée qu'il pouvait mourir, que quelque chose de terrible pouvait lui arriver au travail, à n'importe quelle heure du jour ou de la nuit, même si sa formation lui avait appris à minimiser les risques. Cette vérité, les cicatrices la lui firent sentir avec une force dont les articles de presse étaient dépourvus.

« Ce n'est rien. Ce gars qui m'a servi de tuteur quand j'ai commencé, Al, si tu le voyais. À l'époque, le travail de pompier, c'était autre chose. Lui, il allait le plus loin possible. Les brûlures, il aimait. C'étaient des vraies œuvres d'art. » Il sourit. « Il adorait les montrer aux filles. À toutes. Un jour, dans un bar, il a enlevé sa chemise et a commencé à bander ses muscles, à... »

Elle se redressa sur les genoux, l'attira vers elle, passa le doigt, puis les lèvres, sur chacune des cicatrices, les examina, puis elle embrassa son ventre, si plat, si beau, et son nombril. Il retint son souffle. « Ce n'est pas juste qu'il n'y ait que moi qui sois déshabillée », dit-elle. Il éclata de rire tandis qu'elle lui déboutonnait son pantalon. Il le retira lui-même en même temps que son caleçon.

Il l'allongea sur la couette vert mousse à motifs de fleurs rouges qu'elle avait faite après l'avoir rencontré, pour laquelle elle avait acheté du fil le jour où elle l'avait vu pour la première fois, une couette que l'homme dont elle ne voulait plus jamais avoir le nom en tête n'avait ni vue, ni touchée, ni photographiée, une couette sous laquelle elle n'avait pas encore dormi.

« Clarissa, dit-il. Ouvre les yeux. Regarde-moi. » Ce qu'elle fit. « Tu savais – il lui arracha un halètement – que c'était ça, avoir un rapport.

– Oui. »

Il lui dégagea le visage. La bouche sur la sienne, il murmura : « Au cas où tu n'aurais pas été sûre de la définition.

– J'en suis sûre.

– Bien. »

Jeudi

Elle se réveilla au moment où, visiblement endormi, immobile, plongé dans un rêve, il l'attirait sur lui. « Robert », dit-elle d'une voix douce. Elle l'embrassa. Ses yeux bleu vif s'ouvrirent dans un battement de cils.

L'espace de quelques secondes – il parut perdu. Elle se souvint du jour où il lui avait dit qu'au réveil il savait toujours où il se trouvait. Elle fut contente de voir qu'il pouvait se tromper sur lui-même, parfois, du moins sur des points de détail, un bref instant. Elle avait cru qu'il était parfait, et cela ne lui rendait pas justice. Personne n'était censé se connaître parfaitement, songea-t-elle. Une personne qui se connaîtrait à la perfection aurait quelque chose de terrifiant. Elle ne pourrait jamais changer. Jamais avoir tort. Jamais surprendre.

Il attira son visage vers le sien, l'air toujours en partie plongé dans ses rêves, mais il murmura son nom, sourit, dit bonjour, caressa son dos de la main, pressa ses hanches contre les siennes en croisant son regard et alors elle ne douta plus qu'il avait compris où il était.

Elle se rejoua la scène en contemplant, rêveuse, son propre visage dans le miroir trouble. Elle était dans les toilettes, celles réservées aux jurés et contiguës à leur petite salle d'attente à côté de la salle d'audience n° 12. C'était certainement cela qu'on appelait la mémoire du corps ; elle revivait tout, ses mains sur elle, sa bouche, les choses qu'ils s'étaient faites. À quoi pensait-il tandis qu'il attendait, assis parmi les autres ?

Elle avait une douleur aiguë dans le bas-ventre, sur le côté gauche, qui avait commencé la nuit et était toujours là quand il l'avait réveillée. Elle en connaissait la cause, savait qu'elle aurait disparu d'ici à quelques heures.

Elle les entendit se lever de l'autre côté de la porte, entendit Annie expliquer à haute voix à l'huissier que « Clarissa était aux W.-C. ». Elle se dépêcha de se laver les mains et sortit.

La robe d'avocat de Mr Tourville était froissée. Il haletait, comme s'il avait dû poursuivre son unique témoin en faveur de Doleman au pas de course jusqu'en haut de l'escalier menant à la salle d'audience. Sans doute fallait-il se féliciter pour cet éternel essoufflé que Jason Leman n'ait pas besoin de se faire prier pour raconter son histoire.

« Le 8 août de l'année dernière, j'étais avec Carlotta. Elle a dit qu'elle coucherait avec moi en échange d'une dose. Elle m'a baissé mon caleçon comme si elle ne pouvait vraiment pas attendre. »

Les accusés se penchèrent en avant. Même Doleman parut presque intéressé.

« Je sais que vous portiez un préservatif. Qui vous l'a mis ?

– Elle. Mais elle s'y est mal prise. J'ai dû le remettre comme il faut. »

Bizarre, pour une professionnelle expérimentée, songea Clarissa.

« Je suis sorti pour aller lui chercher de la vodka. Quand je suis revenu, elle était partie et mon portefeuille était vide. Alors je l'ai rattrapée dans la rue et je lui ai dit, genre, il est où, mon fric ? Elle a dit qu'elle l'avait dépensé mais qu'elle ferait des passes pour le récupérer, alors on est allés jusqu'à un endroit qu'elle connaissait et elle a parlé à des putes, mais j'avais l'impression qu'il y avait quelque chose de pas net, alors je me suis approché et elle disait à une fille que je l'avais violée. Elle s'est tournée vers moi et elle m'a giflé. Deux fois.

– Nous avons donc affaire à une prostituée qui vous accuse à tort de viol. Qu'est-ce que vous avez fait ?

– Rien. Je ne voulais pas descendre à son niveau. Je frappe pas les nanas, moi. Je leur fais pas mal. Je me suis dit, putain fait chier, je me tire. Sauf que le lendemain, les flics me tombent dessus et me secouent un peu et ils m'arrêtent. La police n'a rien pu prouver. »

Mr Morden observa Leman comme s'il avait devant lui le croisement entre un insecte et un cadeau que Mr Tourville lui aurait offert par méprise. « Déplorez-vous la violence faite aux femmes ? »

Leman se pencha en avant et, avec un air de défi, regarda Mr Morden. « Parfois.

– Vous avez été plusieurs fois condamné à des peines de prison pour violences. Vos victimes étaient toutes des femmes.

– Y a pas de preuves. Que des allégations. Tu parles. Des mensonges.

– Ce n'est pas ce que laissent entendre les verdicts. Vous avez entendu parler de Mary Barnes ?

– Vous savez bien que oui.

– Elle s'est présentée à l'hôpital le mois dernier. Un tympan crevé. La violence contre les femmes, c'est visiblement un mode opératoire qui vous est coutumier.

– Là encore la police n'a rien pu prouver. Et Mary, c'est toujours ma petite amie, elle vit toujours avec moi, alors ça devrait être clair pour vous. »

Mr Morden hocha lentement la tête.

« En effet. Ça l'est. »

Ils descendaient lentement l'escalier dans l'ordre habituel de fin de journée.

Grant plissa ses petits yeux marron. « Les crimes sont tous commis par environ six pour cent de la population, dit-il. Exterminez-moi toute cette vermine. Ça réglera le problème. »

Cette nuit-là, Robert accompagna Clarissa depuis la gare jusque chez elle. Des flocons de neige encerclaient la tombe de la mère et de ses deux bébés. Elle récita secrètement sa prière rituelle avec Robert debout à côté d'elle.

Les flocons de neige lui rappelèrent la rapidité avec laquelle l'hiver cédait la place au printemps, annonçant la fin du procès dans quelques jours. Elle aimait cette possibilité de le voir tous les jours ; elle aurait aimé que cela ne s'arrête jamais. Ils grimpèrent la colline, accompagnés par l'odeur d'ail sauvage qui embaumait l'air. Au bout d'un moment qui lui parut très court, ils se retrouvèrent chez elle, et elle remarqua pour la première fois que le sommet du crâne de Robert frôlait le plafond. Debout devant lui, elle s'étonna de sa propre timidité.

« Tu veux du café, Robert ?

– Ah… Non. »

Il avait longtemps hésité avant de dire « ah », mais le « non » sortit sur un ton ironique décidé.

« Tu veux du thé ? »

Même scénario. Un sourire, un signe négatif de la tête, une petite hésitation puis un « Non » ironique et décidé.

Se haussant sur la pointe des pieds, elle l'embrassa tandis que ses bras l'entouraient. « Il y a quelque chose que tu désires ? »

Ses mains glissèrent jusqu'au creux de ses reins. Il défit la fermeture Éclair de sa robe. « Toi. C'est tout. »

Il ne lui retira pas entièrement sa robe, qui avait glissé, dénudant l'une de ses épaules. Elle le guida vers le salon, vers le canapé, le fit asseoir, défit sa braguette sans lui retirer son pantalon, ôta sa culotte et son soutien-gorge et s'installa sur lui de sorte qu'il la pénètre, qu'ils soient bouche contre bouche et alors elle enroula ses jambes autour de lui et le sentit murmurer son nom sur ses lèvres et elle murmura son nom en retour et lui dit qu'elle aussi le désirait.

Vendredi

Elle tourna la tête vers le côté, le menton sur son épaule et le nez près de ses cheveux. Elle ne les avait pas lavés ce matin. Elle avait voulu conserver l'odeur de son savon à lui, de son corps, une odeur qu'elle avait attrapée en se frottant contre lui et en dormant la tête sur sa poitrine.

Elle prit une nouvelle inspiration, se redressa et regarda droit devant elle tandis que Mr Harker faisait venir son unique témoin en faveur de Godfrey.

Joanna Sinclair était petite, avec un corps compact et des mèches noires et blondes qui rappelèrent à Clarissa les rayures d'un zèbre. Elle avança jusqu'au box en chancelant sur ses chaussures rouges à talons hauts. Godfrey lui adressa à contrecœur un signe de tête froid et se pencha en avant.

Mr Harker commença son interrogatoire, Annie prit ses airs indignés, et Clarissa étudia les épaules de Robert en se souvenant de la sensation de ses muscles sous ses mains.

Lorsque Mr Morden se leva pour le contre-interrogatoire, elle se força à émerger de sa rêverie. « Je sais que votre prénom est Joanna. Arrive-t-il à Mr Godfrey de vous appeler Jo ? »

Godfrey fit un petit signe négatif de la tête pour indiquer la réponse à Miss Sinclair.

« Non, répondit-elle. Il n'y a personne qui m'appelle Jo.

– D'après Mr Godfrey, le téléphone saisi par la police lors de son arrestation ne lui appartenait pas. Cet appareil a été utilisé dans la camionnette qui a transporté Miss Lockyer jusqu'à Londres, puis à l'appartement où elle a été séquestrée. Votre numéro y a été sauvegardé sous le nom de Jo.

– Et alors ?

– Alors Mr Godfrey a envoyé deux textos la veille de son arrestation. Tous les deux adressés à "Jo". Tous les deux trouvés dans votre propre portable quand on l'a saisi. Je vous lis le premier : "J'arrive. Je veux que tu m'attendes nue." »

Le visage pâle de Miss Sinclair s'empourpra sous son épaisse couche de maquillage. « Je ne me souviens pas avoir reçu ce texto, dit-elle. Il y a des dizaines de Jo auxquelles il aurait pu l'envoyer.

– Essayons le second. "Te raconterai au parc : portable bientôt coupé." Auriez-vous une idée de la raison qui aurait pu pousser Mr Godfrey à vouloir couper ce portable ? »

Annie parlait de nouveau à voix basse dans les toilettes. « Ces deux-là, ils ont un petit garçon ensemble, dit-elle en soupirant. Pas vraiment Roméo et Juliette, hein ? Même si leur avenir est tout aussi radieux.

– J'espère que tu te trompes, Annie. »

D'un geste très délicat, Annie retira un cheveu des yeux de Clarissa. « Ma pauvre petite chérie, dit-elle en secouant la tête avec un émerveillement affectueux, moi aussi je l'espère. »

En rentrant à Bath ce soir-là, Clarissa se retrouva toute seule dans le train, de même qu'elle avait fait le trajet jusqu'à la gare seule le matin. Robert avait quitté son appartement très tôt après l'avoir embrassée dans un demi-sommeil et lui avait chuchoté qu'il devait passer par chez lui avant d'aller au tribunal.

Elle sortit du train, descendit l'escalier, quitta la gare tout en observant Robert, qui marchait à dix pas devant elle. Elle faillit l'appeler, mais se retint ; elle répugnait toujours à imposer sa présence aux autres. La distance entre elle et lui se creusa à mesure qu'il pressait le pas, traversant la rue et avançant sans se retourner une seule fois. Finalement, il disparut entièrement de son champ de vision.

SEMAINE 7

Le séchoir

Lundi et mercredi

Ils passèrent la journée de lundi à attendre le jeune homme aux cheveux violets.

Très vite, la partie de poker battit son plein. Assise à proximité des joueurs, Clarissa décorait de quelques touches finales le sac qu'elle cousait pour l'anniversaire de sa mère, cassant l'effet du rabat Chanel classique grâce à une soie bleu sombre qui lui rappelait un orage nocturne.

« J'en veux un, dit Annie. Tu prends les commandes ?

– Moi aussi », dit Wendy.

Clarissa sourit en levant brièvement les yeux. « Vous êtes trop gentilles toutes les deux.

– L'huissier devrait te confisquer ton aiguille et tes ciseaux. » L'air furieux, Sophie rangeait ses cartes. « Les types de la sécurité auraient dû t'empêcher d'entrer.

– C'est ça, oui. Pense au mal qu'elle pourrait faire à Sparkle avec ces petits outils, dit Annie. Tu comptes la dénoncer ?

– L'huissier voit bien ce qu'elle fait, dit Wendy. Ça ne le dérange pas. Il savait déjà qu'elle les avait. Depuis le jour où elle a réparé ma jupe. »

La chaise de Clarissa se trouvait juste derrière celle de Robert. Impossible qu'il n'ait pas entendu cet échange. Le dos toujours parfaitement droit, il se concentrait sur son jeu. Les hommes riaient à gorge déployée quand il faisait une blague, hochaient la tête à chacune de ses paroles. Les pompiers étaient-ils toujours aussi populaires ?

Elle essaya de se défaire de cette impression qu'il n'avait pas une seule fois croisé son regard depuis qu'il avait quitté son appartement très tôt vendredi. Pourtant, elle n'avait pas aperçu ne serait-ce qu'un éclair du bleu de ses yeux.

Robert parlait d'un acteur dans un film d'espionnage qu'il venait de voir. « C'est un beau mec. » Sa blague fut accueillie par des rires déchaînés. Clarissa ne prit pas part à l'hilarité. Elle ne trouvait pas la phrase drôle.

Elle se piqua avec l'aiguille. Une goutte de sang tomba de son doigt sur le tissu.

« Je me demande où il est, dit-elle à voix basse en pensant à leur collègue juré absent. Ça ne lui ressemble pas, de ne pas venir. Il doit lui être arrivé quelque chose.

– Clarissa a raison », dit Robert.

Le cœur de Clarissa fit un bond.

Grant pouffa. « Faites-lui passer la nuit en taule avec les autres cocos. Ça sera le nouvel esclave de Sparkle. Mais d'abord, le juge va le convoquer dans son bureau pour lui donner la fessée. »

Les autres s'esclaffèrent, y compris Robert. Mais pas Clarissa.

Ils ne s'installèrent dans leur box qu'à midi. Le juge avait un air solennel. « Je suis au regret de vous dire que Mr McElwee est souffrant. Il est permis de n'avoir que onze jurés, voire même le minimum légal de neuf. Mais personnellement je préfère – tant que cela n'entraîne pas un délai trop long – ne perdre aucun juré au stade avancé où nous en sommes. Par conséquent, je vous libère jusqu'à mercredi matin, le médecin espérant que Mr McElwee pourra nous rejoindre alors. Dans le cas contraire, je le déchargerai alors de ses fonctions de juré et nous reprendrons sans lui. »

Le mercredi matin, ce fut au nombre de douze que les jurés entrèrent dans la salle d'audience, l'un derrière l'autre comme d'habitude.

Le procès était pratiquement terminé, songea Clarissa. Elle eut l'impression que la salle tournait sur elle-même. Elle étudia les poils bruns sur la nuque de Robert, et la traînée presque invisible de sueur derrière son oreille droite. Elle eut envie de le sentir, de nicher son visage entre ses épaules. Elle allait devoir sortir d'ici, de ce bâtiment, retourner dans un monde où elle ne le verrait plus tous les jours, un monde où il n'était pas. Même si elle n'était pas sûre d'aimer cette nouvelle version du monde qu'elle était sur le point de perdre, un monde où il ne semblait plus avoir envie de la regarder.

Elle imagina une tempête de neige. N'importe quoi pour fermer le tribunal, pour retarder la fin, pour se donner plus de temps avec lui. Elle avait compté sur des jours et des jours de témoignages d'accusés, mais ils s'étaient évaporés sans même commencer, Doleman, Sparkle et Godfrey ayant tous refusé de passer dans le box des témoins.

Elle sentit un étrange tremblement s'emparer d'elle. Puis la sensation s'évanouit.

Mr Morden passa les jurés en revue, croisant le regard de chacun d'entre eux au moment où il commençait sa récapitulation.

Sa tête était embrumée et lasse au point d'être incapable de la moindre attention. De plus, elle avait déjà écouté attentivement la première fois qu'il avait tout récapitulé. Lorsqu'elle raccrocha les wagons, il terminait. Elle avait eu si peu conscience du temps écoulé depuis qu'il avait commencé qu'elle se demanda si elle ne couvait pas quelque chose.

Jamais il n'y avait eu pire juré qu'elle. Avant même qu'elle se rende compte qu'il s'était levé, Mr Williams s'était rassis. Puis Mr Belford se leva et une fois de plus, son esprit vagabonda. Son cerveau avait-il atteint le point de saturation au bout de sept semaines ?

Mr Tourville fut le seul à ne pas avoir sur elle cet effet soporifique. « Mr Doleman n'est pas un violeur. Pas un kidnappeur. Pas un dealer. C'est un père de famille travailleur qui occupait un emploi rémunéré jusqu'à son arrestation. Il vit depuis longtemps avec une jolie jeune femme. Il est le père dévoué d'un petit garçon. Mr Doleman n'est coupable que d'une chose. Il a mal choisi ses amis. Vous ne pouvez pas l'envoyer en prison pour cela. Oh non. Vous ne pouvez pas. »

Frissonnant sur le quai, Clarissa attendait que les portes du train s'ouvrent pour monter. Il ne restait plus que les plaidoiries de l'avocat de Sparkle et de Mr Harker. Puis il y aurait les instructions du juge. Il fallait qu'elle soit plus attentive.

Une main frôla son épaule. Elle pivota sur elle-même, surprise de découvrir que c'était celle de Robert. Il s'excusa de l'avoir fait sursauter.

Les mots sortirent de sa bouche malgré elle. « Rentre à la maison avec moi. » Elle se força à sourire. « Tu es addictif.

– Toi aussi. » Il parlait à voix basse, comme s'il lui murmurait quelque chose au lit. « Mais ce soir je ne peux pas. Tu comprends ? On va bientôt délibérer. La semaine dernière... On aurait dû attendre. Je ne regrette pas, mais on aurait dû attendre. Je suis d'une nature prudente. Je sais que je ne me suis pas comporté en conséquence, mais c'est la vérité. J'aurais dû t'expliquer. Une fois que tout ça sera terminé... On n'en a plus pour longtemps. »

Il avait l'habitude d'annoncer des mauvaises nouvelles. Il le faisait tous les jours au travail. Pour des nouvelles bien pires que celle-ci. Elle sentit son visage s'embraser. Pour autant, elle ne put se retenir de dire ce qu'elle dit : « Si tu changes d'avis... Je veux dire, même si c'est tard... » Mais elle comprit qu'il n'était pas le genre d'homme à changer d'avis une fois qu'il avait pris une décision. En réalité, elle le savait depuis le départ. Le supplier lui était odieux. Elle ne le voulait pas à n'importe quel prix.

On entendit un petit bruit signalant l'ouverture des portes. Robert lui ouvrit en grand. Elle enjamba prudemment l'espace entre le train et le quai, se força à se retourner pour le regarder. Il était sur le quai, à quelques mètres d'elle. « À demain, Robert. » Elle voulut de nouveau sourire, mais une expression faible et étrange envahit son visage. « Je dois... J'ai des choses à faire, dit-elle sans grande conviction.

– Je comprends, dit-il. Clarissa, je vais peut-être...

– Bonne nuit. »

Elle s'avança dans le wagon. C'était son tour à elle de ne pas regarder en arrière.

Mercredi et jeudi

Elle croyait qu'il lui serait impossible de s'endormir dans son ancien lit. Mais ce n'était plus le lit où s'étaient passées ces choses affreuses, où avaient été prises ces photos. C'était maintenant celui où Robert avait dormi. Elle s'allongea sous la couette qu'elle n'avait pas lavée parce qu'elle ne voulait pas faire disparaître ce qu'il restait de lui. Et elle s'endormit.

Elle se trouvait dans le séchoir, l'endroit de la caserne qu'il préférait, un endroit qu'elle n'avait jamais vu, un royaume interdit qui n'était pas pour elle, mais il était avec elle, l'embrassait, la soulevait, lui caressait les bras, les tenait au-dessus de sa tête et reculait pour l'admirer. « Robert », essayait-elle de dire, mais le mot refusait de sortir de sa bouche et il n'était plus là.

Le séchoir n'était plus le séchoir, mais le cabinet de Barbe-Bleue. Les mannequins n'étaient plus des mannequins, mais des femmes mortes au visage dissimulé sous un drap, à la bouche couverte de sang tachant leur linceul comme autant de baisers écarlates. Elles se balançaient au bout de cordes, comme poussées par un vent silencieux. Elle étouffait, manquait d'air. Elle voulut atteindre la poignée de la porte mais son bras refusait de bouger. Elle voulut hurler mais ses lèvres refusaient de s'ouvrir. Il y avait un poids sur son corps tout entier. De la bile remontait de son estomac et en voulant la ravaler, elle ressentit une douleur à la gorge. Ses bras étaient placés au-dessus de sa tête. Elle voulut les baisser, mais quelque chose lui cisailla les poignets.

Elle ouvrit les yeux, vit le visage qu'elle aurait voulu ne pas voir.

Impossible. Ça ne pouvait pas être lui. Il était censé être en prison. C'était ce que le commissaire Hughes avait dit. Elle faisait un cauchemar, voilà tout. Réveille-toi, se dit-elle.

Elle voulut se tortiller, lui donner des coups de pied pour le faire tomber, mais il pesa encore plus sur elle, l'empêchant de bouger au point qu'elle paniqua. Elle entendit des bruits étouffés qui n'avaient rien d'humain et se rendit compte que c'était elle qui les faisait, ces bruits d'animal.

Elle ferma les yeux pour le faire disparaître, replonger dans le sommeil, se persuader que ce n'était qu'un cauchemar puisqu'il était en prison. Forcément. Ils ne l'auraient pas laissé sortir sans la prévenir.

« Ouvre les yeux. » Il empoigna ses cheveux, lui tira la tête en arrière. Quelque chose s'enfonça dans son cou. « Ouvre les yeux si tu ne veux pas étouffer, Clarissa. » Elle ouvrit les yeux. Il allégea la pression sur son cou. « Tu m'attendais, n'est-ce pas ? Tu voulais que je vienne. Seulement, tu ne pouvais pas te résoudre à le dire. »

Son cœur battait si fort qu'elle crut qu'il allait exploser. Qu'il ne pourrait pas durer, qu'il se contracterait une dernière fois puis s'arrêterait. Elle essaya à nouveau de le repousser, mais la peau de ses poignets était à vif et ses bras tellement étirés vers le haut qu'elle crut qu'elle allait les perdre.

Il enfouit son visage sur son ventre, plaça les mains sous ses hanches, pétrit sa chair à travers sa chemise de nuit en soie tout en la tirant vers lui. « Tu sens tellement bon. C'est pour moi, tout ça, hein ? Tu pensais à moi, pas vrai ? J'ai des petits projets pour toi. Tu devines lesquels ? »

Il lui frotta les joues avec la couette. « Tu pleures parce que tu es désolée, c'est ça ? » Elle voulut faire signe que oui, mais par peur de finir étranglée elle ne parvint qu'à bouger un tout petit peu la tête.

Il baissa le bras pour ramasser quelque chose près du lit. Quand il leva la main, il tenait un couteau à la lame taillée en pointe. Elle s'entendit gémir. « Et si on parlait de la façon dont tu m'as traité ? J'ai promis que je te punirais, tu te souviens ? » Il abaissa le couteau jusqu'à ce que le bout du manche en écaille touche sa taille.

« Jolie chemise de nuit. » Le vêtement était retroussé sur ses cuisses. Elle tira sur ses bras pour essayer de se couvrir. Il lissa la soie mauve cendré. Puis la saisit par les épaules. « C'est pour le pompier que tu l'as faite ? » Elle commença à faire non de la tête, mais là encore le collier qui lui emprisonnait la gorge se resserra. Il passa le doigt dessus, vérifia son ajustement, puis le desserra. « Ce serait trop facile de t'étrangler, Clarissa. Ne t'imagine pas que tu vas t'en sortir aussi facilement et aussi rapidement. »

Il reprit le couteau. « Il est très pointu. » Soulevant la chemise de nuit par le bas, il la coupa dans le sens de la longueur jusqu'au milieu en faisant lentement glisser la lame. « Tu as peur ? » Sanglotant silencieusement, elle essaya de se coller le plus possible au matelas pour éviter le couteau. « Tu peux. Je vois que tu as peur. Ça me plaît. »

Le couteau était posé entre ses seins, la pointe dirigée vers son menton. Elle retint son souffle, persuadée qu'au moindre mouvement de sa poitrine il la saignerait.

« Je te prenais pour une vraie princesse. Je me suis trompé. Tu es comme les autres. Aujourd'hui tu n'as rien d'une princesse. » Brusquement, il donna un coup sec avec le couteau. Elle hurla, mais seul sortit de sa bouche un cri aigu, révoltant, qui ne cessa que lorsqu'elle constata que le couteau ne l'avait pas touchée. « J'aurais pu te déshabiller pendant que tu étais encore dans les vapes, mais je voulais que tu sois réveillée pour ça. J'en rêve depuis longtemps. » Il trancha l'unes des fines bretelles, puis l'autre.

Il posa le couteau près de sa tête, ouvrit les pans du tissu découpé, et tordit l'un de ses mamelons, lui arrachant un autre cri étouffé. « D'après toi, ça me faisait quel effet, de te voir avec lui ? Tu t'en foutais, hein ? Tu m'as provoqué, Clarissa. Délibérément. » Il la secoua tellement fort qu'elle crut qu'il l'avait fouettée et que son cerveau cognait contre les parois de son crâne.

« Tu es pire que ma copine d'avant. J'ai beau tout faire pour toi, ce n'est jamais assez. Tu me dis de partir et tu t'en trouves un autre. Un autre homme marié, carrément. Mais bon, cette pauvre Mme Pompier, tu n'as pas une pensée pour elle. » De la salive s'accumulait dans les coins de sa bouche. « Tu as couché avec lui quand j'étais en prison, hein ? Sauf qu'il s'est fatigué de toi une fois qu'il t'a baisée. »

Il avait placé une main entre ses jambes. « Il ne sait pas ce qu'il te faut. » Il glissa les doigts sous le slip qu'elle avait fait dans la même soie que la chemise de nuit. Retira sa chemise, défit sa ceinture. Elle serra les cuisses mais il coupa le slip au niveau des hanches et l'arracha. Il lui écarta brutalement les jambes. « Tu ne m'aides pas à rester maître de moi-même. »

Elle voulut le frapper du pied. Il lui donna un violent coup de poing dans le ventre qui la vida de toute son énergie et lui donna un haut-le-cœur. Elle crut qu'elle allait mourir, étouffée dans son propre vomi. Un goût de sel et de métal envahit sa bouche. Il enroula quelque chose autour de ses chevilles, les attacha aux montants du lit. Elle essaya de libérer ses jambes, de dire non, non, non, sans arriver à donner à cette unique syllabe la consistance d'un mot.

Alors il prit des photos. Chaque flash lui transperçait les yeux. Il la secoua jusqu'à obtenir d'elle qu'elle obéisse, ouvre les yeux et le regarde. Enfin, il posa son appareil et s'allongea sur elle. Elle se débattit en tous sens, tenta de rouler sur elle-même pour se libérer.

Il leva le poing, l'abattit sur sa tempe. Au moment de l'impact, une douleur fulgurante lui vrilla le crâne. Ce doit être ça, les rouleaux de feu, songea-t-elle en regardant le plafond. Il y eut de nouveau ce cri étouffé venant d'elle ne savait où.

Elle sentit quelque chose de froid contre sa joue. Surtout, comprendre ce que c'était. Rester absolument immobile en attendant. Rester figée. Alors elle se rendit compte que c'était le couteau. Un quart de seconde avant que la lame ne s'incline et tranche la chair de sa joue.

Elle sentit son corps devenir complètement mou, vit que le visage de l'homme changeait, qu'il arrachait ce qu'il lui avait mis sur la bouche. Elle chercha l'air, avala de grandes bouffées tandis qu'il coupait la corde autour de son cou pour la libérer, lui soulevait la tête et les épaules. Il approcha un verre d'eau de sa bouche, lui ordonna de boire, mais elle haletait au point que le liquide coula sur son menton et sa poitrine, se mêlant à quelque chose de rouge. Pourquoi y avait-il autant de rouge ? Il lui tamponna le visage avec la chemise de nuit déchirée.

Il la regarda quelques secondes, tremblant, comme choqué de ce qu'il avait fait ; le visage tordu par l'inquiétude et l'épuisement. Il cligna plusieurs fois des yeux, comme si, temporairement aveuglé, il venait de recouvrer la vue.

Puis il se mit à lui pétrir les seins, les pinça, les suça, les mordit avec tant de violence qu'elle cria. Il plaqua la main sur sa bouche en lui disant de la fermer. Il retira son pantalon déjà déboutonné, son caleçon. Il grimpa sur elle, empoigna ses cheveux et tira son visage vers le sien. Elle y lut une expression qui lui rappela un tableau d'Apollon écorchant Marsyas en posant sur lui un regard tendre, comme si, au lieu de le tuer, il était en train de le soigner. D'une voix presque affectueuse, il murmura : « Tu m'as fait attendre ce moment-là trop longtemps. » Et il la pénétra de force.

Pleurant en silence, elle pensa qu'avec l'éjaculation, il laisserait son empreinte génétique en elle ; au moins, quand ils trouveraient son corps, il y aurait des preuves.

« Regarde-moi. Dis mon nom. »

Le sang battait dans ses tempes. Son cou était lourd et elle ne pouvait pas ouvrir entièrement les yeux. Elle se dit que le liquide qui les emplissait devait être du sang chassé par la pression qui lui enserrait le crâne.

« Dis-le. »

Ne pas laisser son nom entrer dans sa tête, dans sa voix. C'était son ultime talisman.

« Dis-le. Fais ce que je te dis. »

Elle se rendit compte qu'elle ne se souvenait plus de son nom.

Il lui demanda encore de le dire, lui donna le mot à la fin de la phrase qu'il voulait qu'elle répète et elle s'exécuta en bredouillant indistinctement.

« Embrasse-moi », dit-il.

Elle voulut détourner le visage, mais le moindre mouvement lui faisait tellement mal… alors il colla ses lèvres aux siennes, introduisit sa langue dans sa bouche. Elle faillit le mordre, mais la peur la fit renoncer.

« Dis-moi que tu m'aimes.

– Je t'aime.

– Dis "Je t'aime, *Rafe*".

– Je t'aime, Rafe.

– Dis-moi ce que je vais te faire. »

Elle n'avait aucune idée de ce qu'il attendait d'elle. Elle dit la seule chose qui lui vint à l'esprit. « Tu me fais mal.

– Bien. » Il empoigna de nouveau ses cheveux. « Maintenant, dis-moi que tu vas jouir, qu'aucun autre homme ne sait te faire ce que je te fais, que tu m'appartiens, que c'est comme ça que tu aimes le faire. »

Elle répéta comme un perroquet, s'arc-boutant tandis que, le souffle de plus en plus rapide, il allait et venait avec une brutalité accrue.

Quand ce fut fini, il s'affaissa sur elle, la plaquant sur le matelas. Elle eut l'impression qu'il lui brisait les côtes, lui écrasait les poumons, forait un trou dans son ventre à l'endroit où il l'avait frappée. De longues minutes plus tard, il se retira.

« Tu as aimé ça. J'ai bien vu, dit-il. Je t'ai sentie jouir. Je suis le seul à savoir ce qui t'excite, Clarissa. »

Un liquide acide coulait entre ses jambes ; la sensation d'oppression et de brûlure dans sa poitrine l'empêchait de respirer ; elle avait l'impression que ses épaules étaient sorties de leurs articulations et elle avait tellement forcé pour se libérer de ses liens que la chair de ses poignets était à vif. Elle ne sentait plus ses mains ni ses doigts, complètement engourdis.

Il tenait le bâillon, en cuir comme celui de la femme sur la couverture du magazine. Elle se remit à pleurer, la respiration haletante. « Je promets de ne pas crier, dit-elle dans un coassement sortant de sa gorge blessée.

– Je ne te fais pas confiance. Je t'ai dit que je ne te ferais plus confiance après le sale tour que tu m'as joué au parc. Tu vas comprendre que je ne plaisante pas. Ce sera la dernière chose que tu vas apprendre. » Elle voulut tourner la tête, tira sur les cordes, mais il la bâillonna sans qu'elle puisse faire un mouvement.

« Il faut te bâillonner pour les autres choses que je vais te faire. Il ne faudrait tout de même pas que tes cris dérangent tes voisins. » Il se jeta sur le lit à côté d'elle, plaqua un bras sur ses seins, une jambe pliée sur ses hanches. Et là, il tomba dans un sommeil profond.

Elle entendait l'air entrer et sortir bruyamment de ses propres narines. Sa poitrine se soulevait, puis se creusait, se gonflait, se dégonflait. Elle allait le réveiller, c'était certain, mais malgré tous ses efforts elle ne pouvait pas ralentir sa respiration.

De grâce, faites qu'il ne se réveille pas. De grâce. Dieu, je t'en supplie. Aide-moi. L'incantation silencieuse tournait en boucle dans sa tête. Une formule magique pour la maintenir en vie, faire venir de l'aide. Mais vite, elle fut vaincue par un autre chant qu'elle ne pouvait faire taire. Il n'y avait pas de Dieu. Il n'existait pas. C'était impossible. Il n'y avait pas d'espoir. Laura avait certainement prié elle aussi ; et Dieu ne l'avait pas sauvée. Dieu avait permis que Laura endure des souffrances inimaginables.

Elle respirait de plus en plus difficilement. C'était comme si la pièce s'emplissait de fumée et qu'elle étouffait. Elle essaya de se convaincre que c'était dans son imagination. Qu'il était impossible qu'il y ait un incendie parce que dans ce cas, l'alarme se serait mise en route. Or elle ne l'entendait pas. Pourtant, elle se rendait bien compte que l'oxygène manquait. Qu'il n'y en avait pas assez. Vraiment pas assez. Elle allait se mordre la langue au moment de mourir, comme la méchante reine qui, incapable de parler ou de crier, dansait jusqu'à la mort, chaussée des pantoufles en fer chauffé au rouge qu'on lui avait fait enfiler avec des pinces.

Pourquoi la pièce tournait-elle sur elle-même ? Elle ferma les yeux, puis les ouvrit, mais elle était toujours plongée dans un tourbillon. Tout était flou. Elle n'arrivait pas à s'accrocher au moindre détail.

Quand elle ouvrit de nouveau les yeux, elle ne savait plus où elle était, pourquoi elle éprouvait tant de difficultés à bouger, ce qui s'était passé pour qu'elle souffre autant. Par contre il y avait bel et bien le feu, elle en était sûre, et, presque aveuglée par la fumée saturant l'air, elle était en train de mourir. Robert disait que si jamais elle était piégée par un incendie, elle devait se rapprocher du sol. Il disait que le fait de se baisser était le seul moyen de trouver de l'air. C'était la fumée qui tuait, disait-il. Elle essaya de bouger, sachant que c'était cela que Robert voudrait. Elle essaya de se libérer pour se jeter sur le sol, essaya de détacher ses bras et ses jambes, mais quelque chose la paralysait, et quelque chose d'autre lui était tombé dessus. Le toit, peut-être. Une fois, pendant un incendie, un toit était tombé sur Robert. Peut-être le toit était-il tombé quelques minutes auparavant, au moment où la pièce tournait sur elle-même. Elle se demanda si elle était morte et allongée dans son cercueil avec le couvercle pesant sur elle.

Elle entendit une cloche au loin. Sans doute la cloche de l'église pour ses funérailles. Quelque chose pesait sur sa poitrine. Elle ouvrit les yeux, vit que c'était un bras. Et alors, elle se souvint où elle était, ce qui était arrivé et à qui le bras appartenait. Elle comprit qu'il n'y avait pas eu d'incendie, qu'elle avait plongé dans un état de terreur profonde, que l'homme l'avait sérieusement blessée à la tête et que c'était cela qui la rendait incapable de penser normalement ou de rester éveillée. Elle sut qu'elle avait fait une sorte de crise de panique incontrôlable et qu'elle s'était évanouie, et comprit qu'elle devait à tout prix empêcher que cela ne se reproduise parce qu'on lui avait dit un jour que si on s'endormait après avoir été blessé à la tête, on risquait d'en mourir.

La porte se mit à vibrer, puis il y eut un son métallique. L'homme remua, jeta autour de lui des regards inquisiteurs, tendit l'oreille en marmonnant et en jurant dans sa barbe. Il lui donna un grand coup de poing sur le sommet du crâne. Elle vit exploser un nuage d'étincelles, puis tout devint noir.

Elle rêvait, sans doute. À travers une brume chatoyante, Robert était penché sur elle et tirait sur quelque chose collé à son visage. Elle ouvrit la bouche, mais rien n'en sortait. Debout au pied de son lit, il déplaçait ses jambes, les rapprochait l'une de l'autre. Il se penchait au-dessus d'elle et alors elle vit ses mains qu'il frottait dans les siennes. Son visage, son beau visage était blanc, si blanc. Pourquoi ? Ses joues étaient humides. Pleuvait-il ? Les gouttes ressemblaient à des larmes mais ce n'était pas possible. Robert n'avait-il pas affirmé qu'il ne pleurait jamais ? Ou bien était-ce celui qui s'appelait Azarola qui avait dit ça ? Elle eut l'impression que Robert chuchotait. Pourquoi parlait-il d'une voix étouffée ? Étrange, cette voix. Il l'enveloppa dans la couette, la fit rouler sur son flanc gauche. Il sortit un téléphone, composa un numéro et donna son adresse à elle.

Il y avait quelque chose de très important qu'elle ne devait pas oublier. Elle fit tout son possible, mais ne put s'en souvenir. Puis ça lui revint. « Fais attention », essaya-t-elle de dire.

Il lui fit signe avec douceur de ne pas parler. Il lui tenait les doigts, les lui frottait. Ils étaient très blancs, plus blancs encore que son visage à lui.

C'est alors qu'elle aperçut une ombre dans l'embrasure de la porte. Elle sut que c'était l'ombre de l'homme. Suivant son regard, Robert se redressa d'un bond en s'éloignant le plus possible du lit, comme pour entraîner l'homme loin d'elle.

L'homme agitait un couteau dans la main droite. La lame pointée vers l'avant, il avança vers Robert. Robert recula, se pencha en arrière, mais brandissant le couteau, l'homme fit un pas en avant.

Robert feinta une droite. L'homme tendit le bras, et pivotant, Robert le frappa avec sa main gauche, saisit le poignet par lequel il tenait le couteau, tout en lui décochant un direct du gauche. Tout de suite, il y eut le bruit assourdissant d'un os qui craquait, une gerbe de sang rouge vif, et le son métallique du couteau tombant sur le plancher. Comme l'homme, aveuglé, étourdi, titubait, Robert lui asséna un coup sur la tempe gauche, un autre sur la mâchoire, et sa tête et son corps partirent en arrière. Comme le boxeur sur le point d'être mis K.-O., l'homme vacilla un instant, puis s'effondra, tombant si lourdement sur le flanc que la pièce tout entière parut trembler.

Robert éloigna le couteau d'un coup de pied en s'avançant pour l'examiner. Il ne bougeait plus mais respirait encore. Il vérifia à deux reprises s'il était conscient, comme si l'homme était un chien enragé dont il se méfiait plus que tout. Il se pencha pour soulever sa main, puis la lâcha en la regardant tomber dans un bruit sourd. C'étaient les doigts qui semblaient préoccuper Robert en particulier, comme s'il voulait s'assurer de l'absence du moindre petit mouvement.

Elle sentit le sang affluer dans ses joues, une crampe lui tordre le ventre. Elle se rendit compte qu'elle avait gémi uniquement lorsque Robert tourna le dos à l'homme et l'appela en s'avançant vers elle. Quelques secondes d'inattention, mais c'était déjà trop, et c'était de sa faute à elle.

Tendant le bras, l'homme attrapa quelque chose près de la table de chevet. Lorsqu'il leva la main, il brandissait un deuxième couteau, un couteau au manche massif en caoutchouc noir avec une lame courte et large. Se redressant, il le planta dans l'arrière de la cuisse de Robert.

Robert poussa un hurlement de bête qui la transperça de part en part. Il s'affala sur les genoux.

L'homme crachait du sang par la bouche et le nez. Il leva le bras, la lame étincelant au-dessus de sa tête, prête à achever Robert. Au moment où le couteau s'abattait sur lui, Robert roula sur lui-même, saisit des deux mains le poignet de son assaillant, le renversa sur le dos et se mit sur lui, l'immobilisant avec un genou plaqué sur l'abdomen.

Robert ne semblait pas voir que son autre jambe traînait par terre, le velours clair de son pantalon noirci par le sang. Son chandail bleu marine était trempé de sueur sous les bras, sur la poitrine, sur le dos.

Du poing gauche, l'homme le frappa au visage, lui ouvrant la lèvre, mais Robert tint bon. Ne pas libérer son poignet. Surtout, lui faire lâcher le couteau. Tout faire pour éloigner le couteau de son propre corps.

Tout ce sang. Celui de Robert coulait le long de son menton, formant une flaque près de sa jambe. Celui de l'homme dessinait une ligne depuis son nez, éclaboussait sa poitrine nue, son menton, la manche du chandail de Robert.

De la main gauche, l'homme tenta de reprendre le contrôle du couteau. C'était comme un bras de fer pour incliner la lame, chacun tentant de l'orienter vers l'autre. Robert avait pour seul avantage que l'homme était sur le dos, avec la force de gravité contre lui. Mais cela ne suffisait pas. Robert, qui se vidait lentement de son sang, était en train de perdre la bataille. Son visage était gris, son front couvert de sueur. Il grogna.

Ni l'un ni l'autre ne la vit descendre du lit. Elle ramassa le premier couteau par son manche en écaille. Chancelante, elle s'avança vers eux, tel un vampire émergeant de sa tombe. Le sang serpentait sur l'intérieur de ses cuisses. Ruisselait sur son visage, sur son nez, ses seins, son ventre. Il se mêlait à ses cheveux, les teignait en rouge foncé.

Dans leur gentillesse et leur bienveillance, les policiers lui avaient tout de même menti. Ils l'avaient entretenue dans de faux et funestes espoirs, en lui affirmant qu'elle était en sécurité alors qu'elle ne l'était pas, qu'elle n'avait jamais été aussi peu en sécurité. Ce qu'ils avaient fait n'avait servi à rien. Il n'y avait qu'elle qui puisse faire disparaître cet homme. Qui pouvait le faire disparaître à tout jamais. C'était la seule solution. La seule façon d'aider Robert. La prochaine fois que le couteau pénétrerait la chair de Robert, il le tuerait. Elle le savait. Elle sut exactement ce qu'elle devait faire, comprit qu'elle n'aurait pas de deuxième chance.

Elle était très calée en biologie humaine, ainsi qu'elle l'avait dit à Robert. Son obsession pour les questions de reproduction s'était étendue au corps dans son ensemble, mais cet intérêt, elle l'avait déjà à l'école. Tous ces détails s'étaient gravés en elle. Elle se souvenait des images du cœur, des photos et illustrations et planches d'anatomie devant lesquelles elle s'était toujours extasiée. Elle les avait étudiées à nouveau lorsque son père avait eu son pontage.

L'homme ne portait qu'un caleçon. Elle vit les images comme si elles étaient dessinées par-dessus son torse : le cœur et ses ventricules sous la cage thoracique. Malgré les battements de son propre cœur et sa vision troublée, elle les voyait. Elle n'avait même pas besoin de répéter son geste. Elle savait qu'il y avait un espace entre les côtes, juste au-dessus du ventricule droit. C'était ça, le point faible. Elle visa l'endroit précis, sur l'alignement des mamelons et légèrement décentré, en se forçant à ignorer la douleur gravée sur le visage de Robert.

Les yeux fixés sur ce point précis, elle dirigea le couteau vers la poitrine de l'homme en se jetant sur lui de toutes ses forces. Elle n'eut aucune difficulté à retomber sur ses genoux ; son corps ne demandait qu'à tomber. Il y eut une demi-seconde de résistance, comme lorsqu'elle perçait l'écorce d'un melon avec un couteau très aiguisé ; puis la pointe métallique s'enfonça, comme dans la chair d'un fruit. Le couteau s'enfonça complètement, jusqu'à la garde.

Il souffla, inspira, quelques instants seulement. Ses lèvres n'étaient plus pâles, mais bleues. Des bulles rouges s'échappaient de sa bouche. Au lieu de jaillir de la blessure comme elle s'y attendait, le sang coulait régulièrement, formant un cercle autour du manche du couteau. Elle sentit que ses mains ne fonctionnaient pas normalement, que le couteau devenait si humide, glissant et chaud qu'elle avait du mal à le tenir. Mais elle ne devait pas le lâcher. Quoi qu'il arrive. Elle le savait. Elle continua à tenir le couteau de peur d'échouer. Au cas où elle se serait trompée, où elle serait passée à côté du point visé. Comme s'il avait pu se relever si jamais elle lâchait tout. Comme s'il allait attraper l'autre couteau et le plonger dans la chair de Robert. Comme si le trou qu'elle avait fait risquait de se refermer, comme si l'homme pouvait se relever et l'attaquer si elle ne s'assurait pas jusqu'au bout que le couteau avait rempli son office.

Les yeux de l'homme roulèrent, puis se figèrent. Ils restèrent ouverts mais elle sut qu'il ne la voyait plus. Il ne la regardait plus, enfin. Oui, c'était certain. Jamais plus il ne la regarderait.

Elle sentit les bras de Robert autour de ses épaules et lâcha le couteau. Assis par terre, il l'attira vers lui, l'entraîna le plus loin possible de l'homme en glissant sur le sol, sa jambe blessée laissant une traînée de sang. Il la berça dans ses bras, retira son chandail pour la couvrir. Ils baignaient dans le sang. Il prononça son nom. Plusieurs fois. Comme s'il essayait de la faire revenir vers lui. Mais elle se sentait partir, et la voix de Robert lui semblait si distante, bien que ses lèvres continuent à bouger.

Puis la pièce s'emplit de gens bizarres habillés comme des policiers ou des infirmiers, et il y avait même Miss Norton, en larmes. Elle sentit qu'on la séparait de Robert, entendit qu'on lui disait qu'il avait besoin de soins médicaux urgents. Elle voulut crier son nom pour qu'ils ne la séparent pas de lui mais fut incapable de faire sortir le moindre son. Tout d'un coup, sa tête explosa de douleur et le monde fut plongé dans le noir.

DIX-HUIT SEMAINES PLUS TARD

La jeune fille sans mains

Lundi 20 juillet

La psychologue clinicienne m'a demandé de commencer un nouveau carnet. Celui-ci a été fait à la main par ma mère, et relié dans un tissu couleur prune avec des fleurs de muguet. La psychologue l'appelle « Le Journal de la Guérison ». Lors de nos rendez-vous, je lui montre rapidement les pages que j'ai écrites pour lui prouver que je suis une patiente raisonnable et sensée. Si je la laissais lire ce carnet, elle me donnerait sans aucun doute un zéro pointé, vu ce que j'écris. Et pour qui je l'écris.

Mardi 21 juillet

Mon père joue au golf avec un autre prof à la retraite. Ma mère est assise à côté de moi dans la triste salle d'attente de l'hôpital. Elle lit un journal tandis que j'essaie de ne pas penser aux résultats du test que je m'apprête à recevoir.

À qui je pense ? À toi. C'est toi qui occupes toutes mes pensées.

Je ne t'ai pas vu depuis dix-huit semaines. Depuis que tu m'as sauvée.

Dix-huit semaines depuis que l'avocat de cet homme a habilement persuadé les autorités de le libérer pour qu'il puisse s'introduire chez moi.

La police l'a arrêté, inculpé de harcèlement et d'actes de violence le matin du mardi 5 mars. Mais le juge n'a prononcé l'ordonnance restrictive que l'après-midi du vendredi 6 mars. Leur grosse erreur a été de ne pas le faire comparaître devant un juge avant la limite légale de vingt-quatre heures. Ce qui voulait dire que l'ordonnance restrictive qu'il a violée quelques jours plus tard n'avait aucune légalité, si bien qu'ils n'ont pas pu le mettre en prison.

Que se serait-il passé si le commissaire Hughes n'était pas parti en vacances ? Mon avis, c'est que même le commissaire Hughes n'aurait pas pu empêcher sa libération pour vice de procédure. Mais lui, il m'aurait prévenue qu'il avait été libéré. Il aurait peut-être trouvé un moyen de le remettre sous les barreaux. Ou bien chargé quelqu'un de ma protection, pour l'arrêter avant qu'il ne soit trop tard. Cette nuit, je l'ai reconstituée, presque dans sa totalité, avec l'aide de l'enquêtrice chargée des affaires de crimes sexuels. Mais sans cesse je revis ces contingences, ces innombrables hypothèses.

Je suis tirée de ces pensées par le médecin qui vient me chercher. Il dit bonjour à ma mère, qui pour un peu rougirait de cette attention, même si elle a pratiquement aussi peur que moi de ce que je vais découvrir. Je serre affectueusement la main de ma mère et me lève pour suivre le Dr Haynes. Mon dos est trempé et j'alterne entre frissons et bouffées de chaleur.

Je me demande parfois si mes malaises sont dus à ce qui s'est passé, mais d'après le Dr Haynes, non. D'après lui, des nausées comme les miennes ont même un nom. *Hyperemesis gravidarum.* Certains disent que c'est ce dont Charlotte Brontë est morte, et j'apprécie le fait que le Dr Haynes sache ce genre de choses. Il m'explique que tout cela a des raisons physiologiques. Ce qui me semble indéniablement physiologique, ce sont tous ces séjours à l'hôpital pour augmenter mon taux d'électrolyte et d'hydratation, ainsi que les antiémétiques que je prends tous les jours. Je ne pense pas que la psychologue clinicienne soit d'accord avec le Dr Haynes.

Le Dr Haynes a un air de diplômé d'Oxford ; il est aimable, très beau, dans le genre super héros intelligent. Dans d'autres circonstances, j'aurais fort bien pu avoir le béguin pour lui ; dans d'autres circonstances, c'est-à-dire si je ne t'avais pas rencontré.

Le Dr Haynes m'adresse un regard grave. « J'ai les résultats, Clarissa. »

Moi qui pensais avoir retrouvé mon calme au cours de ces deux semaines d'attente, j'ai l'impression que des aiguilles de glace me transpercent le cœur.

Le Dr Haynes se penche au-dessus de son bureau pour me toucher la main. « Les tests génétiques excluent la possibilité que Rafe Solmes soit le père de votre bébé. »

Je sens trembler mes lèvres, mes mains, mes paupières. Sans doute est-ce le symptôme physique de mon soulagement. Mais le Dr Haynes m'explique que ces frissons et tremblements sont peut-être un effet secondaire des antiémétiques et, tout en espérant que c'est exceptionnel, il veut me faire essayer un autre traitement. Il dit que je suis très pâle, me fait boire un peu d'eau et m'allonger sur la table d'examen pour me reposer quelques minutes. Il s'assoit et prend des notes sur mon état, s'interrompant de temps à autre pour vérifier une nouvelle fois mon pouls et ma pression artérielle.

Avant même de disposer de la preuve, j'y croyais. J'ai été consciente de l'existence de ce bébé dès sa conception, lorsque tu m'as réveillée après notre première nuit ensemble. Mais je ne dois pas me laisser aller à penser de la sorte. Pour moi, penser à notre première nuit ensemble, c'est une façon de dire que nous en avons passé de nombreuses. Or il n'y en a eu que deux. Il n'y en aura jamais plus de deux.

Le Dr Haynes finit par me laisser me redresser, et les mots sortent tout de suite de ma bouche. « Je savais au fond de moi-même que ce n'était pas le sien. La police m'a demandé de faire le test et j'ai eu peur de refuser. Je ne voulais pas qu'ils croient que je l'avais tué pour empêcher qu'il ait du pouvoir sur moi à travers le bébé.

– Eh bien à présent, ils doivent exclure cette hypothèse. Si on se base sur vos échographies et vos taux d'hormones, vous êtes enceinte de vingt et une semaines. Cela veut dire que l'œuf a été fécondé il y a dix-neuf semaines. La conclusion de mon rapport est que vous avez conçu une semaine avant votre viol ; quand Mr Solmes est mort, vous ne pouviez pas savoir que vous étiez enceinte. J'ai consulté d'autres spécialistes. Leurs opinions, qui rejoignent la mienne, figurent dans ce rapport. »

Ils disposaient d'une grande quantité de l'ADN de l'homme qui m'a violée à comparer à celui du bébé. Je n'ai pas eu besoin de ta permission pour le test. Ni de ton ADN. Maintenant que sa paternité a été écartée, il ne reste plus que toi. Par élimination.

« Les bonnes nouvelles ne s'arrêtent pas là. Aucune anomalie génétique n'a été détectée. »

J'étais tellement angoissée par le test de paternité que j'en avais oublié de m'inquiéter pour la santé du bébé. Quelle mère indigne.

Il observe quelques secondes de silence. « Je peux vous dire le sexe, si vous avez envie de savoir.

– Je pense que c'est une fille. J'ai raison ? »

Le Dr Haynes sourit au point que je me demande s'il se soucie réellement de tout cela. « Oui.

– À mon avis, elle a les cheveux noirs et des yeux bleu vif comme son père. Je suis sûre qu'elle est très jolie. »

Il éclate de rire. « On va devoir attendre qu'elle naisse pour vérifier si vous avez vu juste au sujet des yeux et des cheveux, mais pour ce qui est d'être jolie, il n'y a aucun doute. Vous voulez qu'on jette un coup d'œil sur elle ? Je sais que vous aviez très peur de l'amniocentèse et des risques d'avortement. »

Le Dr Haynes répand une giclée de gelée glaciale sur mon ventre et au premier contact de la sonde avec ma peau, elle surgit sur l'écran.

Ses lèvres sont exactement comme les tiennes, Robert. Elle les referme en bouton de rose et m'envoie un baiser. Je lui en envoie un moi aussi.

Mercredi 22 juillet

L'enquêtrice chargée des affaires de crimes sexuels est arrivée. Elle ne porte pas d'uniforme de police. Elle a une jupe bleu marine et un chemisier couleur crème qui flotte élégamment sur sa silhouette fluette.

À côté d'elle, je suis ronde, ce qui est nouveau pour moi. Mes seins ont grossi sous le chemisier en gaze blanche qui ressemble à celui que Lottie portait le premier jour du procès. Mon ventre dessine une petite bosse par-dessus la ceinture en stretch d'une des nombreuses jupes que ma mère m'a faites à la va-vite.

L'enquêtrice s'appelle Eleanor, et c'est le nom qu'elle souhaite que j'utilise. Pas madame la commissaire ou madame l'enquêtrice. Eleanor, tout simplement.

Tu me conseillerais de ne pas oublier, ne serait-ce qu'une seconde, que malgré la sincérité de ses hochements de tête compatissants, Eleanor n'en reste pas moins à l'affût de la moindre miette d'information qui pourrait s'ajouter au bon gros dossier qu'ils vont envoyer au parquet. Tu me dirais que je devrais me méfier quand la police me dit qu'ils ont confié mon affaire à Eleanor parce qu'ils me considèrent comme une victime survivante pour laquelle il faut un contact unique. Tu me dirais que la police continue à m'envoyer Eleanor parce qu'ils me considèrent comme une suspecte.

Eleanor et moi sommes assises dans le salon de mes parents sur les deux fauteuils près de la baie vitrée, mon poste habituel pour profiter de la vue sur la mer. Deux tasses de thé sont posées sur la table entre nous, laissées par ma mère qui s'est éclipsée dans le jardin avec mon père.

Eleanor coince ses cheveux noirs derrière ses oreilles et ses yeux sombres me lancent un regard direct et doux. « J'ai promis de ne jamais vous cacher les informations que je suis autorisée à divulguer, dit-elle.

– C'est le parquet ? » Ma voix peine à rester calme. « Ils comptent m'inculper ?

– La police doit rassembler quelques derniers éléments avant d'envoyer le dossier au parquet pour qu'ils se prononcent sur une éventuelle inculpation. Je crois qu'ils attendent un rapport de votre obstétricien.

– Il ne va pas tarder.

– Bien. Il y a également le rapport sur les causes du décès. C'est pour vous protéger que la police fait les choses à fond. C'est une affaire complexe, délicate, Clarissa, avec une mort violente. Il est dans l'intérêt public de mener une enquête approfondie.

– J'aimerais en avoir fini avec tout ça.

– Je sais que c'est difficile d'avoir cette épée de Damoclès au-dessus de votre tête, mais permettez-moi d'insister sur le fait que les inculpations par le parquet dans le cas de la mort d'une personne s'étant introduite chez quelqu'un par effraction sont extrêmement rares. Surtout quand la personne en question a fait preuve de violence et était armée. Tout tend à montrer que vous avez utilisé la force pour vous défendre, vous et un tiers. La notion de responsabilité limitée entre également en ligne de compte, étant donné les blessures que vous aviez reçues à la tête.

– Bien », dis-je lentement, même si je ne me sens pas bien.

Elle prend son inspiration. « Je vous ai déjà dit que les cinq accusés dans ce procès avaient été déclarés non coupables des charges portées contre eux. »

Le juge a laissé les dix autres membres du jury délibérer sans nous. Les cinq accusés ont été libérés alors que j'étais encore à l'hôpital sous garde policière et que tu subissais une opération à la jambe.

« L'issue n'est guère surprenante, étant donné la manière dont les avocats de la défense se sont acharnés sur Miss Lockyer. » Je baisse les yeux. « Elle était tellement courageuse. » Je parle tout bas, les yeux toujours baissés. Puis je les lève. Je m'y force. Et je vois qu'Eleanor fronce les sourcils.

Elle ouvre la fermeture Éclair de sa serviette en cuir brun. « La police a pensé que vous voudriez être mise au courant. » Elle me tend une coupure de presse.

Un verdict de mort accidentelle a été prononcé à l'issue de l'enquête sur la mort d'une habitante de Bath. Carlotta Lockyer, jeune femme de vingt-huit ans au destin tragique, a succombé à une overdose le 10 mai. La police a retrouvé dans son corps des quantités importantes d'héroïne et de crack, dont les effets ont été décuplés par les taux élevés de méthadone décelés dans le sang de la victime. Mr John Lockyer, soixante-dix-huit ans, a déclaré aux enquêteurs que sa petite-fille, qui sortait d'une cure de désintoxication, avait rechuté peu avant sa mort. C'est en rentrant de l'église qu'il a découvert le corps allongé par terre dans la salle de bains.

Je me recroqueville, me balance d'avant en arrière, adoptant la même position que celle de Carlotta telle que l'avait décrite l'un des témoins. Je sanglote pitoyablement. De la bile remonte dans ma gorge, coule sur mon menton. Je l'essuie avec un Kleenex. Eleanor attend patiemment que je me sois calmée. J'ignore combien de temps il me faut pour retrouver mes esprits. Je me mouche bruyamment.

« Je vois à quel point vous êtes triste, dit Eleanor. Moi aussi je le suis. Mes collègues également. Elle était courageuse et a livré une lutte acharnée. »

Furieuse, je fixe les yeux d'Eleanor, sombres comme la nuit, sans réussir à la démonter.

« Je constate que vous êtes également très en colère, Clarissa, dit-elle. C'est compréhensible.

– Cet article est un faux. Il a été publié la semaine dernière, après des conclusions d'autopsie censées être publiées le 13 juillet. Or, ce genre de conclusions, il faut généralement attendre deux mois après la mort de la personne pour les avoir. Vous-même, vous avez dit qu'on attendait toujours les conclusions de l'expert sur la mort de mon agresseur – et ça fait quatre mois, deux fois plus longtemps. Lottie est quelque part, loin d'ici, et la police veut faire croire à ces hommes qu'elle est morte afin qu'elle puisse commencer une nouvelle vie en toute sécurité. Cet article ment, pour les tromper. »

Je m'accroche à cet espoir. Peut-être la même chose s'est-elle également produite pour Laura.

« Je ne le pense pas, même si c'est une théorie intéressante et j'aimerais vous croire. Nous aimerions tous vous croire.

– Vous ne le diriez pas. Peut-être même que vous n'en savez rien.

– Vous avez raison sur toute la ligne », dit Eleanor.

Mon père n'aurait pas dû m'appeler Clarissa. Pollyanna[1] aurait été plus adapté. Mais impossible de jouer

1. Personnage principal d'un roman pour la jeunesse d'Eleanor H. Porter, Pollyanna est une orpheline qui fait preuve d'un optimisme à toute épreuve, guidée par le souvenir d'un jeu, *The Glad Game* (le Jeu du contentement), inventé par son père.

au *Glad Game* ici. Laura est perdue, sans doute à jamais, et Lottie aussi. Je ne peux les sauver ni l'une ni l'autre en inventant des histoires ridicules.

Jeudi 23 juillet

C'est le jour de ma séance avec Mrs Lewen, la psychologue clinicienne. Il a fallu que je promette de la voir une fois par semaine. C'était le seul moyen d'obtenir qu'ils me laissent sortir de l'hôpital de Bath et organisent avec la police et les médecins le transfert à Brighton.

Acquiescement de la patiente. Cette expression, je l'ai entendue trop souvent.

Je déteste le mot acquiescement.

Mrs Lewen approche de la cinquantaine. Elle a des cheveux châtains, courts et frisés, quelques kilos de trop, et porte des kaftans de couleurs vives. Celui d'aujourd'hui est jaune, orange et violet. Elle a un air baba cool, mais je ne pense pas que cela reflète sa vraie nature.

Il y a un poster encadré du film *Le Magicien d'Oz* accroché au mur dans son bureau. Avec les personnages principaux bras dessus, bras dessous, qui descendent en sautillant la route de briques jaunes. Mrs Lewen pense que ce film propose une *leçon de vie* à qui le regarde. Cela m'étonnerait que tu apprécies vraiment Mrs Lewen.

Mrs Lewen s'installe dans le fauteuil couleur pêche, un sourire plein d'espoir aux lèvres. Je suis recroquevillée sur le canapé en face d'elle, les jambes repliées sous mes fesses. Le canapé est couleur pêche lui aussi. Tous les fauteuils et canapés sont recouverts de ce tissu à la couleur prétendument apaisante, que je déteste. Les murs aussi. Si jamais Mrs Lewen essaye de me faire écouter « Somewhere Over the Rainbow », il y aura du vomi sur le tapis pêche.

Le sujet de la semaine dernière, c'était mon visage. Le charabia du chirurgien esthétique polluait l'air ; Mrs Lewen m'a fait répéter ses expressions comme si elles allaient me guérir.

La bonne nouvelle, c'est qu'un visage se répare vite. Ma cicatrice – une balafre diagonale sur ma joue – fait trois centimètres et demi. Je l'ai mesurée.

Nous avons de la chance que ce soit une plaie bien droite. Ma cicatrice est gonflée, avec la peau pincée et plissée au bord.

Les cicatrices s'estompent et se lissent au cours de la première année. Ma cicatrice est rouge vif et boursouflée.

Les sensations nerveuses du visage reviennent, mais cela peut prendre de six à huit mois. J'ai l'impression que mon visage ne bouge pas normalement dans la zone autour de ma cicatrice, comme après une anesthésie.

Aujourd'hui, d'emblée mon silence est trop long, même pour Mrs Lewen. D'habitude, elle aime être la première à parler mais cette fois-ci, elle me pousse discrètement à parler en me demandant à quoi je pense.

« À Robert. » À peine le mot sorti, je me plonge dans la contemplation de mon Earl Grey à peine infusé. Je bois une gorgée en imaginant que les bouillonnements de mon ventre se calment.

Mrs Lewen me pousse un petit peu plus. « Votre deuxième trimestre est bien entamé. La grossesse a l'air de se passer comme il faut. Ne pensez-vous pas que Robert a le droit de savoir ? »

La peau de Mrs Lewen est très rose et légèrement rugueuse. Ses joues sont rouge vif. Ne ferait-elle pas de l'hypertension ?

Je fais non de la tête. « Il ne voudrait pas du bébé.

– Vous n'en savez rien. Et vous vous languissez toujours de lui, Clarissa. »

Morte depuis deux ans, disais-tu. Tu me connaissais depuis une minute à peine et déjà tu me racontais le mensonge le plus choquant que j'aie jamais entendu. Est-ce un mensonge que tu racontes systématiquement aux femmes auxquelles tu es susceptible de t'intéresser ? Plus tard, tu m'as carrément dit que c'était un accident de voiture. Tu as même précisé à quel moment de la journée ça s'était passé.

Mme Pompier, a dit l'homme – coup de poignard dans le cœur – avant de me lacérer le visage.

Je t'ai forcé à révéler ton secret. Ce qui m'est arrivé ne pouvait que te dévoiler. Après, il ne t'a plus été possible de cacher mon existence à ta femme. Ta terrible blessure, tout ce sang que tu as perdu. Les policiers qui sont venus t'interroger. Te demander de témoigner. Toi aussi, tu as été arraché à ta vie normale, à cause de ce qui m'est arrivé.

Les victimes de viol ne peuvent pas être nommées. Même si elles peuvent avoir également tué. Ce qui m'est arrivé a empêché mon nom d'apparaître dans les journaux, mais je ne pense pas que tu aies pu l'empêcher d'être mentionné chez toi.

J'imagine ta femme. Débarrasse-toi de cette histoire, a-t-elle dû dire. Débarrasse-t'en, c'est tout. Tu ne dois plus jamais la revoir. Tu n'as peut-être pas eu d'autre choix que de te débarrasser de moi.

Eleanor m'a dit que ta blessure à la jambe guérissait, mais que tu boiterais désormais. Elle a dit qu'il faudrait t'opérer plusieurs fois. Tu es certainement en train de livrer ta propre guerre contre le stress post-traumatique.

Ta femme te conduit-elle à l'hôpital pour tes rendez-vous ? T'aide-t-elle pour ta rééducation ? Te fait-elle payer ta faute ? Votre couple va-t-il s'en remettre ? Le souhaites-tu ? J'essaie de ne pas me laisser envahir par ces questions, mais ce n'est pas facile. J'essaie de ne pas me demander à quoi elle ressemble.

Après Henry, j'avais juré de ne plus jamais m'autoriser à tomber amoureuse d'un homme marié. De ne plus jamais faire subir à une autre ce que j'avais fait subir à sa femme. Avec ton mensonge, tu m'as privée de la possibilité de décider. Je ne t'aurais jamais touché, si j'avais su. Notre bébé n'existerait pas, si j'avais su.

En dépit de tout, je m'imagine en train d'embrasser ta jambe, pour qu'elle guérisse.

« Vous pourriez contacter Robert, vous savez, dit Mrs Lewen. Vous pourriez chercher à savoir où il en est avec sa femme. L'homme qui vous a fait mal, lui, il n'était pas une source fiable.

– L'enquêtrice chargée des crimes sexuels m'a confirmé que Robert est toujours marié. Il vit avec elle. »

Eleanor m'a dit que ta femme était à Londres les deux nuits que tu as passées avec moi. Elle a de nouveau été appelée là-bas en urgence, la nuit où tu as changé d'avis, où tu es venu chez moi et m'as secourue. Es-tu content de l'avoir fait ?

« Vous pouvez toujours en apprendre un peu plus sur lui, sur les raisons qui l'ont poussé à faire ce qu'il a fait.

– J'aurais tendance à dire que c'est plutôt évident. »

Qu'est-ce que ça lui fait, à sa femme, de savoir que grâce à ses changements de programme de dernière minute, il m'a sauvé la vie ?

« Vous n'êtes pas une cynique, Clarissa. Les gens sont poussés par des raisons complexes. D'après ce que vous m'avez dit de Robert, c'est un homme bon, voire héroïque. Je ne nie pas le fait qu'il a mal agi à votre égard, mais vous devez l'avoir beaucoup troublé pour qu'il agisse d'une façon qui lui ressemble si peu. »

Était-ce la promesse de sept semaines hors de ta propre vie ? Avec moi en supplément pour rendre le temps du procès plus mémorable et excitant encore ? Peut-être en me racontant ce gros mensonge voulais-tu t'assurer que j'y jouerais un rôle. Tu m'as repérée dans le train le premier jour, as-tu dit. Aurais-tu alors décidé de m'embarquer dans cette histoire, sachant que dans six semaines ta femme s'absenterait – une occasion que tu ne voulais pas manquer ? Peut-être as-tu même vu que je lisais Keats et c'est la raison pour laquelle tu as affirmé que tu l'aimais – tu remarques tout.

Tu t'es probablement imaginé que tu allais retrouver ta vie d'avant une fois l'intermède terminé. Tu t'es probablement imaginé que je ne laisserais pas la moindre marque sur toi.

« Tout ce que vous m'avez dit sur Robert, sa façon d'agir, suggère que ses sentiments pour vous étaient profonds, qu'il vous avait dans la peau et ne pensait qu'à vous. » Mrs Lewen a cette capacité agaçante à deviner mes fantasmes. « Peut-être ne s'y attendait-il pas. Quoi que Robert vous ait fait...

– Quoi qu'il m'ait fait ne compte pas. Il m'a sauvé la vie, et ça lui vaut d'être handicapé à vie. Tout le reste est plutôt négligeable en comparaison. »

Mrs Lewen a l'air contente de moi, malgré l'impatience que je témoigne à son égard. « Vous aussi vous l'avez sauvé, dit-elle.

– Il était en danger par ma faute. Je ne peux pas vraiment prétendre l'avoir sauvé.

– Il a peut-être peur de vous, après ce qui s'est passé. Il veut peut-être vous donner le temps de vous remettre, ne pas vous effrayer. Il est le père de votre enfant, Clarissa. Vous devriez lui rendre visite et lui parler.

– Vous ne croyez pas que la nouvelle risque de le choquer légèrement ? En plus, je ne veux pas qu'il reste avec moi uniquement à cause du bébé. Sans compter que je ne veux pas le prendre à sa femme – j'ai déjà assez de remords quand je pense à elle. En plus, je ne peux pas lui courir après. Je ne peux pas... m'imposer à qui que ce soit. C'est ce que cet homme a fait avec moi. »

Eleanor m'a dit qu'il y avait un autel dans la maison de cet homme, avec un nombre incalculable de photos. Il connaissait les détails de ma vie mieux que moi.

« Robert, c'est votre grand mystère, dit Mrs Lewen. Vous devez le percer pour aller de l'avant. Vous devez comprendre ce qu'a fait Robert et pourquoi, et ce qu'il pense maintenant.

– Vous vous trompez. Je crois le comprendre parfaitement. Vous venez de m'aider à y voir clair. Ce n'est pas Robert, mon grand mystère. »

Mrs Lewen prend l'air surpris. « C'est quoi alors ?

– Laura. »

Je m'imagine Mrs Betterton et ma mère assises côte à côte, sanglotant dans les bras l'une de l'autre sous les regards solennels, tristes et embarrassés de Mr Betterton et de mon père.

« Je croyais que ses parents me détesteraient, qu'ils risquaient de ne jamais me pardonner. Parce que je suis celle qui a survécu. Parce que je ne suis pas Laura. »

Mrs Lewen me dit de boire un peu de thé avant de poursuivre. Je m'exécute.

« Vous ne regrettez tout de même pas qu'il soit mort ? » me demande Mrs Lewen.

Les Betterton nous ont dit que, d'après la police, ce n'est pas Laura sur la couverture du magazine. J'en suis soulagée, mais très modérément car je me demande sans cesse qui était cette femme. Les Betterton nous ont aussi dit que les enquêteurs ont trouvé des photos pornographiques de Laura qu'il avait cachées sous le plancher dans sa maison. Est-ce là qu'il aurait mis les dernières photos de moi ?

Après m'avoir tuée, il aurait pu s'en tirer en semant le doute sur sa culpabilité, en suggérant que tu pouvais fort bien être le meurtrier. Toi aussi tu as laissé des traces partout sur mon lit. Il aurait pu dire que lui et moi avions eu des rapports consentis, que j'étais vivante et heureuse à son départ, et qu'ensuite tu avais débarqué, m'avais torturée et tuée. Toutes ces heures dans la salle d'audience m'en ont appris beaucoup.

La police a découvert récemment qu'il avait passé un été en Californie il y a sept ans. Le dernier été de Laura. La piste est ancienne maintenant, mais peut-être encore exploitable. La police américaine vient d'ouvrir une enquête sur sa disparition, enfin. Ils sont en relation avec la police britannique, qui passe toutes les preuves au peigne fin.

Est-ce que je regrette qu'il soit mort ?

Je ne vois pas de question plus stupide que celle-là. Il m'est impossible d'y répondre sincèrement. Je ne peux pas risquer que Mrs Lewen aille informer la police que je suis une meurtrière psychopathe totalement dépourvue de remords ; je n'ai pas envie que ça figure dans le dossier qu'ils vont envoyer au parquet. Ni que les services sociaux me prennent mon bébé.

Je sers quand même à Mrs Lewen un bon gros morceau de vérité. « Ce qui me hante, c'est l'idée que j'ai gâché l'unique chance pour les Betterton de découvrir ce qui était arrivé à Laura. Lui, il le leur aurait peut-être dit. Maintenant, c'est impossible. »

Je ne remettrai les pieds à l'université sous aucun prétexte, même si je ne sais pas trop ce que je vais faire de ma vie une fois que tous mes morceaux seront recollés et que les fissures ne seront plus trop visibles. Si jamais il y a un moyen d'aider à chercher Laura, alors, c'est ce que j'aimerais faire. Peut-être en écrivant, en parlant aux médias, ou bien en créant en son nom, et avec ses parents, une sorte de fondation pour sensibiliser le public.

« C'est un sentiment qui me paraît naturel, Clarissa, dit Mrs Lewen. Très humain. »

Peut-être finalement n'ira-t-elle pas raconter que je suis une psychopathe.

« Mais je ne suis pas certaine que vous soyez entièrement sincère avec vous-même quand vous dites que Robert n'est pas votre grand mystère. »

Elle dira juste que je me mens à moi-même. Cela dit, je ne peux pas m'empêcher de reconnaître que parfois elle voit juste.

Vendredi 24 juillet

Les tissus qui viennent juste de cicatriser sont très sensibles au soleil. Une autre phrase du chirurgien esthétique. C'est à cause d'elle que je marche avec mes parents le long du front de mer coiffée d'un immense chapeau de paille. Ma robe style Empire a un air estival. Il n'y a que ma mère qui puisse faire une robe tout à la fois moulante, élastique et fluide comme l'eau. Le jersey bleu pâle froufroute discrètement. La brise plaque le tissu léger sur mon ventre vaguement arrondi. Nous passons rapidement devant les stands de hot dogs puants et arrivons sur les planches de la jetée.

Mes yeux balaient le bâtiment où se trouvent les attractions. À l'entrée, dans l'ombre, se tient un homme de grande taille. J'ai l'impression qu'il me regarde. Je ne vois pas son visage, mais j'imagine un peu de toi dans sa façon de se tenir et, prise d'une sorte de transe, commence à avancer vers lui. Il se détourne et entre dans la galerie, rapidement, en boitant. Je me mets à courir, quasiment sans remarquer que mon chapeau s'est envolé et que mes parents m'appellent. J'oublie que je suis enceinte, que j'ai perdu mon souffle après tous ces mois de repos forcé, j'oublie tout sauf ma folle certitude que cet homme, c'est toi.

Je m'arrête soudain près d'une cage en verre remplie d'extraterrestres en peluche avec une énorme griffe planant au-dessus d'eux. Je décris un cercle, puis un autre, puis encore un autre, persuadée que si j'explore tout l'espace de la galerie, je te trouverai. Les tintements des machines imbéciles sonnent dans mes oreilles tandis que je scrute la foule. Quelqu'un crie parce que son auto-tamponneuse a eu un accident.

L'orgue de barbarie m'assourdit, comme dans un carnaval hanté. Les ampoules colorées des machines clignotent. Les lumières stroboscopiques fouettent l'air.

Mon cœur bat la chamade, la tête me tourne, et j'ai le hoquet. Ma poitrine est trempée, couverte de plaques rouges. Tout cela sans doute à cause de l'effort déployé. Ou bien à cause des médicaments contre la nausée. Ou bien des deux.

Jamais je ne retrouverai cet homme. M'imaginer que c'était toi, quelle folie ! Cette galerie cauchemardesque est monstrueusement grande et il y a tellement de sorties qu'il a pu s'éclipser. Même si je fouillais toute la jetée, elle est tellement longue qu'il n'aurait aucun problème à se cacher et à disparaître au milieu des divers manèges et bâtiments.

Déconcertés, inquiets, mes parents tirent sur ma robe pour m'éloigner de la jetée, m'indiquent que mon chapeau est tombé à la mer. Nous avançons prudemment dans les allées de brique, mon père nous guidant à travers les passages tortueux pour que nous restions à l'ombre. Nous errons au pied des dômes et des pinacles, des minarets et des cheminées du vieux palais. Je laisse traîner mes doigts sur les pétales jaunes du genêt.

Mes parents m'installent près d'un cytise. Rowena et Annie viennent déjeuner dimanche, et Annie amène Miss Norton, si bien que ma mère veut faire quelques achats. Elle traîne mon père avec elle pour qu'il l'aide à les porter.

Je suis contente de me retrouver seule un instant, à regarder les coccinelles et les papillons. Je suis à moitié endormie, sans doute là encore à cause du médicament contre les nausées. Alors je m'allonge dans l'herbe. C'est ce que les gens font dans cette ville de bord de mer. Me souvenant que je ne dois pas rester sur le dos, je roule sur le flanc, appuie mon coude sur le sol et pose la tête sur ma main droite. Une nuée de pigeons vole au-dessus des lilas. Ils me font penser aux hordes de singes ailés dans *Le Magicien d'Oz.* Mrs Lewen me dit à chaque séance que les singes sont censés représenter mes démons et mes peurs. Je ne lui dis pas que moi, je les trouve ridicules.

Je sens une veine palpiter à l'arrière de mon crâne, et cela me fait de nouveau penser au film préféré de Mrs Lewen, plus précisément au passage où l'héroïne abandonne les teintes sépia et le silence irréel pour pénétrer dans un monde en Technicolor. Les pivoines, hélianthèmes, œillets de poète et digitales qui bordent les courbes de l'allée semblent prendre des teintes roses et rouges et violettes encore plus intenses. Au bout de l'allée, un homme apparaît.

C'est l'homme de la jetée. Il est très grand, comme toi. Et très mince, comme toi, en un peu plus maigre peut-être. Il a ta belle carrure. Il fait quelques pas dans ma direction et je constate qu'il boite, comme toi maintenant. Malgré cela, il a un très beau port. Le soleil de cette fin d'après-midi est derrière lui. Je suis trop éblouie pour distinguer ses traits, en dehors de ses yeux qui me sautent au visage, aussi bleus que les delphiniums. Il est flouté par la brume de chaleur.

Mon cœur cogne dans ma poitrine. Je l'entends. J'en suis certaine. J'ai de plus en plus le vertige. Ma tête est trop lourde pour mon cou. Elle glisse de ma main et tombe sur l'herbe avec un bruit sourd. Lorsque j'ouvre les yeux, je suis couchée sur le flanc gauche en position latérale de sécurité, sans trop savoir comment je me suis retrouvée comme ça. Je cligne plusieurs fois des yeux, pour essayer d'y voir plus net. Je me redresse, regarde autour de moi, encore persuadée d'être surveillée. Mais je ne le vois pas.

Je me dis qu'il n'est pas là. Que c'est impossible. J'ai encore trop tendance à me croire suivie, même si c'est par quelqu'un que j'ai envie de voir. C'est comme un vertige, et je sais que tu n'es qu'une illusion. Je me souviens d'avoir vu que les hallucinations font partie des rares effets secondaires de l'antiémétique. La vision trouble également. De même que les vertiges et l'altération du rythme cardiaque. Visiblement, je les ai tous. Je vais devoir demander au Dr Haynes de changer mon traitement encore une fois. Mais ce sont là des détails. Des soucis passagers. Qui peuvent s'arranger. Je suis ici, et je suis vivante.

Je pose la main sur mon ventre. Le bébé appuie sans ménagement sur ma vessie comme pour me dire qu'elle va bien, et je pousse un cri qui ressemble à un éclat de rire. Je me souviens du conte de fées que mon père me racontait, celui de la jeune fille aux mains coupées qui traverse toutes ces épreuves. Tout ce qu'elle a perdu lui est rendu, et elle reçoit en récompense plus que ce qu'elle a jamais possédé. Et ses mains repoussent.

Mais l'histoire oublie de mentionner que chacun de ses poignets est cerclé d'une cicatrice. Elle porte ces bracelets indélébiles jusqu'à la fin de sa vie et refuse de les couvrir, même s'ils s'estompent avec le temps.

REMERCIEMENTS

Je n'aurais jamais pu faire tout cela toute seule. Je remercie du fond du cœur mon agent Euan Thorneycroft, qui a cru à *Je sais où tu es* et l'a défendu. Sans lui, ce livre n'en serait pas un. L'équipe d'A.M. Heath a été incroyable. Les conseils d'Euan Thorneycroft et Pippa McCarthy ont permis de nettement améliorer le roman. Jennifer Custer et Hélène Ferey ont eu à cœur de l'emporter dans d'autres pays pour le faire traduire ; c'est un immense privilège pour un écrivain de pouvoir s'adresser à des lecteurs dans d'autres langues. Pippa McCarthy et Vickie Dillon se sont occupées d'innombrables détails qui sans elles m'auraient accablée.

C'est un grand honneur d'être publiée par HarperCollins, et un rare privilège de travailler avec autant de personnes talentueuses. Sarah Hodgson au Royaume-Uni, Claire Wachtel aux États-Unis, et Iris Tupholme au Canada m'ont éclairée de leurs conseils avisés. Avoir l'une d'entre elles comme éditrice aurait été un honneur, les avoir toutes les trois a été une chance formidable. L'acuité de leur regard est tout aussi remarquable que leur délicatesse, leur méti-culosité et leurs égards.

Chez HarperCollins UK, je suis tout particulièrement reconnaissante à Kate Stephenson pour son travail de production du livre, pour ses remarquables inspirations, y compris les phrases ô combien efficaces sur la couverture de ce roman, et pour sa patience et sa gentillesse ; merci à Louise Swannell, qui s'est occupée de la publicité avec flair et génie, à Anne O'Brien pour ses relectures et sa mise en page élégante et soignée, à Ben Gardiner pour le design et la typo, à Dominic Forbes pour la magnifique et puissante couverture, à Adrian Hemstalk, qui a fait de ce roman un objet et un e-book que les lecteurs peuvent tenir dans leurs mains, à Laura Fletcher et sa magnifique équipe commerciale – Sarah Collett, Lisa Hunter et Tom Dunstan ; à Lucy Upton pour sa brillante campagne de promotion ; à Damon Greeney qui a coordonné les ventes du roman sur différents marchés ; et à Eamonn McCabe pour son talent de photographe.

À HarperCollins USA, j'adresse tous mes remerciements à Jonathan Burnham pour son soutien enthousiaste ; à Hannah Wood qui, en plus de faire un magnifique travail de coordination et de m'aider à passer du stade du manuscrit à celui du livre, a écrit une superbe présentation du roman pour le catalogue américain ; à Richard Ljoenes pour sa fascinante et inquiétante couverture ; à Michael Correy pour l'intelligence du design des pages du livre ; à Heather Drucker, mon très cher et talentueux agent et à sa merveilleuse équipe ; à Kathy Schenider et Katie O'Callaghan pour leur remarquable campagne de promotion ; à Emily Walters et Cindy Achar, qui ont accompagné le livre tout au long du processus de fabrication ; et à mon éditrice Mary Beth Constant, à son regard affûté, son jugement sans faille et sa subtile intelligence.

À HarperCollins Canada, je voudrais en particulier remercier Doug Richmond, grâce auquel tout s'est parfaitement enchaîné ; Maria Golikova qui a géré l'élégant catalogue canadien, Sonya Koson, mon merveilleux agent ; et l'équipe de Noelle Zitzer – Maria Golikova, Allegra Robinson et Kelly Hope – qui a permis à ce livre de passer l'étape production.

L'influence intellectuelle et créative de Richard Kerridge a été décisive ; je lui adresse ma sincère reconnaissance pour son jugement infaillible, son soutien indéfectible et ses précieux conseils. Gerard Woodward est un ami tout autant qu'un mentor généreux et cultivé. L'intérêt qu'il a manifesté pour ce roman revêt pour moi un sens particulier. L'amitié de Sheryl me soutient depuis toujours. Colin Edwards et Julia Green ont répondu avec gentillesse et pertinence à mes appels à l'aide. Richard Francis et

Christopher Nicholson ont toujours été là quand j'avais besoin d'être guidée. Richard Kerridge, Gerard Woodward et Richard Francis ont aussi fait des suggestions précieuses et essentielles, ainsi que Tim Liardet, Suzanne Woodward, Miranda Liardet et Ross Davis. Merci aux pompiers qui m'ont aidée en répondant patiemment à mes questions ; ils incarnent le bien. J'assume la responsabilité de mes erreurs et de mes inventions.

Impossible d'imaginer lecteur plus patient que mon père. Ma mère est dotée d'une sagesse infinie et d'une beauté authentique. Leur amour et leur soutien m'ont construite. Mon oncle Gary et ma tante Barbara m'ont donné eux aussi un recueil de contes de fées, et tant d'autres choses. Ma sœur Bella me dit toujours la vérité et me défend systématiquement – elle est tout ce que son nom suggère, et sans elle je serais perdue. Mon frère Robert a réagi avec son habituelle gentillesse quand je n'ai pas pu m'empêcher de lui voler son nom pour l'un de mes personnages. Mes trois filles sont magiques dans tous les sens du terme, et rendent tout plus beau, plus vrai.

« *SPÉCIAL SUSPENSE* »

MATT ALEXANDER
Requiem pour les artistes

STEPHEN AMIDON
Sortie de route

RICHARD BACHMAN
La Peau sur les os
Chantier
Rage
Marche ou crève

CLIVE BARKER
Le Jeu de la damnation

INGRID BLACK
Sept jours pour mourir

GILES BLUNT
Le Témoin privilégié

GERALD A. BROWNE
19 Purchase Street
Stone 588
Adieu Sibérie

ROBERT BUCHARD
Parole d'homme
Meurtres à Missoula

JOHN CAMP
Trajectoire de fou

CAROLINE CARVER
Carrefour sanglant

JOHN CASE
Genesis

PATRICK CAUVIN
Le Sang des roses
Jardin fatal

MARCIA CLARK
Mauvaises fréquentations

JEAN-FRANÇOIS COATMEUR
La Nuit rouge
Yesterday
Narcose
La Danse des masques
Des feux sous la cendre
La Porte de l'enfer
Tous nos soleils sont morts
La Fille de Baal
Une écharde au cœur
L'Ouest barbare

CAROLINE B. COONEY
Une femme traquée

HUBERT CORBIN
Week-end sauvage
Nécropsie
Droit de traque

PHILIPPE COUSIN
Le Pacte Pretorius

DEBORAH CROMBIE
Le passé ne meurt jamais
Une affaire très personnelle
Chambre noire
Une eau froide comme la pierre
Les Larmes de diamant
La Loi du sang
Mort sur la Tamise

VINCENT CROUZET
Rouge intense

JAMES CRUMLEY
La Danse de l'ours

JACK CURTIS
Le Parlement des corbeaux

ROBERT DALEY
La nuit tombe sur Manhattan

GARY DEVON
Désirs inavouables
Nuit de noces

WILLIAM DICKINSON
Des diamants pour Mrs Clark
Mrs Clark et les enfants du diable
De l'autre côté de la nuit

MARJORIE DORNER
Plan fixe

CHRISTINE DREWS
Ennemie intime

KAY HOOPER
Ombres volées

PHILIPPE HUET
La Nuit des docks

GWEN HUNTER
La Malédiction des bayous

PETER JAMES
Vérité

TOM KAKONIS
Chicane au Michigan
Double Mise

MICHAEL KIMBALL
Un cercueil pour les Caïmans

LAURIE R. KING
Un talent mortel

STEPHEN KING
Cujo
Charlie

JOSEPH KLEMPNER
Le Grand Chelem
Un hiver à Flat Lake
Mon nom est Jillian Gray
Préjudice irréparable

DEAN R. KOONTZ
Chasse à mort
Les Étrangers

AMANDA KYLE WILLIAMS
Celui que tu cherches

NOËLLE LORIOT
Le tueur est parmi nous
Le Domaine du Prince
L'Inculpé
Prière d'insérer
Meurtrière bourgeoisie

ANDREW LYONS
La Tentation des ténèbres

PATRICIA MACDONALD
Un étranger dans la maison
Petite Sœur
Sans retour
La Double Mort de Linda
Une femme sous surveillance
Expiation
Personnes disparues
Dernier refuge
Un coupable trop parfait
Origine suspecte
La Fille sans visage
J'ai épousé un inconnu
Rapt de nuit
Une mère sous influence
Une nuit, sur la mer
Le Poids des mensonges
La Sœur de l'ombre
Personne ne le croira

JULIETTE MANET
Le Disciple du Mal

PHILLIP M. MARGOLIN
La Rose noire
Les Heures noires
Le Dernier Homme innocent
Justice barbare
L'Avocat de Portland
Un lien très compromettant
Sleeping Beauty
Le Cadavre du lac

DAVID MARTIN
Un si beau mensonge

LISA MISCIONE
L'Ange de feu
La Peur de l'ombre

MIKAËL OLLIVIER
Trois Souris aveugles
L'Inhumaine Nuit des nuits
Noces de glace
La Promesse du feu

ALAIN PARIS
Impact
Opération Gomorrhe

DAVID PASCOE
Fugitive

RICHARD NORTH PATTERSON
Projection privée

THOMAS PERRY
Une fille de rêve
Chien qui dort

STEPHEN PETERS
Central Park

JOHN PHILPIN/PATRICIA SIERRA
Plumes de sang
Tunnel de nuit

NICHOLAS PROFFITT
L'Exécuteur du Mékong

PETER ROBINSON
Qui sème la violence...
Saison sèche
Froid comme la tombe
Beau monstre
L'été qui ne s'achève jamais
Ne jouez pas avec le feu
Étrange affaire
Coup au cœur
L'Amie du diable
Toutes les couleurs des ténèbres
Bad Boy
Le Silence de Grace
Face à la nuit

DAVID ROSENFELT
Une affaire trop vite classée

FRANCIS RYCK
Le Nuage et la Foudre
Le Piège

RYCK EDO
Mauvais sort

LEONARD SANDERS
Dans la vallée des ombres

TOM SAVAGE
Le Meurtre de la Saint-Valentin

JOYCE ANNE SCHNEIDER
Baignade interdite

THIERRY SERFATY
Le Gène de la révolte

JENNY SILER
Argent facile

BROOKS STANWOOD
Jogging

VIVECA STEN
La Reine de la Baltique
Du sang sur la Baltique
Les Nuits de la Saint-Jean

WHITLEY STRIEBER
Billy

MAUD TABACHNIK
Le Cinquième Jour
Mauvais Frère
Douze heures pour mourir
J'ai regardé le diable en face
Le chien qui riait
Ne vous retournez pas
L'Ordre et le chaos
Danser avec le diable

LAURA WILSON
Une mort absurde

THE ADAMS ROUND TABLE PRÉSENTE
Meurtres en cavale
Meurtres entre amis
Meurtres en famille